So einfach geht's zur HD-Video-Kochschule:

- **Hier der exklusive PIN-Code für Hawesko-Mitglieder**

  8Z29N29

- **Auf www.kochen-digital.de mit dem Code Ihren persönlichen Zugang freischalten**
- **Oder die Video-App »KOCHEN – Die neue digitale Schule« kostenlos downloaden und mit dem Code anmelden**

Verlag Zabert Sandmann
München
1. Auflage 2012
ISBN 978-3-89883-360-8

Rezepte	Michael Koch (siehe S. 284)
Grafische Gestaltung	Georg Feigl
Fotografie	Jan-Peter Westermann (siehe S. 284)
Redaktion	Eva-Maria Hege, Sarah Fischer, Ines Alms
Redaktionelle Mitarbeit	Marianne Zunner, Katharina Lisson, Regina Rautenberg
Texte	Marianne Zunner
Filmproduktion	Jan-Peter Westermann, Arne Fey (BÜRO FÜR FILM)
Herstellung	Karin Mayer, Peter Karg-Cordes, Veronika Sen
Lithografie	Christine Rühmer
Druck & Bindung	Mohn Media Mohndruck GmbH, Gütersloh

Beim Druck dieses Buchs wurde durch den innovativen Einsatz der Kraft-Wärme-Kopplung im Vergleich zum herkömmlichen Energieeinsatz bis zu 52 % weniger CO_2 emittiert. Dr. Schorb, ifeu.Institut

Wir danken WMF für die Kooperation.
Besuchen Sie uns auch im Internet unter www.zsverlag.de

KOCHEN

DIE NEUE DIGITALE SCHULE

mit Fotos von Jan-Peter Westermann
und Rezepten von Michael Koch

ZABERT SANDMANN

Inhalt

Liebe Leser, liebe Köche, liebe Weinfreunde,

neben Wein ist Kochen meine zweite große Leidenschaft. Die wichtigsten Dinge dabei sind frische Zutaten, Fingerspitzengefühl und ein gutes Kochbuch. Das mit Abstand beste ist für mich »KOCHEN« aus dem Zabert Sandmann Verlag. Es präsentiert in überschaubaren Kapiteln die Basis der neuen deutschen Küche und ist mit klaren, ästhetischen Fotos bebildert. Damit wird das Kochen zum Kinderspiel, denn die Gerichte sind Schritt für Schritt erklärt, und die Rezepte gelingen sicher.

Dieses Buch ist mehr als eine Rezeptsammlung, es ist auch Nachschlagewerk und Kochschule: Es enthält umfassende Warenkunden der Zutaten und erklärt die Küchentechniken ausführlich. Wenn man hier die Grundlagen gemeistert hat, kann man anschließend auch viele andere Rezepte locker nachkochen.

Mit der neuen, digitalen Ausgabe des Klassikers geht der Verlag noch einen Schritt weiter. In den Filmen zu den Rezepten, die über einen QR-Code im Kochbuch verlinkt sind, kann man sich alle Schritte genau ansehen und erhält wertvolle Tipps für die Zubereitung des Gerichts. Das ist nichts weniger als eine Revolution, da hier die Onlinewelt einbezogen wird und die Grenzen des Buches überschritten werden. Durch diesen technischen Kniff wird das Buch zum besten Kochbuch, das zurzeit verfügbar ist. Ein wunderbares Geschenk und eine der schönsten Zugaben, die ich mir für unseren Katalog vorstellen kann. Denn feine Weine und gutes Essen gehören einfach zusammen.

Ich wünsche Ihnen allen viel Spaß und Inspiration mit diesem Buch und den fantastischen Videos.

A. Margaritoff

Alexander Margaritoff

Die neue Welt des Kochens

»KOCHEN – Die neue digitale Schule« basiert auf einem Lernprogramm, das Ihnen in jedem Kapitel die wichtigsten Grundtechniken vermittelt. Und zwar auf drei verschiedenen Wegen:

1 Step by Step im Buch

Die wichtigsten 39 Grundtechniken – Aus der **Pfanne**, aus dem **Ofen**, aus dem **Topf**, ob **Bratkartoffeln**, **Ofenkartoffeln** oder **Kartoffelpüree**, hier sehen Sie in jedem Kapitel **Step by Step**, wie die jeweils **drei wichtigsten Grundtechniken** garantiert gelingen. Von **Vorspeisen** über Fisch, Geflügel und Fleisch bis hin zum **Dessert**.

QR-Code

www.kochen-digital.de

2 HD-Videos im Web

Die Online-HD-Video-Kochschule – So tauchen Sie ein in unsere neue Welt des Kochens: Einfach den QR-Code zur gewünschten Grundtechnik mit einem QR-Code-Reader scannen oder die angegebene Internetadresse in den Browser eingeben. Dann sehen Sie ein HD-Video, das Ihnen genau zeigt, wie das Rezept zubereitet wird. Lernen Sie kochen – ganz einfach durch Zuschauen – und erfahren Sie nebenbei die geheimen Tricks der Profis.

Um sich für die Online-HD-Video-Kochschule kostenlos anzumelden, benötigen Sie den PIN-Code von der vordersten Seite in diesem Buch. Geben Sie diesen Code auf der Internetseite **www.kochen-digital.de** ein und schalten Sie so Ihren Zugang zu den Videos frei.

3 HD-Videos als kostenlose App

Available on the App Store

Google play

Schnell und unkompliziert – Mit der Video-App »KOCHEN – Die neue digitale Schule« gelangen Sie noch schneller zu den Filmen. Die App können Sie im iTunes- oder Google Play Store kostenfrei herunterladen. Um sich bei der App anzumelden, benötigen Sie ebenfalls den **PIN-Code aus diesem Buch**. Mit dem integrierten QR-Code-Reader können Sie die **QR-Codes** zu den Grundtechniken scannen und sich die Videofilme dazu ansehen. Auf Wunsch sind diese auch offline und ganz ohne QR-Code immer und überall verfügbar.

Küchenbasics

Wein & Speisen

Grundregeln

Wenn Weine und Speisen aufeinandertreffen, entsteht eine komplexe Mischung von Aromen und Komponenten, die sowohl den Geschmack des Weines als auch den der Speisen erheblich verändern können. Auch wenn die Experimentierfreude immer im Mittelpunkt stehen sollte, gibt es doch einige Grundregeln, die man beachten sollte, um ein harmonisches und die Sinne betörendes Ergebnis zu erhalten.

Grundregel 1: Der Geschmack eines Weines ist entscheidend, nicht die Komplexität. Man kann den Geschmack im Wesentlichen auf vier Komponenten reduzieren: süß, sauer, bitter und salzig. Diese Komponenten sollten in einem harmonischen Verhältnis zu den Speisen stehen.

Passende Kombinationen: süß & süß, süß & sauer, süß & salzig, süß & bitter, salzig & sauer, salzig & bitter

Unpassende Kombinationen: bitter & bitter, sauer & bitter

Grundregel 2: Die Kraft der Speisen sollte mit der Kraft des Weines harmonieren.

Beispiel: Fisch mit kräftigem, leicht fettigem Fleisch, beispielsweise Wels, wird mit Speck umwickelt und mit einer Weißwein-Sahne-Sauce serviert. Als Beilagen werden karamellisierte Zwiebeln und Bandnudeln gereicht. Zu einem solchen Fisch passt Chardonnay aufgrund der moderaten Säure ausgesprochen gut. Entscheidet man sich allerdings für eine junge, einfache Weinqualität, die vor allem durch ihre Frische und feine Säure besticht, wird dieser neben der Aromenvielfalt des Gerichts untergehen. Fällt die Wahl jedoch auf einen Grand Cru, beispielsweise aus dem Chablis – der Wein bringt selbst Röstnoten und einen Hauch von Butter und Honig mit - wird sich die Aromenfülle beider Partner ergänzen, ja gegenseitig beflügeln.

Grundregel 3: Der Fettgehalt und die Zubereitungsart von Fleisch und Fisch bestimmen die Auswahl des Weines, nicht die Farbe des Fleisches.

Beispiel 1: Beim gekochten Kalb- oder Rindfleisch, beispielsweise Tafelspitz, wird das Fleisch mürbe und locker. Das Blut verkocht, und der Geschmack wird zart und fein. Hierzu harmonieren Weißweine, vor allem wenig säurebetonte Weine wie Weiß- oder Grauburgunder. Wird Meerrettich gereicht, passt halbtrockener Riesling oder Sauvignon Blanc.

Beispiel 2: Zum Entrecôte oder Steak passen kräftige, volumige, expressive Rotweine wie Bordeaux, Malbec, Cabernet Sauvignon oder südfranzösische Rotweine. Zum feineren Filet eignen sich auch subtilere Weine wie guter Pinot Noir. Werden provenzalische Kräuter eingesetzt, wären füllige Weine der Rhône die erste Wahl.

Beispiel 3: Kurz gebratenes Rindfleisch aus dem Wok, scharf gewürzt mit Chili, Soja- oder Teriyakisauce, dazu frisches, knackiges, untergehobenes Gemüse. Hier ist nicht das Fleisch entscheidend, sondern der Schärfegrad der Marinade. Schärfe zerstört jeden Rotwein, besonders Weine mit viel Gerbstoffen. Zu diesem scharfen dunklen Fleisch harmoniert fruchtiger Weißwein mit Restsüße wie Riesling oder auch Gewürztraminer, wobei durch die Schärfe des Essens die Süße des Weines praktisch aufgehoben wird.

Grundregel 4: Die Auswahl der Saucen spielt eine wichtige Rolle im harmonischen Miteinander von Wein und Speisen. Mehr noch als die Textur des Fleisches entscheiden der Säuregrad oder die Cremigkeit, die Schärfe oder Süße über die Harmonie einer gelungenen Kombination.

Passende Kombinationen: Chardonnay Premier-Cru-Lage Burgund und Beurre Blanc. Der Chardonnay besitzt von sich aus eine cremigbuttrige Note, die durch den traditionellen Säureabbau und den Ausbau im Holzfass noch verstärkt wird. Beide Partner haben wenig Säure, sind cremig und weich.

Unpassende Kombinationen: Riesling trockene Spätlese und Beurre Blanc. Der Riesling besitzt zwar ebenfalls eine gewisse Cremigkeit, wirkt aber vor allem säurebetont. Diese Säure wird durch den hohen Fettgehalt der Sauce noch verstärkt und wirkt dann aggressiv und macht den Wein stumpf und bitter.

Grundregel 5: Es gibt zwei unterschiedliche Herangehensweisen: Die Kombination von Gleichem mit Gleichem, also die Harmonie in Geschmack und Struktur, oder die Wechselwirkung, bei der die Kontraste die Klammer bilden.

Beispiel Harmonie: Gedämpfter Zander und Frühlingsgemüse mit einem im Edelstahl ausgebauten Weißburgunder. Hier haben die Komponenten wenig Säure, sind trotzdem frisch und knackig.

Beispiel Gegensatz: Kotelett vom Hällischen Landschwein, Gemüse und Pilze mit Spätburgunder. Das Fett des Koteletts wirkt beim trocken-fruchtigen Spätburgunder wie ein Geschmacksverstärker.

Klassische Kombinationen von Wein & Speisen

Traditionelle Kombinationen von Wein und Speisen finden sich häufig in Regionen, in denen beides seit langer Zeit hergestellt und zubereitet wird.

Beispiele:

- Schwarzwälder Schinken und badischer Spätburgunder
- Maultaschen und Trollinger
- Crottin de Chavignol und Sancerre
- Bretonische Austern und Muscadet de Sèvre et Main
- Coq au Vin und Beaujolais
- Wiener Schnitzel und Grüner Veltliner
- Entrecôte und Bordeaux
- Bœuf bourguignon und Pinot Noir
- Choucroute und Elsässer Riesling
- Munster und Gewürztraminer
- Bistecca fiorentina und Chianti
- Wild mit Trüffel zu Barolo
- Spargel und Gutedel

Darüber hinaus haben sich Klassiker herausgebildet, die einfach ideal miteinander harmonieren und kulturell gewachsen sind.

Beispiele:

- Hummer und Champagner
- Rib-Eye-Steak und Shiraz
- Stilton und Port
- Pork Rips und Zinfandel
- Lamm und Weine von der Rhône

Zutaten, die eher nicht mit Wein harmonieren:

- Artischocke, rohe Tomate, roher Spinat, Obst, Rettich (Wasabi), Sardellen, Dijon-Senf, Matjes, Joghurt, Eier, Eis, Kaffee, Vinaigrette

Über Hawesko

Das Hanseatische Wein & Sekt Kontor beliefert seine Kunden seit mehr als 45 Jahren mit **hochwertigen Weinen und Champagnern**. Die Einkäufer des Unternehmens sind dabei ständig in den Weinbauregionen der Welt unterwegs, um die Klassiker von morgen zu entdecken. Dabei wird auf strenge **Qualitätskontrollen** Wert gelegt – Sie können sich zu jeder Zeit darauf verlassen, einwandfreie, hochwertige Produkte zu erhalten.
Die Weine werden direkt bei den Erzeugern bezogen, auf den Zwischenschritt über den Großhandel wird verzichtet. Dadurch ist es möglich, das gesamte Spektrum hochwertiger Weine zu **attraktiven Preisen** anzubieten. Es finden sich günstige Einstiegsweine ebenso im Sortiment wie Raritäten und Weine der absoluten Spitzenklasse. Darüber hinaus bietet das Unternehmen ein großes Angebot an Weinzubehör und einen umfangreichen Präsentservice.
Beim Hanseatische Wein & Sekt Kontor werden **umfassender Service und kompetente Beratung** großgeschrieben. Neben ausführlichen Informationen zu den Weinen auf www.hawesko.de berät Sie zudem das 40 Mitarbeiter umfassende Serviceteam an sieben Tagen die Woche.
Das Hanseatische Wein & Sekt Kontor hat eine **kostenlose App-Version für das iPhone** entwickelt, mit der Sie auch mobil jederzeit auf das gesamte Sortiment zugreifen können und sogar zusätzliche Angebote erhalten. Über den **QR-Code** gelangen Sie zum iTunes Store, wo Sie die App gratis herunterladen können.

Das richtige Handwerkszeug

Eine gute Küchenausstattung ist oft die halbe Arbeit und bringt doppelten Spaß beim Kochen. Und mit wenigen Basisgeräten ist man schon bestens gerüstet für viele Küchenschlachten.

Mit Topf und Verstand Wer gerne und regelmäßig kocht, braucht verschiedene Töpfe in unterschiedlichen Größen. Welche Größen sinnvoll sind, richtet sich auch danach, wie viele Personen in einem Haushalt zusammenleben. Denn wer für eine hungrige Großfamilie auftischt, braucht mehr Platz in seinen Töpfen als ein kleiner Single-Haushalt. Doch die Anforderungen an die grundsätzliche Form und Handhabung der Töpfe sind in beiden Fällen dieselben. Drei Grundformen haben sich dabei für die Standardausstattung bewährt: Ein kleiner Topf, z.B. eine Stielkasserolle, für Saucen und Miniportionen, ein flacher Braten- oder mittelhoher Fleischtopf zum Schmoren, aber auch zum Garen von Reis oder Blanchieren von Gemüse, sowie ein hoher Gemüsetopf für große Gemüse- oder Pastaportionen, Brühen, Suppen und Eintöpfe.

Die schneidigen Gesellen Da Größe, Beschaffenheit und Konsistenz von Lebensmitteln unterschiedlich sind, müssen auch Form und Ausführung der Messer dazu passen. Unerlässlich ist ein Allzweck- bzw. Universalmesser, mit dem sich schon ein Großteil der Putz-, Schnippel- und Schneidarbeiten erledigen lässt, sei es Fleisch, rohes Gemüse oder Obst. Für Kräuter oder Nüsse empfiehlt sich dagegen ein Kochmesser mit einer breiten, stabilen Klinge. Zum Hacken bzw. Wiegen wird die Messerspitze fest auf der Arbeitsplatte aufgesetzt und die Schneidkante auf- und abbewegt. Dann fehlt für das Basis-Messersortiment nur noch eine lange kräftige Klinge mit einem sogenannten Doppelwellenschliff – ein Brotmesser. Dieses reißt die harte Brotkruste an und schneidet glatte Scheiben. Ein Doppelwellenschliff eignet sich aber auch hervorragend zum Schneiden von weichen Früchten oder Gemüsen, wie z.B. Tomaten. Kein Muss, aber durchaus eine Anschaffung wert, ist ein Fleischmesser. Tranchieren von rohem oder gebratenem Fleisch ist sein Spezialgebiet. Die lange Klinge sorgt für einen festen und sauberen Schnitt der Fleischfasern, sodass keine wertvollen Bratensäfte auslaufen. Es kann aber auch verwendet werden, um Fleisch in Streifen oder filigrane Würfel zu schneiden. Achten Sie beim Messerkauf auf Qualität: Messer aus hochwertigem Stahl sind besonders scharf und korrosionsbeständig. Zudem sollte ein Messer gut in der Hand liegen und ein ausgewogenes Gewicht haben.

Die Bretter, die die Küchenwelt bedeuten Scharfe Klingen sind empfindlich und werden auf Schneidunterlagen aus Glas oder Stein schnell stumpf. Am besten sollten daher Küchenbretter aus Holz, Bambus oder hochwertigem Kunststoff verwendet werden. Diese haben eine klingenschonende Oberfläche und bilden die ideale Grundlage zum Schneiden, Hacken und Zerkleinern.

Rein ins Gemenge Ob Sahne aufschlagen, Teig kneten oder Zutaten verrühren – je nach Bedarf werden Schüsseln in passender Größe, Form und aus bestimmten Materialien benötigt. Aus Edelstahl ist die Schüssel der Wahl, wenn es um Hitze bzw. Kälte geht. Das Metall leitet die Umgebungstemperatur an den Schüsselinhalt weiter – so schmilzt die Kuvertüre im heißen Wasserbad, und die warme Vanillecreme kann über Eiswasser kalt geschlagen werden, bevor sie in die Eismaschine kommt. Metallschüsseln lassen sich außerdem gut vorwärmen – optimal für die Zubereitung von Kartoffelpüree, so bleibt es bis zum Servieren schön heiß. Kommen Haken oder Quirle eines Handrührgeräts zum Einsatz, sind Schüsseln aus Kunststoff eher geeignet. Unabhängig aus welchen Material, günstig ist bei Schüsseln immmer ein ausgeprägter Schüttrand, mit dem sich Flüssigkeiten ohne Kleckern ausgießen lassen.

Damit nichts anbrennt Mittlerweile haben sich in den meisten Haushalten beschichtete Aluminiumpfannen durchgesetzt. Der große Vorteil ist, dass sie antihaftversiegelt sind, d.h., auch wenn nur sehr wenig Fett verwendet wird, backt an der Oberfläche nichts an. Für eine fettarme, gesundheitsbewusste Ernährung können antihaftversiegelte Pfannen daher das Zünglein an der Waage sein. Sie braten zudem schonend und sind überdies problemlos zu reinigen. Für ambitionierte Köche lohnt sich jedoch auch die Anschaffung einer unbeschichteten Pfanne, z.B. aus Edelstahl. Diese sind strapazierfähig, unempfindlich gegen Kratzer und Stöße und vertragen starke Hitze – ideal zum Braten und ein Muss für das perfekte Steak.

Die kleinen Helferlein Vom einfachen Kochlöffel bis zum Hightech-Julienneschneider – in der Welt der Haushaltskleingeräte bleiben keine Wünsche offen. Und hier hat natürlich jeder ganz individuelle Ansprüche und Vorlieben. Unabhängig davon, ist jedoch eine Basisaustattung mit bestimmten Utensilien in jeder Küche sinnvoll. Dazu gehören ein Kochlöffel und ein Pfannenwender aus Kunststoff oder Holz, damit beschichtete Pfannen nicht zerkratzen, Schöpflöffel, Schneebesen oder Rührblitz sowie eine Reibe für Zitronenschale, Käse oder Rohkost. Der gelochte Schaumlöffel ist immer dann eine große Hilfe, wenn man Gargut aus einer Flüssigkeit heben und abtropfen lassen möchte. Ein Sparschäler erleichtert das Schälen und ist auch für dünne Gemüsestreifen ideal. Ein großes, standfestes Sieb braucht man zum Abgießen von Nudeln und Gemüse und um gewaschenen Salat abtropfen zu lassen, ein kleineres feines für Reis und zum Passieren von Suppen oder Saucen. Und wer ein Kartoffelpüree-Liebhaber ist, sollte noch eine Kartoffelpresse im Haus haben – damit bekommt das Püree eine luftige Konsistenz.

Eichenholzbrett
Kochmesser
Brotmesser
Universalmesser
Gemüsetopf
feines Sieb
Fleischmesser
Metallschüsseln
Käsereibe
Sparschäler
Kartoffelpresse
Rührblitz
Schneebesen
Schaumlöffel
Pfannenwender
Edelstahlpfanne
Kochlöffel
Schöpflöffel
Aluminiumpfanne

Die grüne Würze

Für alles ist ein Kraut gewachsen – und welches Kraut mit welchen Zutaten besonders gut harmoniert, das ist in der Küche das A & O und vor allem das Mmmh!

Basilikum: Basilikum kann mit Fug und Recht als König unter den Kräutern bezeichnet werden, denn sein Name leitet sich ab vom griechischen Wort für König (»basileus«). Und auch sein Aroma ist wahrhaft königlich – es reicht von Anis über Nelke bis hin zu Zitrone, je nach Sorte und Herkunft.

Dill: Er ist weit mehr als nur ein Spezialist für Meerestiere und Einmachgläser, Dill ist ein wahrer Alleskönner. Kartoffeln, Tomaten und Bohnen, Mayonnaise und Senf, Salate, Saucen und Suppen – mit etwas Dill bekommen sie das besondere Extra. Er passt zu Milchprodukten aller Art und zu Fleisch, von Lamm bis Leber.

Estragon: In vielen europäischen Küchen hatte Estragon lange Zeit einen schweren Stand. In Frankreich jedoch wusste man ihn relativ früh zu schätzen, und so wurde er zum festen Bestandteil von Delikatessen wie Sauce béarnaise. Er würzt außerdem Senf und Essig und ist der ideale Begleiter zu Fisch.

Kerbel: Die zarten Kerbelblättchen weisen geschmacklich einen Hauch Anis auf. Sie sind leicht süßlich, erinnern zudem etwas an Estragon und Dill. Das wohl bekannteste Gericht ist die Kerbelsuppe. Das Kraut passt aber auch gut zu Fisch, Kartoffeln, Rühreiern und Salat und ist ein fester Bestandteil in der Frankfurter Grünen Sauce.

Koriander: Am Koriandergrün scheiden sich die Geister, doch wer Geschmack an ihm gefunden hat, wird ihn zu den besten Küchenkräutern zählen. Bei uns ist Koriandergrün vor allem durch die asiatische und südamerikanische Küche populär geworden. Dort spielt er von jeher eine große Rolle beim Aromatisieren von Currygerichten, Salaten, Salsas und Dips wie Guacamole.

Liebstöckel: Bei Liebstöckel handelt es sich zwar um eine mediterrane Pflanze, aber auch in unseren Gefilden gedeiht sie sehr gut. In der Küche sollte man zunächst sparsam mit den Blättern umgehen. Das Kraut ist sehr dominant und eignet sich am besten zum Würzen von kräftigen Gerichten. Nicht umsonst ist Liebstöckel auch unter dem Namen »Maggikraut« bekannt – geschmacklich erinnert es stark an die gleichnamige Würzsauce.

Majoran: Majoran verleiht vielen deutschen Würsten das charakteristische Aroma, allen voran Brat-, Blut- und natürlich Leberwurst. Diesem Verwendungszweck verdankt er auch seinen Beinamen »Wurstkraut«. Generell ist Majoran ideal, wenn es fettig zugeht, da er zu einer besseren Verdaulichkeit beiträgt.

Minze: In der Küche wird Minze häufig für Süßspeisen verwendet, auf Grund ihres frischen Aromas gerne in Kombination mit Obst. Minze hat aber auch ihre herzhaften Seiten: Sie verfeinert Fleisch und Geflügel sowie Gemüse und macht sich gut in Salaten.

Oregano: Man nennt ihn auch Dost oder Wilden Majoran. Mit Majoran ist er zwar verwandt, geschmacklich ist er aber herber als der feine Majoran. Besonders aus der italienischen Küche ist Oregano nicht wegzudenken, denn auf einer originalgetreuen Pizza oder in einer klassischen Tomatensauce darf das Kraut nicht fehlen.

Petersilie: Petersilie harmoniert mit nahezu jedem Gericht und auch, wenn sie deutlich hervorzuschmecken ist, lässt sie doch genug Platz für andere Gewürz- und Kräuterkomponenten. Petersilie gibt es mit krausen und mit glatten Blättern, wobei die glatte das intensivere Aroma besitzt. Wichtig ist aber vor allem, dass sie frisch verwendet wird. Dann schmeckt sie nicht nur am besten, sondern ist auch noch eine wahre Vitamin- und Mineralstoffbombe.

Rosmarin: Er hat einen leicht bitteren Geschmack und einen würzigen Duft, der an Kampfer und Weihrauch erinnert. Rosmarin würzt Käse, Kartoffeln, Marinaden und Fleisch – bei Lammgerichten ist er quasi ein Muss. Die Zweige des Rosmarins, die recht hart und stabil sind, werden auch gerne als Spießersatz genutzt.

Salbei: Die bitter schmeckenden Blätter zählen zu den ältesten Heil- und Würzkräutern. Salbei ist sehr dominant; richtig dosiert und in Kombination mit Zutaten, die das kräftige Aroma vertragen, entfaltet er jedoch sein volles Potenzial. So hat er sich schon in italienischen Klassikern wie Saltimbocca (Kalbsschnitzel mit Salbei und Schinken) oder Gnocchi mit Salbeibutter kulinarisch verewigt.

Schnittlauch: Schnittlauch passt quasi zu jedem Gericht. Voraussetzung ist jedoch, dass man ihn beim Namen nimmt und ihn nur frisch geschnitten verwendet. Getrocknet, tiefgefroren oder auch mitgegart verliert er sein Aroma. Frisch geerntet, macht das Zwiebelgewächs aber sogar ein einfaches Butterbrot zur Delikatesse.

Thymian: Das kleinblättrige Mittelmeerkraut duftet angenehm würzig-süß und schmeckt leicht mentholartig. Es passt ideal zu Braten und Eintöpfen und ist ein unverzichtbarer Bestandteil provenzalischer Kräutermischungen. Er gehört aber auch zu den wenigen Kräutern, die sich in Desserts gut machen, vor allem, wenn diese mit Honig gesüßt sind und/oder Früchte enthalten.

Koriander
Kerbel
Rosmarin
Minze
Majoran
Basilikum
glatte Petersilie
Dill
Schnittlauch
Estragon
Oregano
Thymian
Salbei
Liebstöckel
Lorbeer

Aromen aus aller Welt

Früher wurden sie in Gold aufgewogen, waren Statussymbole und wurden in Kriegen umkämpft. Heute sind Gewüze für jedermann erschwinglich und bereichern längst auch die Alltagsküche.

Chili: Die roten und grünen Schoten stammen ursprünglich aus Südamerika und sind Verwandte der Paprika. Die meiste Schärfe sitzt in den Samen und Häutchen. Wer es weniger scharf mag, sollte beides entfernen. Getrocknet und gemahlen, werden Chilis zu Pulver verarbeitet, der bekannteste Vertreter ist der Cayennepfeffer.

Currypulver: Das Pulver kann aus über 20 Einzelgewürzen bestehen, unverzichtbar für alle Currypulver sind Ingwer, Kardamom, Koriander, Kreuzkümmel, Kurkuma, Nelken, Pfeffer, Senfsamen und Zimt. Curry würzt Reis-, Fleisch- und Fischgerichte und harmoniert auch gut mit Hülsenfrüchten, Möhren oder Blumenkohl.

Ingwer: Mit seiner wärmenden Schärfe und seinem Zitrusaroma eignet sich Ingwer zum Würzen von salzigen und süßen Speisen. Frisch gibt er Fleisch- und Fischgerichten, Saucen, Marinaden, Dressings und Süßspeisen den letzten Schliff. Getrocknet, wird er vor allem in der Lebkuchen- und Printenbäckerei eingesetzt. Zu Sushi ist eingelegter Ingwer ein Muss.

Kardamom: Neben Safran und Vanille zählt Kardamom zu den teuersten Gewürzen der Welt. In der Küche werden die grünen Kapseln oder auch nur die Samen verwendet. Die Kapseln würzen milder als die Samen. Hierzulande kommt Kardamom vor allem in weihnachtlichen Backwaren wie Lebkuchen zum Einsatz. Aber auch bekannte Gewürzmischungen wie das marokkanische Ras-el-Hanout oder das arabische Baharat kommen nicht ohne Kardamom aus.

Koriander: Neben dem frischen Kraut sind auch die Samen des Korianders ein beliebtes Gewürz. Röstet man die gelblich braunen Körner vor der Verwendung an, verstärkt das ihr süßes, würzigholziges Aroma. Für viele exotische Gewürzmischungen, aber auch scharfe mexikanische Salsas ist er eine unabkömmliche Zutat.

Kreuzkümmel: Kreuzkümmel duftet süßer und lieblicher, als er schmeckt – nämlich herb mit einer minzigen Note. Wird er im Ganzen ohne Fett angeröstet, entwickelt er ein kräftig nussiges Aroma. Kreuzkümmel passt gut zu gebratenem Fleisch, Geflügel und Fisch und verfeinert Saucen und Dips.

Kümmel: Sein frisches, eukalyptusähnliches Aroma mit feinherber Süße entfaltet Kümmel erst, wenn er zerrieben, gekaut oder erwärmt wird. Dank seiner stark verdauungsfördernden Wirkung macht Kümmel fette oder ballaststoffreiche Speisen, wie Schweinebraten, Gulasch, Kohl oder Sauerkraut, bekömmlicher.

Lorbeer: In der Antike galten die Blätter des Lorbeerbaums als Sinnbild für Ruhm, und man bekränzte damit Sportler und edle Häupter. In der Küche ist Lorbeer heute dank seines vollmundigen warmen Aromas das perfekte Gewürz für Fleisch, Saucen, Suppen bzw. Brühen und viele Gerichte, die eine längere Schmorzeit haben. Lorbeerblätter werden nur mitgegart, nicht mitgegessen.

Muskatnuss: Anders als ihr Name vermuten lässt, ist die Muskatnuss gar keine Nuss, sondern der Samenkern der pfirsichartigen Frucht des Muskatnussbaums. Fein gerieben und sparsam dosiert, passt Muskatnuss zu Spinat, Kartoffel-, Käse-, Hackfleisch- und Eiergerichten. Sie gibt auch der Sauce béchamel ihre typische Note.

Paprikapulver: Das rote Pulver ist bei uns in verschiedenen Schärfegraden im Handel: Die gängigsten Sorten sind »mild«, »edelsüß«, »scharf« und »Rosenpaprika«. Paprika würzt mit seinem süßpikanten Aroma Schmorgerichte, Marinaden und Dips. Das Pulver sollte man nicht zu stark anbraten, weil es dann bitter schmeckt.

Pfeffer: Echter Pfeffer ist bei uns als schwarzer, weiße oder grüner Pfeffer erhältlich – die Sorten unterscheiden sich in Aussehen, Duft und Geschmack. Am harmonischsten schmeckt schwarzer Pfeffer. Für den echten Pfeffergeschmack sollten Sie die Beeren immer frisch zerstoßen oder mahlen.

Safran: Die Ernte von Safran ist äußerst mühsam: Er wird aus den Blütennarben einer Krokusart gewonnen, die nur im Herbst für zwei Wochen blüht. Kein Wunder also, dass Safran das teuerste Gewürz ist. Kulinarisch ist er in zweierlei Hinsicht interessant: Er verleiht Speisen eine sattgelbe Farbe und zugleich eine dezent herbe Süße.

Vanille: Das betörende Aroma der Vanille steckt sowohl in der Schote als auch im Mark. Klassischerweise wird Vanille zum Veredeln von Desserts und Backwaren eingesetzt. In letzter Zeit gewinnt sie aber auch für die pikante Küche an Bedeutung. Ihre feinherben Komponenten harmonieren wunderbar mit Meeresfrüchten, Geflügel, Risotto und Gemüsesorten wie Spinat oder Tomaten.

Zimt: Die getrocknete Rinde des Zimtbaums gehört zu den ältesten Gewürzen der Welt und ist als fingerdicke Stange oder als Pulver erhältlich. Bei uns das Weihnachtsgewürz schlechthin, veredelt Zimt Plätzchen, Lebkuchen & Co. Ganz anders in China, Indien, im Orient oder in Afrika: Dort wird er auch gern zum Abrunden von salzigen Gerichten eingesetzt.

Safranfäden
Muskatnüsse
Vanillestangen
Zimtstangen
Ingwer
Zimtpulver
Paprikapulver
Wacholderbeeren
Lorbeerblätter
Kümmel
Kreuzkümmel
Kurkuma
Kardamom
Koriander

Vorspeisen

Aller Anfang ist leicht

Ob italienische Antipasti, französische Hors d'œuvre oder arabische Mezze – ein ausgedehntes Essen mit einem entsprechenden Auftakt zu beginnen hat in vielen Kulturkreisen Tradition.

Auftakt nach Maß So wie die Ouvertüre eine Oper eröffnet, bereitet die Vorspeise den Genießer auf die folgenden »Akte« eines Menüs vor. Sie verkürzt das Warten auf den Hauptgang und stillt den größten Hunger, ohne satt zu machen. Wie eine Oper, so ist auch ein Menü eine Komposition aus unterschiedlichen Bestandteilen, die sich ergänzen und miteinander harmonieren. Ganz große Opern sind mehrgängige Menüs, die auch gleich mit mehreren Vorspeisen eingeleitet werden. Meist jedoch besteht ein Menü aus drei Gängen: der Vorspeise, dem Hauptgang mit Fleisch oder Fisch und dem Dessert – oder Käsegang. Die Wahl der Vorspeise wird hier von dem Hauptgericht bestimmt. Die Faustregeln:

1. Besteht der Hauptgang aus Fisch, wird eine Vorspeise mit Fleisch oder Geflügel serviert, und umgekehrt. Vegetarisches passt zu beiden Spielarten.

2. Schlägt das Hauptgericht eine internationale Richtung ein, folgt ihm die Vorspeise – Antipasti passen gut vor ein Saltimbocca jedoch weniger zum indischen Curry, vietnamesische Glücksrollen machen Appetit auf ein Wokgericht, aber nicht auf ein klassisch französisches Coq au vin.

3. Vor üppigen Hauptgerichten sind leichte Vorspeisen angebracht, und umgekehrt ebenso – vor einem Schweinebraten mit Knödeln ist eine klare Brühe oder ein frischer Salat eine bessere Wahl als gebackener Käse.

4. Die Vorspeise sollte nicht die gleichen Zutaten wie das Hauptgericht enthalten. Ein Menü sollte möglichst viel Abwechslung bieten und sich deshalb nicht zu oft wiederholen. Eine Ausnahme sind Themenmenüs, wie z.B. ein Spargel- oder Kürbismenü. Hier wird ganz bewusst entschieden, alle drei Gänge mit derselben Hauptzutat zuzubereiten.

Gut vorbereitet, ist halb gewonnen Je besser ein Menü vorbereitet werden kann, desto entspannter ist der Gastgeber. Dies gilt besonders für die Vorspeise, denn gerade zu Beginn sollte genug Zeit sein, um in Ruhe die Gäste begrüßen zu können. Oft können einige Komponenten schon mehrere Stunden vor dem Essen zubereitet werden und bis zur Fertigstellung problemlos im Kühlschrank »warten« . Noch praktischer ist es, vor allem bei Anlässen, zu denen viele Gäste erwartet werden, wenn die Arbeit schon in den Vortagen erledigt werden kann und zum Schluss nur noch wenige Handgriffe nötig sind. Das lässt sich gut vorbereiten:

Ein bis zwei Tage vor dem Essen: Gebundene und klare Suppen lassen sich nicht nur gut vorbereiten, sie schmecken sogar oft noch besser, wenn sie über Nacht durchgezogen sind. Sie sind leicht auch für eine große Personenanzahl zuzubereiten; Gleiches gilt für verschiedene Saucen. Weit im Voraus lassen sich auch Gelees, Chutneys, Terrinen, Rillettes und Mousses herstellen. Gebeizter Fisch muss bis zu zwei Tage in der Beize ziehen (siehe S. 22) und eignet sich ideal als Vorspeise. Und auch Antipasti (siehe S. 22) schadet ein längerer Aufenthalt in der Marinade nicht – im Gegenteil.

Mehrere Stunden vor dem Essen: Grundsätzlich ist zu empfehlen, das Rezept der Wahl in Ruhe durchzugehen und zu überlegen, welche Handgriffe vorher erledigt werden können. Dazu gehört z.B., Salatzutaten zu waschen, putzen, gegebenenfalls klein zu schneiden und zu mischen. Vinaigrettes, Dips und Mayonnaisen können angerührt und im Kühlschrank aufbewahrt werden. Vorsicht jedoch bei Guacamole – Avocado wird schnell braun. Sollte Gekochtes, Gebratenes oder Gebackenes zum Kaltessen vorgesehen sein, muss dieses lange genug im Voraus vorbereitet werden, damit es abkühlen kann.

Kurz vor dem Servieren: Alles, was heiß aus Pfanne, Ofen oder Topf auf die Vorspeisenteller kommen soll, muss – je nach Garzeit – kurz vor dem Verzehr zubereitet werden. Blattsalate sollten so spät wie möglich mit dem Dressing gemischt werden, da sie schnell zusammenfallen. Das stilvolle Anrichten ist der letzte Arbeitsschritt.

Das Auge isst mit Was nützt das beste Essen, wenn es lieblos angerichtet wird? Und weil der erste Eindruck zählt, ist eine schöne Präsentation der Vorspeise doppelt wichtig. Auf großen Tellern oder Platten lassen sich die Zutaten besonders attraktiv anrichten, zu kleine Teller dagegen wirken schnell überfüllt. Suppen machen in Cappuccinotassen Eindruck, kleinteilige Salate sehen auch mal in Gläsern edel aus. Kleine Schälchen, Kännchen oder sogenannte Partylöffel eignen sich, um Dips, Vinaigrettes oder Saucen zu servieren. Um Tatar und sehr klein geschnittene Salate oder Gemüse in Form zu bringen, kann man einen Anrichtering aus Metall verwenden. Damit lassen sich auch Kreise, z.B. aus Brot, ausstechen. Besonders schöne Effekte lassen sich bei allen Vorspeisen mit frischen Kräutern erzielen. Diese werden aber erst ganz zum Schluss angelegt, damit sie nicht welken. Ein absoluter Hingucker sind essbare Blüten, wie Gänseblümchen, Ringelblumen, Rosenblätter, Veilchen oder Lavendel. Wer sie nicht im eigenen Garten findet, sollte sie beim Gemüsehändler besorgen, denn Ware aus dem Blumenladen ist möglicherweise behandelt.

Parmaschinken
Pancetta
Parmesan
Halloumi
Ziegenkäserolle
(geascht)
Ciabatta
Pain d'épis
Pitabrot
Fladenbrot
weiße Bohnen
Kichererbsen
Büffelmozzarella
Blätterteig
Tramezzini-Brot
Filoteig
Reispapier
Panko
Kapernäpfel
getrocknete
Tomaten
grüne und
schwarze Oliven

Vorspeisen – stilvoll aufgetischt

1 MIT FLEISCH & GEFLÜGEL

Vorspeisen mit Fleisch und Geflügel sind meist besonders edel, wie z.B. das Carpaccio. Es zergeht auf der Zunge, denn es kommt in hauchdünnen Scheiben auf den Teller. Weil die aber von Hand nicht so dünn geschnitten werden können, ohne zu reißen, werden sie zwischen Folie vorsichtig flach geklopft. Man kann aber auch mit dem Nudelholz darüberrollen oder das Fleisch mit einem breiten Messer flach streichen.

1. Das Rinderfilet mit einem scharfen Messer in gleichmäßige, dünne Scheiben schneiden.

2. Die Scheiben jeweils auf Frischhaltefolie legen, mit einer zweiten Lage Folie bedecken und mit dem Plattiereisen oder einem Stieltopf sanft flach klopfen.

2 MIT FISCH & MEERES-FRÜCHTEN

Für ein üppiges Menü ist ein leichter Einstieg mit Fisch oder Meeresfrüchten ideal – und mit gebeiztem Fisch liegt man immer richtig. Der auf skandinavische Art durch Einlegen in Salz haltbar gemachte Lachs ist bei Gastgebern besonders beliebt, denn man kann bzw. muss ihn sogar einige Tage vorher zubereiten. Und durch Gewürze und Kräuter lässt er sich immer wieder neu abwandeln.

1. Am Vortag Wacholder und Pfeffer im Mörser zerstoßen. Die Dillstiele abschneiden (die Spitzen für den nächsten Tag beiseitelegen) und mit zerreiben. Gewürze in eine Schüssel geben. Aquavit, Zitronenschale, Meersalz und Zucker untermischen.

2. Das Lachsfilet waschen, trocken tupfen und mit der Hautseite nach unten in eine flache Schale legen. Mit der Gewürzmischung gleichmäßig bedecken.

3 VEGETARISCH

Vegetarische Vorspeisen sind oft der Auftakt der Wahl, denn fleischliche Genüsse bietet meist schon das Hauptgericht. Ein italienischer Klassiker ist gegrilltes und eingelegtes Gemüse. Das Grillen sorgt für ein kräftiges Aroma, in der würzigen Marinade hält es sich mehrere Tage im Kühlschrank. Ein paar gebratene Garnelen, ein Stück Ziegenfrischkäse oder ein saftiges Steak dazu – fertig ist ein leichtes Hauptgericht.

1. Backofengrill einschalten. Paprikaschoten längs halbieren, entkernen und waschen. Mit der Haut nach oben auf dem Blech verteilen. Unter dem Grill auf der mittleren Schiene 10 bis 15 Minuten garen, bis die Haut dunkel wird und Blasen wirft.

2. Paprikaschoten aus dem Ofen nehmen, mit einem feuchten Küchentuch bedecken und etwa 20 Minuten abkühlen lassen. Mit einem spitzen Messer die Haut abziehen und die Paprika in breite Streifen schneiden. In eine Schale geben.

3. Vier große Teller mit je 1 EL Olivenöl bestreichen. Die Filetscheiben großflächig darauf verteilen und jede Portion mit 1 EL Olivenöl bepinseln.

4. Essig, übriges Olivenöl und Zitronensaft verquirlen. Mit Rucola auf dem Fleisch verteilen. Mit Fleur de Sel und Pfeffer würzen. Parmesan darüberhobeln. Passt als Vorspeise zu Safranrisotto (siehe S. 102) oder Penne al pomodoro (siehe S. 82).

1 RINDERCARPACCIO

300–350 g Rinderfilet
10 EL Olivenöl
2 EL Weißweinessig
1 EL Zitronensaft
1 Bund Rucola (gewaschen)
Fleur de Sel (oder Salz)
Pfeffer aus der Mühle
60 g Parmesan (am Stück)

zum Online-Video
www.kochen-digital.de/carpaccio

3. Den Fisch mit einer Lage Frischhaltefolie bedecken. Mit einem Brett beschweren und im Kühlschrank 36 Stunden beizen, nach der Hälfte der Zeit wenden.

4. Den Fisch waschen, trocken tupfen und den Dill darüberstreuen. In dünnen Scheiben von der Haut schneiden. Dazu passt Senf-Dill-Sauce (siehe S. 28). Eignet sich als Vorspeise zu Gemüsesalat (siehe S. 40) oder Minutensteaks (siehe S. 200).

2 GEBEIZTER LACHS

1 TL Wacholderbeeren
2 TL schwarze Pfefferkörner
1 Bund Dill (gehackt)
4 EL Aquavit (Kümmelschnaps)
1 TL abgeriebene unbehandelte Zitronenschale
400 g grobes Meersalz
200 g Zucker
800 g Lachsfilet (Mittelstück; mit Haut)

zum Online-Video
www.kochen-digital.de/lachs

3. Aubergine und Zucchino putzen, waschen und längs in 1 cm breite Scheiben schneiden. Mit etwas Salz bestreuen und 30 Minuten Wasser ziehen lassen. Mit Küchenpapier trocken tupfen und mit etwa 5 EL Olivenöl bestreichen.

4. Beides in der Grillpfanne auf jeder Seite 2 Minuten grillen, zur Paprika geben. Knoblauch, Zitronensaft, Petersilie, Salz, Pfeffer und übriges Öl verrühren. Darübergeben. Passt als Vorspeise zu Penne al pomodoro (siehe S. 82) oder Dorade (siehe S. 156).

3 GEMÜSE-ANTIPASTI

je 1 große rote und gelbe Paprikaschote
1 Aubergine
1 Zucchino
Salz
10 EL Olivenöl
1 Knoblauchzehe (fein gehackt)
2 EL Zitronensaft
2 EL gehackte Petersilie
Pfeffer aus der Mühle

zum Online-Video
www.kochen-digital.de/antipasti

Carpaccio
mit Steinpilzcreme und Knusperparmesan

Für 4 Personen

400 g Rinderfilet · 8 EL Olivenöl · 10 g getrocknete Steinpilze
100 g Mayonnaise (siehe S. 242) · 1 EL Crème fraîche · Salz
Pfeffer aus der Mühle · 60 g fein geriebener Parmesan
100 g kleine Salatblätter (oder Portulak; gewaschen)
100 g Champignons

1 | Das Filet in hauchdünne Scheiben schneiden. Portionsweise zwischen zwei Lagen Frischhaltefolie verteilen und flach klopfen. Vier Teller mit je 1 EL Olivenöl bestreichen und die Scheiben daraufgeben. Mit je 1 weiteren EL Olivenöl bestreichen.

2 | Die Steinpilze mit 4 EL kochendem Wasser übergießen und 10 Minuten quellen lassen. Dann mit Mayonnaise und Crème fraîche fein pürieren, mit Salz und Pfeffer würzen. Parmesan in eine Pfanne ohne Fett streuen und goldbraun braten. Den Pfannenboden kurz in kaltes Wasser tauchen. Den Parmesancracker herausnehmen und in kleine Stücke brechen.

3 | Das Carpaccio mit Pilzcreme beträufeln, Salatblätter und Parmesan darüber verteilen. Champignons putzen, falls nötig, trocken abreiben, dünn darüberhobeln und mit Pfeffer würzen.

Angebratenes Carpaccio
mit Zitronencroûtons

Für 4 Personen

400 g Rinderfilet · 10 EL Olivenöl
150 g Weißbrot (vom Vortag) · Salz · 1 kleine Zitrone
1 EL schwarze Pfefferkörner (grob gemahlen)
2 EL gehackte Petersilie · Fleur de Sel (oder Salz)

1 | Den Backofen auf 90 °C vorheizen. Das Filet in einer Pfanne in 2 EL Olivenöl bei starker Hitze rundum 5 bis 6 Minuten anbraten. Auf dem Ofengitter mit einem Abtropfblech darunter im Ofen auf der mittleren Schiene 1 Stunde garen.

2 | Das Weißbrot in Würfel schneiden. In einer Pfanne 2 EL Olivenöl erhitzen und die Weißbrotwürfel darin rundum goldbraun braten. Mit Salz würzen. Die Zitrone so schälen, dass auch die weiße Haut mit entfernt wird. Die Fruchtfilets aus den Trennwänden lösen und nach Belieben in Würfel schneiden.

3 | Pfeffer und Petersilie mischen. Das Filet aus dem Ofen nehmen, darin wenden und in dünne Scheiben schneiden. Vier Teller mit je 1 EL Olivenöl bestreichen und die Filetscheiben darauflegen. Mit Fleur de Sel würzen, mit Zitrone und Croûtons bestreuen und mit dem restlichen Olivenöl beträufeln.

Rindertatar
mit Ei und Kartoffelchips

Für 4 Personen

2 Schalotten · 300–350 g Rinderfilet oder Rinderhüfte
4–5 Cornichons · 1 TL Kapern · 1 TL Dijon-Senf
1–2 EL Tomatenketchup · Tabasco · Worcestershiresauce
Salz · Pfeffer aus der Mühle · 300 g festkochende Kartoffeln
1 l Öl · 4 Eier (Größe M) · 100 g kleine Salatblätter

1 | Die Schalotten schälen. Das Fleisch, die Schalotten, die Cornichons und die Kapern in sehr feine Würfel schneiden bzw. hacken und mischen. Senf und Ketchup unterrühren. Mit Tabasco, Worcestershiresauce, Salz und Pfeffer würzen.

2 | Kartoffeln schälen, waschen und in Scheiben hobeln. Etwa 10 Minuten in kaltes Wasser legen, herausnehmen und gut trocken tupfen. Im Öl portionsweise goldbraun frittieren. Auf Küchenpapier abtropfen lassen und mit Salz würzen.

3 | Die Eier 5 Minuten weich kochen. Kalt abschrecken, pellen und einen Deckel abschneiden. Die Salatblätter waschen und trocken schleudern. Das Tatar mithilfe eines Metallrings kreisförmig auf Tellern anrichten und je 1 Ei daraufsetzen. Mit Kartoffelchips und Salatblättern garnieren.

Vitello tonnato
mit Kapernäpfeln und Zitrone

Für 4 Personen

400 g Schwanzrolle (vom Kalb) · Salz · Pfeffer aus der Mühle
3 EL Öl · 1 Dose Thunfisch (in Öl; 150 g Abtropfgewicht)
100 g Mayonnaise (siehe S. 242) · 2 EL Crème fraîche
1 EL Kapern · 2 Sardellenfilets (in Öl) · 2–3 EL Weißweinessig
200 g Thunfischfilet (Sushi-Qualität) · 12 Basilikumblätter
12 Kapernäpfel · 1–2 unbehandelte Zitronen (in Spalten)

1 | Backofen auf 100 °C vorheizen. Fleisch mit Salz und Pfeffer würzen und in 2 EL Öl rundum 5 bis 6 Minuten anbraten. Auf dem Ofengitter mit einem Abtropfblech darunter im Ofen auf der mittleren Schiene 1 Stunde rosa garen.

2 | Den Dosenthunfisch abtropfen lassen und mit Mayonnaise, Crème fraîche, Kapern, Sardellen, Essig und 80 ml Wasser fein pürieren. Mit Salz und Pfeffer würzen. Das Thunfischfilet waschen und trocken tupfen, mit Salz und Pfeffer würzen. Im restlichen Öl auf beiden Seiten je 1 Minute anbraten.

3 | Das Fleisch und den Thunfisch in dünne Scheiben schneiden, auf Tellern anrichten und mit Sauce beträufeln. Mit Basilikumblättern, Kapernäpfeln und Zitronenspalten garnieren.

Lammspieße
mit Hummus und Spinatsalat

Für 4 Personen

400 g Kichererbsen (aus der Dose) · 50 g Tahin (Sesampaste)
1 kleine Knoblauchzehe (geschält) · 2 EL Zitronensaft
1 TL gemahlener Kreuzkümmel · Salz · Pfeffer aus der Mühle
200 g junger Spinat · je ½ Bund Minze und Petersilie
250 g Cocktailtomaten · 1 rote Zwiebel · 4 EL Olivenöl
300 g Lammlachse (Lammrücken) · 200 g Halloumi (Grillkäse)
1 TL gehackter Thymian · 4 Scheiben Fladenbrot oder 4 Pitabrote

1 | Die Kichererbsen in ein Sieb abgießen, kalt abbrausen und abtropfen lassen. Mit Tahin, Knoblauch, 1 EL Zitronensaft und Kreuzkümmel fein pürieren. Mit Salz und Pfeffer würzen. Spinat verlesen, waschen und trocken schleudern. Minze und Petersilie waschen, trocken schütteln und die Blätter abzupfen. Tomaten waschen und halbieren. Zwiebel schälen und in Ringe schneiden. Den restlichen Zitronensaft mit 3 EL Olivenöl in einer Schüssel verrühren, mit Salz und Pfeffer würzen.

2 | Lammlachse und Halloumi in 2 cm große Würfel schneiden. Abwechselnd auf Holzspieße stecken und mit Salz und Pfeffer würzen. Das restliche Olivenöl in einer Grillpfanne erhitzen und die Spieße darin auf beiden Seiten je 2 bis 3 Minuten braten. Thymian dazugeben, Spieße kurz darin wenden.

3 | Die Spieße aus der Pfanne nehmen, die Pfanne mit Küchenpapier säubern und die Fladenbrotscheiben darin auf beiden Seiten je 1 bis 2 Minuten rösten. Spinat, Minze, Petersilie, Zwiebelringe und Tomaten mit dem Zitronen-Olivenöl mischen. Die Fladenbrote mit dem Hummus, dem Spinatsalat und den Lammspießen auf Tellern anrichten.

Gebackener Mozzarella
mit Tomaten und Oliven

Für 4 Personen

4 Kugeln Mozzarella (à 125 g) · 8 Scheiben Parmaschinken
250 g Toastbrot · 3 EL Mehl · 2 Eier (Größe L) · 1 l Öl
500 g Tomaten (Ochsenherz-, Strauch- oder Eiertomaten)
Salz · Pfeffer aus der Mühle · ½ Bund Basilikum
100 g Kalamata-Oliven (ohne Stein)
2–3 EL Basilikumpesto (Pesto genovese; siehe S. 82)

1 | Die Mozzarellakugeln in je 2 Schinkenscheiben einwickeln. Das Toastbrot entrinden und im Blitzhacker fein mahlen. Das Mehl und die Toastbrotbrösel jeweils in einen tiefen Teller geben. Die Eier in einem tiefen Teller verquirlen. Die Mozzarellakugeln zunächst im Mehl wenden, dann durch die Eier ziehen und zuletzt mit den Toastbrotbröseln panieren.

2 | Das Öl in einem großen Topf erhitzen. Es ist heiß genug, wenn sich an einem hineingehaltenen Holzlöffelstiel Blasen bilden. Die Mozzarellakugeln darin 3 bis 4 Minuten goldbraun frittieren. Mit dem Schaumlöffel herausheben und auf Küchenpapier abtropfen lassen.

3 | Die Tomaten waschen und in dünne Scheiben schneiden, dabei die Stielansätze entfernen. Mit Salz und Pfeffer würzen. Das Basilikum waschen, trocken schütteln und die Blätter abzupfen. Die Tomatenscheiben auf Teller verteilen und die Oliven und Basilikumblätter daraufgeben. Je 1 Mozzarellakugel daraufsetzen und mit zwei Gabeln in der Mitte aufreißen. Mit Basilikumpesto beträufelt servieren.

Entenrillettes
mit Zwiebelmarmelade

Für 4 Personen

Für das Entenrillettes:
4 Entenkeulen (à 300–350 g)
Meersalz · Pfeffer aus der Mühle (grob gemahlen)
50 g Ingwer · 1 Lorbeerblatt
1 Zimtstange · 1 Sternanis
1 getrocknete Chilischote
abgeriebene Schale von 1 unbehandelten Orange
800 g Enten- oder Gänseschmalz

Für die Zwiebelmarmelade:
500 g Schalotten · 100 ml roter Portwein · 200 ml Johannisbeersaft

Außerdem:
4 Stiele Majoran
1 kleines Bauernbrot

1 | Für das Entenrillettes 1 bis 2 Tage im Voraus die Entenkeulen waschen, trocken tupfen und mit Meersalz und Pfeffer einreiben. Den Ingwer schälen, in feine Würfel schneiden und mit Lorbeerblatt, Zimt, Anis, Chili und Orangenschale im Mörser grob zerstoßen. Die Entenkeulen damit einreiben und zugedeckt im Kühlschrank 1 bis 2 Tage ruhen lassen.

2 | Den Backofen auf 150 °C vorheizen. Die Keulen in eine ofenfeste Form geben. Das Schmalz erhitzen und die Keulen damit übergießen. Zugedeckt im Ofen 3½ bis 4 Stunden schmoren. Das Fleisch von Knochen und Haut lösen, mit zwei Gabeln in Stücke zupfen und in eine Schale oder kleine Gläser verteilen. Das Bratfett durch ein Sieb gießen und die Schale bzw. die Gläser damit auffüllen, bis das Fleisch bedeckt ist. Das restliche Fett beiseitestellen und das Entenrillettes kühl stellen.

3 | Für die Zwiebelmarmelade die Schalotten schälen und in dünne Scheiben schneiden. In einer Pfanne 1 EL vom beiseitegestellten Fett erhitzen und die Schalotten darin 3 bis 4 Minuten andünsten. Mit Wein und Saft ablöschen und sirupartig einkochen lassen. Den Majoran waschen, trocken schütteln und die Blätter abzupfen. Das Brot in Scheiben schneiden. Rillettes und etwas Zwiebelmarmelade daraufgeben und mit Majoranblättern bestreuen.

Tipp: Das Entenrillettes hält sich im Kühlschrank bis zu 2 Wochen. Bedeckt man es noch mit einer Schicht flüssigem Entenschmalz, sogar 3 bis 4 Wochen.

Gebeizter Lachs
mit Roter Bete und Meerrettichsauce

Für 4 Personen

Für den Lachs:
1 Bund Petersilie
200 g Rote Beten
1 EL schwarze Pfefferkörner (grob gemahlen)
400 g grobes Meersalz
200 g Zucker
800 g Lachsfilet (am Stück; mit Haut)

Für die Meerrettichsauce:
200 g Crème fraîche
4 EL Milch
1–2 EL frisch geriebener Meerrettich
Salz · Pfeffer aus der Mühle

Außerdem:
200 g Rote Beten (vorgegart und vakuumiert)
1 Bund Brunnenkresse (ersatzweise Gartenkresse)
2 EL Olivenöl · Fleur de Sel

1 | Für die Beize 2 Tage im Voraus die Petersilie waschen und trocken schütteln, die Blätter abzupfen und grob hacken. Die Roten Beten schälen und auf der Küchenreibe raspeln (am besten Einweghandschuhe tragen, da die Knollen abfärben). Die Petersilie mit den Roten Beten, Pfeffer, Meersalz und Zucker in eine Schüssel geben und gut mischen.

2 | Das Lachsfilet waschen und trocken tupfen. Mit der Hautseite nach unten in eine flache Schale legen und mit der Beize gleichmäßig bedecken. Mit Frischhaltefolie bedecken und zum Beschweren ein Küchenbrett darauflegen. Den Lachs im Kühlschrank mindestens 36 Stunden durchziehen lassen, dabei nach der Hälfte der Zeit wenden.

3 | Am Serviertag den Lachs waschen, trocken tupfen und mit einem scharfen Messer in hauchdünnen Scheiben von der Haut schneiden. Für die Meerrettichsauce Crème fraîche mit Milch und Meerrettich verrühren. Mit Salz und Pfeffer würzen. Rote Beten in 1 cm große Würfel schneiden. Die Brunnenkresse verlesen, waschen und trocken schleudern.

4 | Die Lachsscheiben auf Teller verteilen. Mit Meerettichsauce und Olivenöl beträufeln, mit Fleur de Sel und Pfeffer würzen. Rote-Bete-Würfel und Brunnenkresse darüberstreuen.

Tipp: Dazu passen Kartoffelchips (siehe S. 24) oder geröstetes Weißbrot und eine Senf-Dill-Sauce. Dafür 2 EL süßen Senf, 1 EL Dijon-Senf, 2 EL Weißweinessig, 1 bis 2 EL Honig, Salz und Pfeffer verühren. Tröpfchenweise 5 EL Pflanzenöl mit dem Schneebesen unterschlagen. 1 Bund gehackten Dill unterrühren.

Lachstatar
mit Zitronengras und Ingwer

Für 4 Personen

3 Stängel Zitronengras · 20 g Ingwer · 2 rote Chilischoten
1 TL abgeriebene unbehandelte Limettenschale · 400 g grobes Meersalz · 200 g Zucker · 800 g Lachsfilet (am Stück; mit Haut)
3 EL Olivenöl · 1 Mango · 2 EL Limettensaft · 2 EL Zucker
1 EL eingelegter Ingwer (fein gehackt) · 4–5 Stiele Koriander
Fleur de Sel · Pfeffer aus der Mühle · 100 g Krabbenchips

1 | Zwei Tage im Voraus das Zitronengras putzen und fein hacken. Den Ingwer schälen. Die Chilischoten längs halbieren, entkernen, waschen und mit dem Ingwer in feine Würfel schneiden. Im Mörser zu einer Paste zerreiben. Die Paste mit Limettenschale, Meersalz und Zucker mischen.

2 | Das Lachsfilet waschen und trocken tupfen. Mit der Hautseite nach unten in eine flache Schale legen und mit der Beize bedecken. Mit Frischhaltefolie bedecken, zum Beschweren ein Küchenbrett darauflegen. Im Kühlschrank 36 Stunden ziehen lassen, dabei nach 18 Stunden einmal wenden.

3 | Lachs waschen, trocken tupfen, zuerst von der Haut und dann in feine Würfel schneiden. Mit dem Olivenöl mischen. Die Mango schälen, das Fruchtfleisch auf den flachen Seiten vom Stein schneiden und in kleine Würfel schneiden.

4 | Den Limettensaft mit Zucker und Ingwer verrühren. Die Marinade mit den Mangowürfeln unter das Tatar rühren. Koriander waschen, trocken schütteln und die Blätter abzupfen. Das Tatar mithilfe eines Metallrings auf Tellern anrichten und mit Fleur de Sel und Pfeffer würzen. Mit Koriander, Krabbenchips und nach Belieben Limettenscheiben garnieren.

Shrimpcakes
mit süßsaurem Gurkensalat

Für 4 Personen

200 g Kabeljaufilet (ohne Haut) · 1–2 EL Fischsauce
300 g Garnelen (küchenfertig) · 150 g Sahne (eisgekühlt)
2 rote Chilischoten · 3–4 Kaffir-Limettenblätter · 100 g Panko (siehe Tipp S. 163) · 2–3 kleine Salatgurken · 50 g Cashewkerne (geröstet und gesalzen) · 2 EL Zucker · 3 EL Limettensaft
3 EL Reisessig · je 4 Stiele Koriander und Minze · 3 EL Öl

1 | Das Kabeljaufilet waschen und trocken tupfen. In kleine Würfel schneiden, mit der Fischsauce mischen und 10 Minuten ins Tiefkühlfach stellen. Die Garnelen abbrausen, trocken tupfen und in sehr feine Würfel schneiden. Die Fischwürfel aus dem Tiefkühlfach nehmen, mit der Sahne im Blitzhacker fein pürieren, die Garnelenwürfel untermischen.

2 | Die Chilischoten längs halbieren, entkernen und waschen, 1 Chilischote in feine Streifen schneiden und beiseitelegen. Die übrige Chilischote mit den Limettenblättern fein hacken und unter die Fisch-Garnelen-Farce mischen. Die Farce zu 16 kleinen Talern formen und im Paniermehl wenden.

3 | Die Gurken putzen und nach Belieben waschen oder schälen. Dann mit dem Sparschäler der Länge nach in dünne Streifen schneiden. Die Cashewkerne grob hacken und mit den beiseitegelegen Chilistreifen, Zucker, Limettensaft und Essig verrühren. Alles unter die Gurkenstreifen mischen. Den Koriander und die Minze waschen, trocken schütteln und die Blätter abzupfen. Die Shrimpcakes in einer Pfanne im Öl auf beiden Seiten je 3 bis 4 Minuten goldbraun braten. Auf Küchenpapier abtropfen lassen und mit dem Gurkensalat servieren.

Gefüllter Tintenfisch
auf Petersiliensalat

Für 4 Personen

Für den Tintenfisch:
300 g Garnelen (küchenfertig)
12 kleine Tintenfischtuben (küchenfertig)
1 Knoblauchzehe · 200 g Sahne (eisgekühlt)
½ TL abgeriebene unbehandelte Zitronenschale · 1 EL gehackte Petersilie · Salz · Pfeffer aus der Mühle · 2 EL Olivenöl

Für den Petersiliensalat:
Salz · 100 g Bulgur · 200 g Tomaten · 1 großes Bund Petersilie
½ Bund Minze · 2 EL Weißweinessig · ½ TL gemahlener Kreuzkümmel · Zucker · Pfeffer aus der Mühle · 4 EL Olivenöl

Außerdem:
1 unbehandelte Zitrone

1 | Für den Tintenfisch die Garnelen abbrausen, trocken tupfen, klein schneiden und 20 Minuten ins Tiefkühlfach stellen.

2 | Für den Petersiliensalat ¼ l Salzwasser in einem Topf zum Kochen bringen. Den Bulgur unterrühren und zugedeckt bei schwacher Hitze 15 bis 20 Minuten garen. Dann mit einer Gabel auflockern.

3 | Die Tomaten kreuzweise einritzen, überbrühen, kalt abschrecken, häuten, vierteln und entkernen. Das Fruchtfleisch in Würfel schneiden. Die Petersilie und die Minze waschen, trocken schütteln und die Blätter abzupfen. Je einige Blätter beiseitelegen und den Rest fein hacken. Den Essig mit dem Kreuzkümmel und je 1 Prise Zucker, Salz und Pfeffer gut verrühren. Das Olivenöl nach und nach unterschlagen.

4 | Die Tintenfischtuben innen und außen waschen und trocken tupfen. Den Knoblauch schälen und in feine Würfel schneiden. Die Garnelen aus dem Tiefkühlfach nehmen und mit der Sahne im Blitzhacker fein pürieren. Die Garnelenfarce mit der Zitronenschale, dem Knoblauch und der Petersilie mischen. Mit Salz und Pfeffer würzen, in einen Spritzbeutel geben und die Tintenfischtuben damit füllen. Oder die Garnelenmasse mit einem Teelöffel in die Tuben füllen. Die Tuben mit je einem kleinen Holzspieß verschließen.

5 | Das Olivenöl in einer Pfanne erhitzen und die Tintenfischtuben darin bei mittlerer Hitze rundum 6 bis 8 Minuten goldbraun braten. Die Zitrone heiß waschen, trocken reiben und in Spalten schneiden. Die Tintenfischtuben mit Salz und Pfeffer würzen und auf dem Petersiliensalat anrichten. Mit den beiseitegelegten Petersilien- und Minzeblättern sowie Zitronenspalten servieren. Dazu passt Aioli (siehe S. 244).

Oktopus

mit Bohnen-Tomaten-Salat

Für 4 Personen

1 unbehandelte Zitrone · 1 Oktopus (ca. 1,2 kg, küchenfertig)
2 Lorbeerblätter · 2 getrocknete Peperoncini
1 Bund Basilikum · 1 Knoblauchzehe (geschält)
120 ml Olivenöl · Salz
200 g weiße Bohnen (aus der Dose) · 200 g grüne Bohnen
200 g rote und gelbe Cocktailtomaten · Pfeffer aus der Mühle
Zucker · 4 große Scheiben ital. Weißbrot

1 | Die Zitrone heiß waschen, trocken reiben und in Scheiben schneiden. Den Oktopus waschen, mit den Zitronenscheiben, den Lorbeerblättern und den Peperoncini in einen großen Topf geben und mit Wasser bedecken. Aufkochen lassen und je nach Größe des Oktopus bei schwacher Hitze 1 bis 1½ Stunden garen.

2 | Das Basilikum waschen, trocken schütteln und die Blätter abzupfen. Einige Blätter beiseitelegen, den Rest in einen hohen Rührbecher geben. Mit dem Knoblauch, 100 ml Olivenöl und ½ TL Salz fein pürieren.

3 | Die weißen Bohnen auf einem Sieb abbrausen und abtropfen lassen. Die grünen Bohnen putzen, waschen und in kochendem Salzwasser 8 bis 10 Minuten blanchieren. Kalt abschrecken und die Bohnen der Länge nach halbieren. Die Tomaten waschen und in einer Schüssel mit den Händen zerdrücken. Mit Salz, Pfeffer und Zucker würzen. Beide Bohnensorten dazugeben und mit 1 EL Olivenöl mischen.

4 | Den Oktopus kalt abschrecken und nach Belieben die violette Haut so gut wie möglich abreiben. Die Fangarme abtrennen und in mundgerechte Stücke schneiden. Weiche Teile vom Körper schneiden und ebenfalls in Stücke schneiden. Den Rest entsorgen.

5 | Die Brotscheiben in einer Grillpfanne von beiden Seiten goldbraun rösten. Herausnehmen, das restliche Olivenöl in der Grillpfanne erhitzen und die Oktopusstücke darin rundum kurz anbraten.

6 | Die Oktopusstücke mit dem Bohnen-Tomaten-Salat auf Tellern oder in Schälchen anrichten, mit Basilikumöl beträufeln und mit den beiseitegelegten Basilikumblättern garniert servieren. Das geröstete Weißbrot dazu reichen.

Balsamicozwiebeltarte
mit Feigen und Ziegenkäse

Für 4 Personen

ca. 20 kleine Tellerzwiebeln (ersatzweise Schalotten)
3 EL Zucker · 1/4 l roter Traubensaft · 100 ml Aceto balsamico
375 g Blätterteig (aus dem Kühlregal) · Mehl zum Bestäuben
4 kleine Feigen · 180 g Ziegenkäserolle (oder Halloumi)

1 | Zwiebeln schälen und den Wurzelansatz nur so knapp abschneiden, dass sie beim Kochen nicht zerfallen. Die Zwiebeln mit Zucker, dem Traubensaft und dem Essig in einem kleinen Topf sirupartig 15 bis 20 Minuten einköcheln lassen.

2 | Den Backofen auf 200 °C vorheizen. Den Blätterteig ausbreiten, mit Mehl bestäuben, ausrollen und in 4 Rechtecke schneiden. Auf ein mit Backpapier belegtes Backblech legen und mit einer Gabel mehrmals einstechen, dabei einen Rand von 1 cm frei lassen.

3 | Die Feigen putzen, waschen und vierteln. Den Käse in kleine Würfel schneiden. Die Zwiebeln mit etwas Sirup auf den Teigplatten verteilen, die Feigenviertel daraufgeben und die Käsewürfel darüberstreuen. Die Tartes im Ofen auf der mittleren Schiene 20 Minuten goldbraun backen.

Kräuter-Burger
mit gegrilltem Riesenchampignon

Für 4 Personen

300 g Knollensellerie · Salz · Zucker · 2 EL Mayonnaise
1 EL Zitronensaft · Pfeffer aus der Mühle · 60 g Butter
1 Knoblauchzehe (in feinen Würfeln) · 1 TL gehackter Thymian
4 Riesenchampignons (z.B. Portobello) · 2 EL Olivenöl
100 g gemischte Kräuterblätter (z.B. Estragon, Basilikum, Petersilie, Rucola) · 1 EL Weißweinessig · 4 Hamburgerbrötchen

1 | Sellerie putzen, schälen, in Streifen schneiden, mit je 1 Prise Salz und Zucker 1 Minute durchkneten. Flüssigkeit abgießen. Dann mit Mayonnaise, Zitronensaft, Salz und Pfeffer mischen.

2 | Butter erhitzen, Knoblauch und Thymian darin dünsten, mit Salz und Pfeffer würzen. Pilze putzen, dabei die Stiele entfernen. Die Pilze in einer Grillpfanne in 1 EL Olivenöl auf beiden Seiten 3 Minuten braten. Mit Gewürzbutter einpinseln.

3 | Kräuterblätter waschen und trocken tupfen. Mit dem restlichen Olivenöl, Essig und 1 TL Zucker verrühren. Die Brötchen in der Grillpfanne goldbraun anrösten. Die Unterseiten mit dem Selleriesalat belegen, je 1 Pilz und etwas Kräutersalat daraufgeben und mit den Oberseiten bedecken.

Crostini
mit Fenchel, Mozzarella und Salbei

Für 4 Personen

2 große Fenchelknollen (mit Grün) · Salz · Pfeffer aus der Mühle
1 TL Zucker · 5 EL Olivenöl · 4 große Scheiben ital. Weißbrot
1 Knoblauchzehe (geschält) · 2 rote Peperoni · 1/2 TL grobes Meersalz · 1 EL Zitronensaft · 1 EL Honig · 4 Büffelmozzarella (à 125 g)

1 | Den Fenchel putzen, waschen und halbieren, den harten Strunk entfernen. Fenchelgrün abzupfen und fein hacken. Die Knollen in 1 cm dicke Spalten schneiden. Mit Salz, Pfeffer und Zucker würzen und etwa 20 Minuten ziehen lassen.

2 | Den Fenchel trocken tupfen. In einer Grillpfanne in 1 EL Olivenöl rundum bei mittlerer Hitze 5 bis 7 Minuten braten. Die Brotscheiben in einer weiteren Pfanne in 1 EL Olivenöl auf beiden Seiten goldbraun rösten, mit Knoblauch einreiben.

3 | Peperoni entkernen, waschen, in Stücke schneiden. Im Mörser mit Meersalz zerreiben. Zitronensaft, Honig und restliches Olivenöl unterrühren. Den Fenchel auf den Brotscheiben verteilen. Die Mozzarellakugeln aufreißen und daraufsetzen. Mit Marinade beträufeln und Fenchelgrün darüberstreuen. Nach Belieben mit Kapern und frittierten Salbeiblättern garnieren.

Tramezzini-Rolle
mit Paprika, Ricotta und Pistazien

Für 4 Personen

2 große rote Paprikaschoten · 150 g Ricotta · 50 g geriebener Parmesan · 1/2 TL abgeriebene unbehandelte Zitronenschale
1 TL Honig · 50 g gehackte Pistazien · Salz
Pfeffer aus der Mühle · 4 Scheiben Tramezzini-Brot
2 EL Olivenöl · 1 EL Zitronensaft · 40 g Rucola (gewaschen)

1 | Backofengrill einschalten. Paprikaschoten längs halbieren, entkernen und waschen. Unter dem Backofengrill garen, bis die Haut Blasen wirft. Mit einem feuchten Tuch bedecken, abkühlen lassen, häuten und in schmale Streifen schneiden.

2 | Ricotta, Parmesan, Zitronenschale, Honig und Pistazien verrühren. Mit Salz und Pfeffer würzen. Je 2 Brotscheiben leicht überlappend auf die Arbeitsfläche legen, mit dem Nudelholz flach rollen. Mit Käsecreme bestreichen, auf den unteren zwei Dritteln die Paprikastreifen verteilen. Aufrollen, in Frischhaltefolie, dann in Alufolie wickeln. 30 Minuten ziehen lassen.

3 | Olivenöl mit Zitronensaft verrühren, mit Salz und Pfeffer würzen, Rucola untermischen. Tramezzini-Rollen auswickeln, in Scheiben schneiden, mit dem Salat auf Tellern anrichten.

Gebratener Ziegenkäse
mit getrockneten Aprikosen und Mandeln

Für 4 Personen

50 g getrocknete Aprikosen · 2 EL Aprikosenkonfitüre
2 EL Apfelessig · 2 Stiele Estragon · 2 EL Öl
2 EL Zucker · 100 g geschälte Mandeln
200 g junger Spinat (oder junge Salatblätter)
2 Ziegenkäserollen (à 200 g)
1–2 EL Mehl · 2 EL Olivenöl

1 | Für die Marinade die Aprikosen in kleine Würfel schneiden. Mit der Konfitüre, dem Essig und 150 ml Wasser aufkochen. Bei schwacher Hitze 5 Minuten köcheln lassen. Den Estragon waschen und trocken tupfen. Die Blätter abzupfen, fein hacken und unter die Aprikosenmarinade rühren.

2 | Ein Backblech mit 1 EL Öl bestreichen. Den Zucker in einer Pfanne schmelzen. Die Mandeln dazugeben und unter Rühren 1 bis 2 Minuten goldbraun karamellisieren. Auf dem Backblech verteilen und abkühlen lassen.

3 | Den Spinat verlesen, waschen und trocken schleudern. Die Mandeln grob hacken. Den Ziegenkäse in 1½ cm dicke Scheiben schneiden und im Mehl wenden. Das restliche Öl in einer Pfanne erhitzen und die Käsescheiben darin auf beiden Seiten je 1 bis 2 Minuten goldbraun braten.

4 | Den Spinat mit einem Drittel der Aprikosenmarinade und dem Olivenöl mischen. Auf Teller verteilen, die Ziegenkäsescheiben darauf anrichten, mit der restlichen Marinade beträufeln und mit den Mandeln bestreuen. Dazu passt frisches Baguette.

Gemüse-Glücksrollen

mit Tofu und Chilidip

Für 4 Personen

80 g Erdnüsse (geröstet und gesalzen) · 100 g Zuckerschoten
Salz · 1 Bund Frühlingszwiebeln · je 1 kleines Bund Koriander,
Thaibasilikum und Minze · 2 rote Chilischoten
60 ml Fischsauce · 4 EL Limettensaft · 60 g Zucker
1 Knoblauchzehe (in feinen Würfeln)
12 runde Reispapierblätter (à 22 cm Durchmesser)
400 g fester Tofu · 400 ml Öl · 60 ml Hoisinsauce

1 | Die Erdnüsse im Blitzhacker fein zerkleinern. Die Zuckerschoten putzen, waschen und in kochendem Salzwasser 1 Minute blanchieren. In ein Sieb abgießen, kalt abschrecken, abtropfen lassen und in feine Streifen schneiden. Die Frühlingszwiebeln putzen, waschen und in 8 cm lange Streifen schneiden. Die Kräuter waschen und trocken schütteln, die Blätter abzupfen.

2 | Für den Dip die Chilischoten längs halbieren, entkernen, waschen und in feine Ringe schneiden. Mit der Fischsauce, 3 EL Limettensaft, dem Zucker und dem Knoblauch mischen.

3 | Die Reispapierblätter in warmes Wasser legen und 1 Minute darin ziehen lassen. Herausnehmen, trocken tupfen und nebeneinander auf die Arbeitsfläche legen.

4 | Den Tofu in 1 cm dicke Stifte schneiden und gut trocken tupfen. Das Öl in einem Topf erhitzen – es ist heiß genug, wenn sich an einem hineingehaltenen Holzlöffelstiel Blasen bilden – und den Tofu darin goldbraun frittieren. Herausnehmen und auf Küchenpapier abtropfen lassen. Hoisinsauce und restlichen Limettensaft verrühren und vorsichtig mit dem Tofu mischen.

5 | Die Reispapierblätter mit den Erdnüssen, den Zuckerschoten, den Frühlingszwiebeln, den Kräutern und dem Tofu belegen und zusammenrollen. Mit dem Dip servieren.

Tipp: Die Füllung für die Glücksrollen können Sie je nach Geschmack variieren. Probieren Sie doch auch einmal statt Tofu gebratene Garnelen oder ersetzen Sie Zuckerschoten und Frühlingszwiebeln durch Gurken- und Rettichstreifen.

Salate

Grenzenlose Vielfalt

Schmeckt nicht? Gibt's nicht! Denn Salat ist nicht gleich Salat. Die Variationsmöglichkeiten von Salatzutaten und -saucen haben für jeden Gaumen was zu bieten.

Für jede Gelegenheit Das Wort Salat kann vieles bedeuten: einen knackigen Salatkopf, eine leichte Beilage, eine raffinierte Vorspeise, eine Schüssel Buntes bei Party, Picknick oder Brunch und sogar ein Hauptgericht. So unterschiedlich sie sein mögen, eines haben alle Salate gemeinsam: die Salatsauce, auch Vinaigrette, Marinade oder Dressing genannt. Sie stellt je nach Rezept die harmonische Verbindung zwischen den einzelnen Salatkomponenten her und gibt den Zutaten Würze, ohne sich selbst in den Vordergrund zu drängen. Ob eine dünnflüssige Vinaigrette auf der Basis von Essig und Öl oder ein gehaltvolleres, cremiges Dressing verwendet wird, hängt von den Zutaten ab. Zarte Salatblätter und feine Gemüse wie Spargel könnten von dicken Saucen »erdrückt« werden und kommen daher durch leichte Saucen besser zur Geltung, robuste Zutaten können dagegen durchaus kräftige Mitspieler gebrauchen.

Blattsalate – die grün-rote Fraktion Salatesser sehen meistens grün: vom Gelbgrün des Chicorées über die grasgrünen Köpfe von Kopfsalat, Römersalat und Frisée bis zum dunklen Grün von Rucola und Feldsalat. Dazwischen setzen rotbrauner Eichblattsalat, Lollo rosso und burgunderroter Radicchio schöne Farbakzente. Um auch in der Salatschüssel noch eine gute Figur zu machen, sollte das Blattwerk topfrisch sein. Ein untrügliches Zeichen für Frische sind knackige, straffe Blätter ohne braune Verfärbungen. Nach dem Einkauf werden Salate unter einem feuchten Küchentuch oder lose in Plastikbeuteln verpackt im Gemüsefach des Kühlschranks gelagert und so schnell wie möglich verbraucht. Vor dem Waschen die welken Blätter entfernen und Salatköpfe in einzelne Blätter zerlegen, dabei dicke Stiele und Blattrippen entfernen. Die Blätter in stehendem Wasser waschen, gut trocken schütteln oder mit einer Salatschleuder trocknen, anschließend in Stücke zupfen oder in Streifen schneiden. Fertig geschnittene Salatmischungen vor dem Kauf genau in Augenschein nehmen, das Haltbarkeitsdatum beachten, die Mischung kühl aufbewahren und unbedingt gründlich waschen – bei zerkleinerter Ware haben Bakterien ein leichtes Spiel. Für den ungetrübten Salatgenuss gilt: Einmal mit der Vinaigrette vermischt, sollten Blattsalate schnell gegessen werden, sonst werden sie schlapp.

Jetzt wird's bunt: Gemüse & Co. Es gibt kein Gemüse, das sich nicht für Salat eignet. Sorten, die man auch roh essen kann, werden einfach geraspelt, gehobelt oder klein geschnitten. Man kann sie mit Blattsalaten mischen oder untereinander zu Rohkostsalaten kombinieren. Gemüse, das nur gegart genießbar ist wie grüne Bohnen, wird erst gekocht bzw. blanchiert oder gebraten und kann dann noch lauwarm mit der Salatsauce vermischt werden. Wird für Gemüsesalate eine Vinaigrette verwendet, empfiehlt es sich, die Zutaten einige Zeit darin zu marinieren, damit sich die Aromen gut entfalten können. Enthält ein Salat größere Mengen sogenannter Sattmacher wie Nudeln, Kartoffeln, Reis oder Hülsenfrüchte, kann er ohne Weiteres ein Hauptgericht ersetzen. Solche Salate werden oft mit einer cremigen Sauce auf der Basis von Mayonnaise, Joghurt oder Sahne angemacht. Da das Dressing mit der Zeit aufgesogen wird, sollten solche »Sattmachersalate« kurz vor dem Servieren noch mal abgeschmeckt und das Dressing eventuell mit etwas Brühe verdünnt werden. Frische und Aroma bringen auch Früchte in den Salat – besonders beliebt: Trauben, Ananas, Mango, Feigen, Beeren, Apfel und Birne. Käse, kurz gebratenes Fleisch, knuspriger Speck, Schinken, gebratener und geräucherter Fisch sowie Meeresfrüchte erweitern die bunte Palette der Salatzutaten zusätzlich. Mit Toppings wie (gerösteten) Nüssen, Körnern und Samen wird ihnen oft noch der letzte Schliff verliehen.

Essig und Öl – das A und O der Vinaigrette Die Zeiten, in denen ein billiger Branntweinessig und ein beliebiges Pflanzenöl das Nonplusultra der Salatküche waren, sind glücklicherweise vorbei. Heute können wir zwischen Essigen und Ölen in den unterschiedlichsten Geschmacksrichtungen und Qualitäten wählen – und Vinaigrettes auf vielfältige Weise abwandeln. Die Kombination aus Wein- oder Sherryessig und einem neutralen Raps-, Sonnenblumen-, Distel- oder Traubenkernöl passt zu fast allen Blattsalaten, liebliche Balsam- oder Fruchtessige und Nussöle harmonieren besonders gut mit herben, winterlichen Salatsorten wie Feldsalat, Frisée oder Radicchio. Aufsteiger der letzten Jahrzehnte ist das Olivenöl. Das Angebot ist riesig – je nach Herkunft und Herstellung schmecken Olivenöle mal mild-fruchtig, mal herb oder intensiv grasig. Seine Lieblingssorte findet man am besten durch Probieren heraus. Wird Olivenöl für einen Salat verwendet, sollte man unbedingt eine hochwertige kalt gepresste Sorte (extra nativ) wählen. Da die Herstellung eines guten kalt gepressten Öls sehr aufwendig ist, muss man hierfür aber auch schon einmal etwas tiefer in die Tasche greifen. Dasselbe gilt für italienischen Aceto balsamico, den Star unter den Essigen, der traditionell in der Region um die Stadt Modena hergestellt wird (Aceto balsamico di Modena IGP). Spitzensorten sind rar und teuer, sie werden von Kennern nur tröpfchenweise zum Verfeinern und Abschmecken verwendet. Aber auch mittlere Qualitäten haben noch ihren Preis. Weil für eine Salatsauce aber nur wenige Esslöffel gebraucht werden, lohnt sich die Anschaffung allemal.

Lauch
Cocktailtomaten
Rotweinessig
Aceto balsamico
Radieschen
Salatöl
Olivenöl
Salatgurke
Joghurt
saure Sahne
Rucola
Kopfsalat
rote Paprika
Haselnüsse
Radicchio
Cashewkerne
Walnüsse
Baby Leafs
orange Paprika
Pinienkerne
getrocknete Aprikosen
Cranberrys
getrocknete Pflaume
Batavia
Römersalat
gelbe Paprika
Kräuterseitlinge
Austernpilze
braune Champignons
Shiitake-Pilze
Gartenkresse

Salate – Saucen, die anmachen

1 VINAIGRETTE

Sie ist ein echtes Salatbasic – die Salatsauce aus Essig und Öl, auch Vinaigrette genannt, passt zu allen Blattsalat- und Gemüsesorten. Sie umhüllt die Zutaten mit einer feinwürzigen, leichten Marinade und lässt sich grenzenlos abwandeln, ganz einfach durch die Verwendung verschiedener Essig-, Öl- und Senfsorten. Wichtig: Vinaigrette bei Blattsalaten erst kurz vor dem Servieren untermischen, sonst werden sie matschig.

1. Vom Kopfsalat die äußeren Blätter entfernen. Die restlichen Blätter ablösen und zerteilen, dabei nach Belieben die dicken Blattrippen entfernen.

2. Die Salatblätter in stehendem Wasser gründlich waschen. In einer Salatschleuder trocken schleudern oder in einem Sieb gut trocken schütteln. In eine große Schüssel geben.

2 DRESSING

Manche mögen's cremig – Salate mit »robusteren« Zutaten wie Gemüse, Fleisch oder Meeresfrüchte vertragen auch kräftigere Salatsaucen, die alles gut miteinander verbinden. Die Basis solcher Dressings ist meist Joghurt, Sauerrahm, ein cremiger Käse oder Mayonnaise, dazu kommen verschiedene Kräuter, Gewürze und immer auch eine säuerliche Komponente in Form von Essig oder Zitronensaft.

1. Das Gemüse putzen und waschen bzw. schälen. In Stifte, Scheiben oder Stücke schneiden und in kochendem Salzwasser nacheinander jeweils 3 bis 5 Minuten bissfest garen.

2. Das Gemüse mit dem Schaumlöffel aus dem Wasser nehmen, kurz in einer Schüssel mit eiskaltem Wasser abschrecken und abtropfen lassen. In eine Schüssel geben.

3 KLASSIKER-VARIATIONEN

Es gibt Klassiker, die kann man einfach nicht verbessern – aber ein kleiner Pfiff ist schon mal erlaubt. Bei diesem Salat, in der Regel schlicht »Tomate-Mozzarella« genannt, wird das frische Basilikum gleich mit dem Olivenöl püriert, so kann sich das intensive Kräuteraroma noch besser mit den anderen Zutaten verbinden. Zum absoluten Hochgenuss wird dieses Sommergericht mit sonnengereiften Freilandtomaten.

1. Die Pinienkerne in einer Pfanne ohne Fett bei mittlerer Hitze goldbraun anrösten, dabei ab und zu rütteln. Auf einen Teller geben und abkühlen lassen.

2. Basilikum waschen und trocken schütteln, die Blätter abzupfen. Einige kleine Blätter beiseitelegen, den Rest mit etwas Salz und dem Olivenöl in einem hohen Rührbecher mit dem Stabmixer fein pürieren.

3. In einer kleinen Schüssel Essig, Senf, je 1 Prise Salz, Pfeffer und Zucker verrühren.

4. Das Öl nach und nach mit dem Schneebesen unterschlagen. Das Dressing mit Salz und Essig abschmecken. Kurz vor dem Servieren die Vinaigrette mit dem Salat mischen. Passt zu Wiener Schnitzel (siehe S. 200), Dorade oder Zander (siehe S. 156).

1 KOPFSALAT MIT VINAIGRETTE

1 Kopfsalat
3 EL Essig (Weißwein-, Sherry- oder Rotweinessig)
1 TL Dijon-Senf
Salz · Pfeffer aus der Mühle
Zucker
80 ml kalt gepresstes Öl (z. B. Sonnenblumen-, Distel- oder Olivenöl)

zum Online-Video
www.kochen-digital.de/kopfsalat

3. Essig, Brühe, saure Sahne, Senf, Honig und Öl mit dem Schneebesen glatt rühren. Das Dressing mit Zitronenschale und -saft, Salz und Cayennepfeffer abschmecken.

4. Das Dressing mit dem Gemüse mischen. Die Kräuter unterheben und den Gemüsesalat nochmals mit Salz und Zitronensaft abschmecken. Der Salat passt gut zu Brathähnchen (siehe S. 178).

2 GEMÜSESALAT MIT SAURE-SAHNE-SENF-DRESSING

600 g Gemüse (z. B. grüner Spargel, Möhren, Kohlrabi) · Salz · 4 EL Weißweinessig
50 ml Gemüsebrühe · 200 g saure Sahne
1 EL mittelscharfer Senf · 1 EL Honig
2 EL Sonnenblumenöl · ½ TL abgeriebene unbehandelte Zitronenschale
1 EL Zitronensaft
Cayennepfeffer
2 EL gehackte Kräuter (z. B. Kerbel, Estragon, Petersilie)

zum Online-Video
www.kochen-digital.de/gemuesesalat

3. Die Tomaten waschen und quer in Scheiben schneiden, dabei die Stielansätze entfernen. Den Mozzarella abtropfen lassen, ebenfalls in Scheiben schneiden.

4. Tomaten und Mozzarella abwechselnd fächerartig auf vier Teller verteilen, mit Salz und Pfeffer würzen und mit Basilikumöl beträufeln. Mit Pinienkernen und Basilikumblättern bestreuen. Eignet sich auch gut als Vorspeise, z. B. zu Penne al pomodoro (siehe S. 82).

3 INSALATA CAPRESE MIT BASILIKUMÖL

30 g Pinienkerne
1 Bund Basilikum
Salz
60 ml Olivenöl
2 Ochsenherztomaten
2 Kugeln Büffelmozzarella (à 125 g)
Pfeffer aus der Mühle

zum Online-Video
www.kochen-digital.de/caprese

Rucolasalat
mit Cocktailtomaten und Parmesan

Für 4 Personen

250 g Cocktailtomaten · 240 g Rucola
40 g Parmesan (am Stück) · 3 EL Aceto balsamico
½ TL Dijon-Senf · Salz · Pfeffer aus der Mühle
Zucker · 60 ml Olivenöl

1 | Die Cocktailtomaten waschen und halbieren. Den Rucola verlesen, waschen und trocken schleudern, grobe Stiele entfernen. Den Parmesan mit dem Sparschäler in Späne hobeln.

2 | Für die Vinaigrette den Essig mit dem Senf, Salz, Pfeffer und 1 Prise Zucker verrühren. Das Olivenöl nach und nach mit dem Schneebesen unterschlagen.

3 | Den Rucola mit den Tomaten auf Tellern anrichten und die Vinaigrette darüberträufeln. Mit dem Parmesan bestreuen und servieren.

Tipp: Servieren Sie den Salat mit rosa gebratener Entenbrust (siehe S. 178). Fein dazu schmeckt auch Büffelmozzarella.

Feldsalat
mit gebratenen Pilzen und Speck

Für 4 Personen

300 g Feldsalat · 300 g gemischte Pilze (Champignons, Austernpilze, Shiitake-Pilze) · 100 g Frühstücksspeck (oder geräucherter Bauchspeck; am Stück) · 1 EL Öl · 4 EL Apfelessig · Salz · Pfeffer aus der Mühle · Zucker · 4 EL Olivenöl · 4 EL Kürbiskernöl

1 | Den Feldsalat verlesen, waschen und trocken schleudern. Die Pilze putzen, falls nötig, mit Küchenpapier trocken abreiben und je nach Größe halbieren oder vierteln. Den Speck in kleine Würfel schneiden. Das Öl in einer Pfanne erhitzen und den Speck darin knusprig braten. Herausnehmen und im Speckfett die Pilze braten. Ebenfalls aus der Pfanne nehmen.

2 | Für die Vinaigrette Essig, Salz, Pfeffer und Zucker verrühren. Oliven- und Kürbiskernöl nach und nach mit dem Schneebesen unterschlagen. Den Feldsalat mit den Pilzen und dem Speck auf Tellern anrichten. Die Vinaigrette darüberträufeln.

Tipp: Croûtons geben dem Salat Biss. Dafür 3 Scheiben Toastbrot in Würfel schneiden und in einer Pfanne in 1 EL Butter knusprig braten. Nach Belieben 1 angedrückte Knoblauchzehe mitbraten. Die Croûtons mit Salz würzen.

Herbstsalat
mit Walnüssen und Trauben

Für 4 Personen

300 g bunte Salatblätter (z.B. Eichblattsalat, Radicchio, Lollo rosso, Frisée) · je 100 g grüne und blaue Weintrauben
1 kleine Birne · je 2 EL Apfel- und Weißweinessig
2 TL Birnendicksaft · Salz · Pfeffer aus der Mühle
je 4 EL Oliven- und Walnussöl · 80–100 g Walnusskerne

1 | Die Salatblätter putzen, waschen und trocken schleudern. In mundgerechte Stücke zupfen. Die Trauben waschen und halbieren, nach Belieben die Kerne entfernen. Die Birne waschen, vierteln und das Kerngehäuse entfernen. Die Birnenviertel in feine Spalten schneiden.

2 | Für die Vinaigrette beide Essigsorten mit dem Birnendicksaft, Salz und Pfeffer verrühren. Nach und nach Oliven- und Walnussöl mit dem Schneebesen unterschlagen.

3 | Die Walnüsse in einer beschichteten Pfanne ohne Fett anrösten. Die Salatblätter gut mit der Vinaigrette mischen und auf Tellern verteilen. Die Trauben, die Birnenspalten und die Walnüsse darauf anrichten.

Sommersalat
mit Radieschen und Eiern

Für 4 Personen

2 Eier · 300 g grüne Salatblätter (z.B. Kopf- und Romanasalat, Lollo bianco, grüner Batavia) · 1 Bund Radieschen
1 Salatgurke (nach Belieben) · 1 gelbe Paprikaschote (nach Belieben) · 1 Schalotte · 1 Bund gemischte Kräuter (z.B. Estragon, Petersilie, Kerbel, Schnittlauch) · 2 EL Weißweinessig
Saft von ½ Zitrone · 1 TL Dijon-Senf · Salz
Pfeffer aus der Mühle · Zucker · 6 EL Olivenöl

1 | Die Eier hart kochen, kalt abschrecken, pellen und achteln. Die Salatblätter putzen, waschen, trocken schleudern und in Stücke zupfen. Radieschen und Gurke putzen, waschen und in dünne Scheiben schneiden. Paprikaschote längs halbieren, entkernen, waschen und in feine Streifen schneiden.

2 | Schalotte schälen und in feine Würfel schneiden. Kräuter waschen, trocken schütteln, Blätter abzupfen und fein hacken. Schnittlauch in Röllchen schneiden. Essig, Zitronensaft, Senf, Salz, Pfeffer und Zucker verrühren. Olivenöl unterschlagen. Salat, Radieschen, Gurke und Paprika mit der Vinaigrette mischen, auf Tellern anrichten und die Eier darauf verteilen.

Spinatsalat

mit Entenbrust und Kirschvinaigrette

Für 4 Personen

2 Entenbrustfilets (à 220–240 g; küchenfertig)
Salz
7 EL Sonnenblumenöl
200 g junger Spinat
60 g Datteln (ohne Stein)
50 g Mandelblättchen
4 EL Weißweinessig (alternativ Sherry- oder Rotweinessig)
80 ml Gemüse- oder Hühnerbrühe
2 EL Granatapfelsirup
Pfeffer aus der Mühle
2 Schalotten
50 g getrocknete Sauerkirschen (ersatzweise Cranberrys)

1 | Den Backofen auf 100 °C vorheizen. Ein Ofengitter auf die mittlere Schiene und darunter ein Abtropfblech schieben. Die Entenbrustfilets waschen und trocken tupfen, auf der Hautseite mit einem scharfen Messer rautenförmig einschneiden und leicht mit Salz würzen.

2 | In eine kalte Pfanne 1 EL Öl geben und die Entenbrüste mit der Hautseite nach unten hineinlegen. Bei mittlerer Hitze 5 bis 6 Minuten goldbraun braten. Die Entenbrustfilets wenden und weitere 1 bis 2 Minuten anbraten. Dann im Ofen auf dem Gitter 40 bis 50 Minuten garen (siehe S. 178).

3 | Inzwischen den Spinat waschen und trocken schleudern. Die Datteln in kleine Stücke schneiden. Die Mandelblättchen in einer Pfanne ohne Fett goldbraun rösten.

4 | Für die Vinaigrette den Essig, die Brühe und den Granatapfelsirup in einer Schüssel verrühren. Mit Salz und Pfeffer würzen. Die Schalotten schälen, in feine Würfel schneiden und unter die Vinaigrette rühren. Das restliche Öl mit dem Schneebesen unterschlagen. Zuletzt die getrockneten Kirschen untermischen.

5 | Den Spinat mit den Datteln mischen und mit der Vinaigrette marinieren. Auf Tellern anrichten. Die Entenbrüste aus dem Ofen nehmen und mit Salz und Pfeffer würzen. In dünne Scheiben schneiden und auf dem Salat verteilen. Mit den gerösteten Mandelblättchen bestreuen. Dazu passt Pita- oder Fladenbrot.

Toskanischer Brotsalat
mit Fenchelsalami und Balsamico

Für 4 Personen

300 g ital. Weißbrot (vom Vortag) · 2 Knoblauchzehen
8 EL Olivenöl · 1 EL gehackter Rosmarin · 2 rote Zwiebeln
1 kleine Salatgurke · 300 g Datteltomaten · 1 Bund Basilikum
40 g Kapern · 4 EL Aceto balsamico · 1–2 TL Puderzucker
80 ml Gemüsebrühe · Salz · Pfeffer aus der Mühle · 2 Kugeln
Büffelmozzarella · 60 g Fenchelsalami · 60 g Parmesanspäne

1 | Backofen auf 220 °C vorheizen. Brot in 2 cm große Würfel schneiden. Knoblauch schälen und fein würfeln. Mit 4 EL Olivenöl und dem Rosmarin verrühren. Brotwürfel auf einem Backblech verteilen, mit dem Rosmarinöl beträufeln und im Ofen unter mehrmaligem Wenden goldbraun rösten.

2 | Zwiebeln schälen und in feine Ringe oder Streifen schneiden. Gurke schälen, längs halbieren und die Kerne entfernen. Die Hälften nochmals längs halbieren und schräg in 1½ cm große Stücke schneiden. Die Tomaten waschen und halbieren. Das Basilikum waschen, trocken schütteln und die Blätter abzupfen. Alles mit Brot und Kapern in einer Schüssel mischen.

3 | Essig, Puderzucker und Brühe verrühren, mit Salz und Pfeffer würzen. Restliches Öl unterschlagen. Vinaigrette unter den Salat heben, Brotsalat auf Teller verteilen. Mozzarella in grobe Stücke zupfen, mit Salami und Parmesan darübergeben.

Salat vom Ofenkürbis
mit Rucola und Ahornvinaigrette

Für 4 Personen

1 kg Butternutkürbis · Salz · Zucker · Pfeffer aus der Mühle
10 EL Sonnenblumenöl · 4 EL Weißweinessig · 100 ml Gemüsebrühe · 2 EL Ahornsirup · 2 Schalotten · 2 EL gehackte Petersilie
2 rote Peperoni · ½ Bund Salbei · 40 g Rucola · ½ TL abgeriebene unbehandelte Zitronenschale · 120 g Ziegenkäserolle

1 | Backofen auf 200 °C vorheizen. Kürbis längs halbieren, entkernen und schälen. Hälften noch mal längs halbieren und schräg in 2 cm breite Spalten schneiden. Mit Salz, Zucker und Pfeffer würzen und mit 2 EL Öl mischen. Die Kürbisspalten auf einem Backblech verteilen und im Ofen auf der mittleren Schiene 30 bis 40 Minuten rösten.

2 | Essig, Brühe und Sirup verrühren, mit Salz und Pfeffer würzen. Schalotten schälen und in feine Würfel schneiden. Mit der Petersilie untermischen. 6 EL Öl unterschlagen. Peperoni längs halbieren, entkernen, waschen und schräg in feine Streifen schneiden. Salbei waschen und trocken tupfen, Blätter abzupfen, im restlichen Öl knusprig braten und abtropfen lassen. Rucola putzen, waschen und trocken schleudern.

3 | Kürbis mit Vinaigrette, Peperoni, Salbei, Rucola und Zitronenschale mischen und auf Teller verteilen. Den Ziegenkäse grob zerbröckeln, darübergeben und mit Vinaigrette beträufeln.

Lauwarmer Pilzsalat
mit Pinienkernvinaigrette

Für 4 Personen

800 g gemischte Pilze (z.B. Steinpilze, Pfifferlinge, Egerlinge, Kräuterseitlinge) · 2 Schalotten · 1 Knoblauchzehe · 2 EL Butter 1 TL gehackter Thymian · ½ TL abgeriebene unbehandelte Zitronenschale · Salz · Pfeffer aus der Mühle · 100 ml Aceto balsamico · 200 ml roter Traubensaft · 80 g Pinienkerne 5 EL Olivenöl · 5 EL Walnussöl · 200 g junge Salatblätter (Baby Leafs; oder Portulak)

1 | Pilze putzen und, falls nötig, mit Küchenpapier trocken abreiben. Je nach Größe vierteln oder halbieren. Schalotten und Knoblauch schälen und in feine Würfel schneiden. Pilze in einer großen Pfanne in der Butter bei mittlerer Hitze 5 bis 6 Minuten anbraten. Nach 3 Minuten Schalotten und Knoblauch dazugeben und mitbraten. Thymian und Zitronenschale unterheben und die Pilze mit Salz und Pfeffer würzen.

2 | Essig und Saft sirupartig auf 60 bis 80 ml einkochen und abkühlen lassen. Die Pinienkerne in einer Pfanne ohne Fett goldbraun rösten und grob hacken. Die Essigreduktion und die Pinienkerne mit Oliven- und Walnussöl verrühren.

3 | Salatblätter waschen und trocken schleudern. Auf Teller verteilen und die Pilze darauf anrichten. Mit der Vinaigrette beträufeln. Nach Belieben geröstetes Weißbrot dazu servieren.

Rindfleischsalat
auf thailändische Art

Für 4 Personen

2 Rumpsteaks (à 250 g; 2–2½ cm dick) · Salz · 3 EL Erdnussöl 2 kleine rote Zwiebeln · 6 Kaffir-Limettenblätter · 2 rote Chilischoten · 2 Stangen Staudensellerie · je ½ Bund Koriander, Thaibasilikum und Minze · 2 EL Fischsauce · 1 EL Sojasauce 2 EL Limettensaft · 2 EL brauner Zucker · Pfeffer aus der Mühle

1 | Backofen auf 100 °C vorheizen. Ein Ofengitter auf die mittlere Schiene und darunter ein Abtropfblech schieben. Steaks leicht mit Salz würzen und in einer Pfanne in 1 EL Öl bei mittlerer Hitze auf beiden Seiten 1 bis 2 Minuten anbraten. Steaks im Ofen auf dem Gitter 30 bis 40 Minuten rosa garen.

2 | Zwiebeln schälen und in feine Scheiben schneiden. Limettenblätter waschen und trocken tupfen, zusammenrollen und in feine Streifen schneiden. Chilischoten längs halbieren, entkernen, waschen und in feine Streifen schneiden. Sellerie putzen, waschen und schräg in feine Scheiben schneiden. Kräuter waschen, trocken schütteln und Blätter abzupfen.

3 | Fischsauce, Sojasauce, Limettensaft und Zucker verrühren, restliches Öl unterschlagen. Steaks aus dem Ofen nehmen, pfeffern und in dünne Scheiben schneiden. Mit den übrigen Salatzutaten und der Vinaigrette mischen. Den Salat nach Belieben mit Röstzwiebeln (aus dem Asienladen) bestreuen.

Blue-Cheese-Salad

mit Cranberrys und Nüssen

Für 4 Personen

60 g Blauschimmelkäse (z.B. Roquefort oder Gorgonzola)
1/8 l Gemüse- oder Hühnerbrühe
1 EL Ahornsirup (oder Honig)
2 EL Weißweinessig
125 g Crème fraîche
2 EL Walnussöl
Salz · Pfeffer aus der Mühle
1 EL Puderzucker
100 g Walnusskerne (oder Pekan- oder Haselnüsse)
1/2 Baguette (vom Vortag)
2–3 kleine Salatköpfe nach Saison (Eichblatt, Radicchio, Lollo bianco, Rucola, Frisée)
100 g getrocknete Cranberrys

1 | Für das Dressing Käse, Brühe, Ahornsirup, Essig, Crème fraîche und Öl in einen hohen Rührbecher geben. Mit dem Stabmixer kräftig durchmixen und mit Salz und Pfeffer würzen.

2 | Den Puderzucker in einer Pfanne karamellisieren. Die Nüsse dazugeben und unter Rühren 1 bis 2 Minuten rösten. Auf ein mit Backpapier belegtes Brett geben und auskühlen lassen. Mit einem Messer grob hacken und beiseitestellen.

3 | Den Backofen auf 220 °C vorheizen. Das Baguette so dünn wie möglich aufschneiden und auf ein mit Backpapier belegtes Backblech legen. Im Ofen auf der mittleren Schiene goldbraun rösten.

4 | Den Salat putzen, grob zerpflücken und gut waschen. Trocken schleudern und in einer großen Schüssel mit dem Dressing mischen. Dann mit den Brotscheiben auf Teller verteilen und mit Nüssen und Cranberrys bestreut servieren.

Tipp: Nach Belieben können Sie dazu auch Apfel-, Birnen- oder Feigenspalten servieren.

Grillgemüse-Salat

mit Pestodressing

Für 4 Personen

30 g Pinienkerne · 1 Bund Basilikum · 100 g Parmesan
½ Knoblauchzehe · 100 ml Olivenöl · 80 g Ricotta
100 ml Gemüse- oder Hühnerbrühe · Salz · Pfeffer aus der Mühle · ½ TL abgeriebene unbehandelte Zitronenschale
1 Dose kleine weiße Bohnen (Cannellinibohnen; 240 g Abtropfgewicht) · 1 Grundrezept Gemüse-Antipasti (siehe S. 22)
40 g Rucola (oder kleine Salatblätter)

1 | Für das Dressing die Pinienkerne in einer Pfanne ohne Fett goldbraun rösten und abkühlen lassen. Basilikum waschen, trocken schütteln und die Blätter abzupfen. Die Hälfte des Parmesans mit dem Sparschäler in grobe Späne hobeln und beiseitelegen. Den restlichen Parmesan fein reiben.

2 | Knoblauch schälen, mit Basilikum, geriebenem Parmesan und Olivenöl in einen hohen Rührbecher geben und mit dem Stabmixer fein mixen. Ricotta und Brühe untermixen. Das Dressing mit Salz und Pfeffer und Zitronenschale würzen.

3 | Die Bohnen auf einem Sieb mit warmem Wasser abbrausen, abtropfen lassen und mit dem Antipastigemüse mischen. Den Rucola verlesen, waschen und trocken schleudern, grobe Stiele entfernen. Den Rucola und das Gemüse auf Teller verteilen, mit dem Dressing beträufeln. Mit den Parmesanspänen bestreut servieren. Dazu passen gegrillter Halloumi, Büffelmozzarella und frisches Weißbrot.

Tipp: Das Antipastigemüse können Sie auch noch um Cocktailtomaten und grünen Spargel ergänzen.

Nudelsalat

mit Cocktailtomaten, grünem Spargel und Tomatendressing

Für 4 Personen

1 sehr frisches Ei · ½ Knoblauchzehe · 1 TL Senf
100 ml Rapsöl · 5 EL Olivenöl · Salz · Pfeffer aus der Mühle
1–2 EL Balsamico bianco · 2½ EL Tomatensaft · 250 g Penne
300 g grüner Spargel · 250 g Cocktailtomaten
125 g Mini-Mozzarella · ½ Bund Basilikum

1 | Für das Dressing das Ei in einem hohen Rührbecher verquirlen. Den Knoblauch schälen und in feine Würfel schneiden. Mit dem Senf zum Ei geben und mit dem Stabmixer unterrühren. Beide Ölsorten zuerst tröpfchenweise, dann in einem dünnen Strahl untermixen. Die Mayonnaise mit Salz, Pfeffer, Essig und Tomatensaft abschmecken.

2 | Die Penne nach Packungsanweisung in reichlich kochendem Salzwasser bissfest garen. In ein Sieb abgießen und kalt abschrecken. Den Spargel waschen und nur im unteren Drittel schälen, die holzigen Enden entfernen. Die Stangen in etwa 3 cm lange Stücke schneiden und in kochendem Salzwasser 6 bis 8 Minuten bissfest blanchieren. Abgießen, kalt abschrecken und abtropfen lassen.

3 | Die Cocktailtomaten waschen und halbieren. Den Mozzarella abtropfen lassen und nach Belieben etwas zerzupfen. Das Basilikum waschen, trocken schütteln und die Blätter abzupfen. Alle Salatzutaten bis auf das Basilikum in einer Schüssel mit dem Tomatendressing mischen und etwas durchziehen lassen. Vor dem Servieren den Nudelsalat, falls nötig, nochmals abschmecken und auf Tellern anrichten.

Hummersalat
mit Kokos-Chili-Dressing

Für 4 Personen
2 Hummer (vorgegart; à 600–700 g, vom Fischhändler; ersatzweise tiefgekühltes Hummerfleisch)
800 g grüner Spargel · Salz · 2 kleine rote Chilischoten
150 g Mayonnaise (siehe S. 242) · 1 TL geröstetes Sesamöl
3 EL Reisessig · 1/8 l Kokosmilch
je 1/2 Bund Koriander und Thaibasilikum
1 EL helle Sojasauce · Saft von 1/2 Limette

1 | Von den Hummern Scheren und Schwanzstück abdrehen. Die kleinen Gelenke an den Scheren abtrennen und mit einer Schere aufschneiden. Das Fleisch herauslösen. Die Hummerscheren mit dem Rücken eines großen Küchenmessers anschlagen und das Fleisch herauslösen. Das Chitinblatt aus dem Fleisch herausziehen. Die Hummerschwänze an der Bauchseite mit einer Schere aufschneiden und das Schwanzfleisch herausnehmen. Der Länge nach halbieren und den Darm entfernen. Das Hummerfleisch waschen, trocken tupfen und zugedeckt beiseitelegen.

2 | Den Spargel waschen und im unteren Drittel schälen, die holzigen Enden entfernen. Die Stangen in kochendem Salzwasser 2 Minuten blanchieren. Abgießen, kalt abschrecken und abtropfen lassen. Bis auf die Spitzen schräg in dünne Scheiben schneiden. Die Chilischoten längs halbieren, entkernen, waschen und in feine Streifen schneiden.

3 | Für das Dressing Mayonnaise, Öl, 1/2 Chilischote, Essig und Kokosmilch in einen hohen Rührbecher geben. Den Koriander und das Thaibasilikum waschen, trocken schütteln und die Blätter abzupfen. Die Hälfte der Kräuter in den Rührbecher geben und alles fein mixen. Mit Sojasauce und Limettensaft abschmecken.

4 | Den restlichen Koriander und Basilikum mit dem Spargel mischen und auf Teller oder Gläser verteilen. Das Hummerfleisch in mundgerechte Stücke teilen und darauf anrichten. Die übrigen Chilistreifen über dem Salat verteilen. Den Hummersalat mit Dressing beträufeln.

Tipp: Eine gut gereinigte Gartenschere eignet sich sehr gut, um einen Hummer aufzubrechen.

Rote-Bete-Salat

mit Räucherforelle und Kartoffeldressing

Für 4 Personen

Salz · ½ TL ganzer Kümmel · 750 g mittelgroße Rote Beten
(ersatzweise vorgegarte, vakuumierte Rote Beten)
Pfeffer aus der Mühle · 5 EL Olivenöl
1 mehligkochende Kartoffel (ca. 100 g)
300 ml Gemüse- oder Hühnerbrühe
50 g Sahnemeerrettich (aus dem Glas)
3 EL Weißweinessig · Zucker · Cayennepfeffer
½ TL abgeriebene unbehandelte Zitronenschale
200 g junge Salatblätter (Baby Leafs; oder junger Spinat)
4–6 Stiele Dill · 4 Räucherforellenfilets (à 80 g)

1 | In einem Topf reichlich Salzwasser mit dem Kümmel erhitzen. Die Roten Beten dazugeben und 1 bis 1½ Stunden weich garen. In ein Sieb abgießen, kalt abschrecken und mit dem Sparschäler schälen. In dünne Scheiben hobeln oder schneiden. Mit Salz, Pfeffer und 2 EL Olivenöl marinieren.

2 | Für das Dressing die Kartoffel schälen, waschen und in kleine Würfel schneiden. In der Brühe zugedeckt etwa 15 Minuten weich garen. Dann samt Brühe in einen hohen Rührbecher geben, den Meerrettich dazugeben und mit dem Stabmixer fein pürieren. Das restliche Olivenöl und den Essig untermixen. Das Dressing mit Salz, Zucker, Cayennepfeffer und Zitronenschale würzen.

3 | Die Salatblätter putzen, waschen und trocken schleudern. Den Dill waschen und trocken schütteln, die Spitzen abzupfen und grob hacken. Die Forellenfilets in mundgerechte Stücke zupfen.

4 | Die Rote-Bete-Scheiben locker mit den Salatblättern mischen und auf Gläser oder Teller verteilen. Die Forellenstücke und den Dill daraufgeben und mit dem Dressing beträufeln. Nach Belieben mit Weißbrot servieren.

Nizza-Salat
mit Thunfisch und Oliven

Für 4 Personen
500 g kleine festkochende Kartoffeln · Salz
200 g grüne Bohnen (z.B. Bobbybohnen)
100 g schwarze Kalamata-Oliven (mit Stein)
500 g kleine Strauchtomaten
4 Eier (Größe L) · 2 TL scharfer Senf · 4 EL Weißweinessig
100 ml Gemüse- oder Hühnerbrühe · 1 TL Puderzucker
80 ml Olivenöl · Pfeffer aus der Mühle
400 g Thunfischfilet (Sushi-Qualität) · 2 EL gehackte Petersilie
50 g Kapern

1 | Die Kartoffeln waschen und in der Schale in Salzwasser 20 bis 25 Minuten weich garen. Abgießen, ausdampfen lassen, möglichst heiß pellen und in 2 cm große Stücke schneiden. Die Bohnen putzen und in kochendem Salzwasser 8 bis 10 Minuten blanchieren, kalt abschrecken und der Länge nach halbieren.

2 | Die Oliven auf ein Küchenbrett legen, mit einem Glas flach drücken und entsteinen. Die Tomaten waschen und in dünne Scheiben schneiden, dabei die Stielansätze entfernen. Die Eier in kochendem Wasser 6 bis 7 Minuten wachsweich garen. Kalt abschrecken, vorsichtig pellen und halbieren.

3 | Für das Dressing Senf, Essig, Brühe und Puderzucker in einen hohen Rührbecher geben und mit dem Stabmixer durchmixen. Das Olivenöl zuerst tröpfchenweise, dann in einem dünnen Strahl untermixen. Das Dressing mit Salz und Pfeffer würzen.

4 | Das Thunfischfilet mit Salz und Pfeffer würzen. In der Petersilie wälzen und in möglichst dünne Scheiben schneiden. Die Salatzutaten mit dem Thunfisch auf Teller verteilen und mit dem Dressing beträufeln. Die Kapern darüberstreuen.

Tipp: Statt frischem Thunfisch können Sie auch weißen Thunfisch aus dem Glas oder aus der Dose verwenden. Diesen dann nicht in Petersilie wälzen, sondern einfach direkt auf dem Salat verteilen.

Französischer Bistrosalat

Für 4 Personen

1 Friséesalat · ½ Lollo bianco
1 Bund gelber Löwenzahnsalat · 4 Eier (Größe L)
8 Scheiben Pancetta (oder Frühstücksspeck)
2 Schalotten · ½ Knoblauchzehe
2 Eigelb (Größe M) · 1 EL mittelscharfer Senf
4 EL Estragonessig · 1 EL Puderzucker
80 ml Sonnenblumenöl · 1 TL gehackter Estragon
Salz · Pfeffer aus der Mühle
½ Baguette · 80 g gesalzene Butter

1 | Den Friséesalat und den Lollo bianco waschen und trocken schleudern. Den Löwenzahnsalat verlesen, waschen und trocken schleudern. Die Salatblätter in mundgerechte Stücke zupfen. Die Eier in kochendem Wasser 6 bis 7 Minuten wachsweich garen, kalt abschrecken und vorsichtig pellen.

2 | Die Pancetta in einer Pfanne ohne Fett knusprig braten. Herausnehmen und auf Küchenpapier abtropfen lassen. Die Schalotten schälen und in feine Scheiben schneiden.

3 | Für das Dressing den Knoblauch schälen und mit den Eigelben, dem Senf, Essig und Puderzucker in einen hohen Rührbecher geben. Mit dem Stabmixer gut durchmixen. Das Öl zuerst tröpfchenweise, dann in einem dünnen Strahl untermixen. Dabei den Stabmixer am Boden des Rührbechers lassen, damit eine schöne Emulsion entsteht. Den Estragon unterrühren und das Dressing mit Salz und Pfeffer würzen.

4 | Die Salate mit dem Dressing mischen und auf Teller verteilen. Die Eier halbieren oder vierteln und mit der Pancetta darüber geben. Mit Schalottenringen belegen. Mit frischem Baguette und gesalzener Butter servieren.

Tipp: Anstelle der Hühnereier können Sie auch 12 Wachteleier verwenden. Diese dann nur 1½ bis 2 Minuten kochen.

Knuspriger Reisnudelsalat
mit Shrimps

Für 4 Personen

200 g dünne Reisnudeln · ½ l Öl zum Frittieren · 2 Schalotten
2 Knoblauchzehen · 50–60 g Ingwer · 2 EL Öl · 500 g Schweinehackfleisch · 2 rote Chilischoten · 2 EL Palmzucker (oder brauner Zucker) · 2 EL Fischsauce · 4 EL Limettensaft
300 g Shrimps (vorgegart und geschält) · ½ Bund Koriander
1 kleine Salatgurke · 10 Radieschen · 1 rote Zwiebel

1 | Die Reisnudeln in kochendem Wasser 2 bis 3 Minuten sehr bissfest garen, in ein Sieb abgießen, kalt abschrecken, abtropfen lassen und mit Küchenpapier gut trocken tupfen. Das Öl zum Frittieren im Wok erhitzen und die Nudeln darin portionsweise 2 bis 3 Minuten knusprig frittieren. Herausnehmen und auf Küchenpapier abtropfen lassen.

2 | Schalotten, Knoblauch und Ingwer schälen, in feine Würfel schneiden und im Wok im Öl 2 bis 3 Minuten anbraten. Das Hackfleisch dazugeben und unter Rühren 6 bis 8 Minuten krümelig braten.

3 | Chilischoten entkernen, waschen und in feine Ringe schneiden. Zum Hackfleisch geben. Mit Palmzucker, Fischsauce und Limettensaft würzen. Shrimps dazugeben und gut mischen. Vom Herd nehmen und 20 Minuten ziehen lassen.

4 | Koriander waschen, trocken schütteln und die Blätter abzupfen. Gurke waschen, Radieschen putzen und waschen. Beides in feine Scheiben schneiden. Zwiebel schälen und in feine Ringe schneiden. Hackfleisch-Shrimps-Mix mit Gemüse und Koriander anrichten. Mit den knusprigen Nudeln servieren.

Griechischer Salat
mit gebratenem Feta

Für 4 Personen

2 Päckchen Feta (Schafskäse; à 200 g) · 200 g Cocktailtomaten
2 kleine Salatgurken · 1 große weiße Zwiebel
120 g Kalamata-Oliven (mit Stein)
je ½ Bund Basilikum und Minze
3 EL Weißweinessig · 1 EL Honig · 5 EL Olivenöl
½ TL abgeriebene unbehandelte Zitronenschale
Salz · Pfeffer aus der Mühle

1 | Den Feta diagonal halbieren und mit Küchenpapier gut trocken tupfen. Die Cocktailtomaten waschen und halbieren. Die Gurken waschen und der Länge nach in dünne Scheiben schneiden. Die Zwiebel schälen und in feine Ringe schneiden.

2 | Die Oliven auf ein Küchenbrett legen, mit einem Glas flach drücken und entsteinen. Das Basilikum und die Minze waschen und trocken schütteln, die Blätter abzupfen.

3 | Für die Vinaigrette Essig und Honig in einer Schüssel mischen und 4 EL Olivenöl mit dem Schneebesen unterrühren. Mit Zitronenschale, Salz und Pfeffer würzen.

4 | Das restliche Öl in einer großen Pfanne erhitzen und die Fetastücke darin auf beiden Seiten je 2 Minuten goldbraun braten. Herausnehmen und auf Teller verteilen. Die Tomatenhälften, die Gurkenscheiben, die Zwiebelringe und die Oliven darauf anrichten. Mit der Marinade beträufeln und mit den Kräuterblättern bestreuen. Dazu passt gegrilltes Fladenbrot.

Waldorfsalat

mit Granny Smith und Sellerie

Für 4 Personen

3 Äpfel (Granny Smith)
6–8 Stangen Staudensellerie
100 g Walnusskerne
100 g Mayonnaise (siehe S. 242)
2 EL Naturjoghurt
1 EL Puderzucker
½ TL abgeriebene unbehandelte Limettenschale
2 EL Limettensaft
60 g cremiger Gorgonzola
Salz · Pfeffer aus der Mühle

1 | Die Äpfel waschen, vierteln, entkernen und in Stifte schneiden. Den Sellerie putzen, waschen und schräg in feine Scheiben schneiden, dabei auch das zarte Grün mitverwenden. Die Walnüsse in einer Pfanne ohne Fett anrösten, abkühlen lassen und grob hacken.

2 | Für das Dressing Mayonnaise, Joghurt, Puderzucker, Limettenschale und -saft sowie den Käse in einen hohen Rührbecher geben. Mit dem Stabmixer gut durchmixen, dabei so viel Wasser dazugeben, bis ein cremiges Dressing entstanden ist. Mit Salz und Pfeffer würzen.

3 | Die Selleriescheiben und die Apfelstifte in Gläser oder auf Teller verteilen. Die Walnüsse darüberstreuen. Alles mit dem Dressing beträufeln und sofort servieren.

Tipp: Eine besondere Note bekommt der Salat, wenn Sie noch 1 Bund Brunnenkresse untermischen. Dazu passen gegrillte Geflügelbrust und frische Mandarinenspalten.

Caesar Salad
mit Parmaschinken

Für 4 Personen

1 kleine Knoblauchzehe
150 g Mayonnaise (siehe S. 242)
80 ml Gemüse- oder Hühnerbrühe
1 TL Dijon-Senf
1 TL Worcestershiresauce
2 EL Weißweinessig
6 EL Olivenöl
80 g geriebener Parmesan
Salz · Pfeffer aus der Mühle
1 EL Zitronensaft
4 Mini-Romanasalate
12 Cocktailtomaten
8 Sardellen (in Öl)
8 Scheiben Baguette
8 Scheiben Parmaschinken

1 | Für das Dressing den Knoblauch schälen und mit Mayonnaise, Brühe, Senf, Worcestershiresauce und Essig in einen hohen Rührbecher geben und mit dem Stabmixer gut durchmixen. 4 EL Olivenöl zuerst tröpfchenweise, dann in einem dünnen Strahl untermixen. Zuletzt die Hälfte vom Parmesan unterrühren und das Dressing mit Salz, Pfeffer und Zitronensaft würzen. Nach Bedarf mit etwas Wasser verdünnen.

2 | Die Salate waschen und trocken schütteln, die Salatköpfe in 2 cm breite Spalten schneiden und auf Tellern anrichten. Die Cocktailtomaten waschen, halbieren und auf die Teller verteilen. Salat und Tomaten mit dem Dressing beträufeln und mit dem übrigen Parmesan bestreuen.

3 | Die Sardellen abtropfen lassen. Jede Baguettescheibe mit 1 Sardelle belegen und in je 1 Scheibe Schinken einwickeln. Das restliche Olivenöl in einer großen Pfanne erhitzen und die Brotscheiben darin auf beiden Seiten knusprig braten. Herausnehmen, auf Küchenpapier abtropfen lassen und auf dem Caesar Salad anrichten. Nach Belieben das Endstück des Baguettes in sehr dünne Scheiben schneiden, diese kurz im Öl in der Pfanne braten und auf dem Salat verteilen.

Tipp: Bestreuen Sie den Salat zur Abwechslung anstelle von normalem Parmesan mit Knusperparmesan. Dafür 100 g Parmesan fein reiben und dünn auf ein geöltes Backblech streuen. Mit den Händen etwas andrücken und unter dem heißen Backofengrill auf der mittleren Schiene goldbraun backen, bis er schön knusprig ist. Den Knusperparmesan abkühlen lassen, grob zerkleinern und über den Salat streuen. Knusperparmesan ist auch ein raffiniertes Topping für viele Suppen, Nudelgerichte oder Quiches.

Suppen & Eintöpfe

Aus dem Vollen schöpfen

Suppen schmecken nicht nur, sie spenden auch Wärme, Gesundheit und manchmal sogar Trost. Was die Ein-Topf-Gerichte alles zu bieten haben, weiß man schon lange zu schätzen.

Ein Topf mit Geschichte Seit es Feuer und feuerfeste Gefäße gibt, gibt es auch Suppen und Eintöpfe. Schon vor einigen Tausend Jahren wurden breiartige Speisen aus Getreide, Gemüse und Wasser in großen Tongefäßen gekocht und mit den Händen verspeist. An die Stelle der Hände traten später Löffel aus Eisen oder Holz, statt der Tongefäße benutzte man Kessel aus Metall. Die alten Ägypter kannten nahrhafte Breie aus Hülsenfrüchten, die Römer liebten ihr »Pulmentum« aus geschrotetem Getreide, die Germanen bereiteten ein »Mus« aus Getreide, Gemüse und Fleisch zu.

Für Arm und Reich Bis ins letzte Jahrhundert hinein war die mehr oder weniger flüssige Mischung aus Getreide und Gemüse, die ab und zu mit etwas Fleisch aufgewertet wurde, typisch für die Küche der Bauern und der ärmeren Bevölkerung. Sie köchelte tagelang in großen Kesseln über dem Feuer und wurde oft direkt aus dem Topf gegessen. Gleichzeitig entwickelte sich an den Höfen und in den Küchen des Großbürgertums eine verfeinerte Suppenkultur – zu üppigen Mahlzeiten und während vielgängiger Menüs wurden Cremesuppen, kräftige Brühen oder zarte Gemüsepürees gereicht.

Aus dem Topf in die Tüte Ein Meilenstein der Suppengeschichte war die Erfindung des Fleischextrakts von Justus Liebig gegen Ende des 19. Jahrhunderts. Es machte die Suppe zu einer schnellen und bequemen Mahlzeit, die Folge davon ist das heutige Riesenangebot von Tüten- und Instantsuppen. Seit einigen Jahren ist aber auch die gute alte, traditionell zubereitete Suppe wieder gefragt – eine unkomplizierte, gesunde und abwechslungsreiche Mahlzeit, die perfekt in die moderne Zeit passt.

Suppe – von früh bis spät Unser Essen ist internationaler geworden, das gilt auch für die Suppe. Vor allem die ausgeprägte Suppenliebe der asiatischen Völker hat uns eine Reihe köstlicher Rezepte beschert. In vielen Ländern Asiens wird an jeder Straßenecke eine Schale mit dampfender Suppe angeboten, sie ist dort schon zum Frühstück heiß begehrt. Auch wir löffeln längst nicht mehr nur Kartoffelsuppe, sondern mit Begeisterung chinesische Nudel-, thailändische Kokos- oder indische Linsensuppe. Wir essen Suppe zum Auftakt eines Menüs oder genießen sie als kleinen Imbiss mittags oder abends. Aufwendig gekochte Suppen, die mehr feste als flüssige Bestandteile enthalten, nennen wir Eintopf und servieren sie als Hauptgericht. Das gilt vor allem für typisch deutsche Eintöpfe aus viel Gemüse, deftigen Fleisch- und Wursteinlagen und Sattmachern wie Nudeln oder Kartoffeln, aber auch für eine italienische Minestrone oder französische Bouillabaisse.

Eine Frage der Bindung Es gibt klare und gebundene Suppen. Gebundene Suppen werden aus stärkereichen Gemüsesorten zubereitet, die weich gekocht und dann zerdrückt, püriert oder durch ein Sieb gestrichen werden. Beste Beispiele sind Linsen- und Erbsensuppen, Kürbis-, Möhren- oder Kartoffelsuppen. Auch gut für sämige Suppen geeignet sind Getreideprodukte wie Haferflocken, Graupen oder Grieß. Wer Suppe aus Zutaten kochen will, die keine Stärke enthalten, kann mit einer Mehlschwitze, Sahne oder Eigelb für Bindung sorgen, etwa bei Spargel-, Geflügelcreme- oder Pilzcremesuppen. Klare Suppen erhält man durch das Auskochen von Fleisch, Geflügel, Fisch oder Gemüse. Deren wertvolle Inhaltsstoffe wandern in die Flüssigkeit und geben der Brühe ein kräftiges Aroma. Durch starkes Einkochen kann man Brühen immer mehr konzentrieren, man erhält dann eine Essenz, auch Consommé genannt.

Das Salz in der Suppe Suppen – ob klar oder gebunden – erhalten für gewöhnlich noch ein besonderes Extra. Klare Brühen serviert man z.B. meist mit Einlagen, die von Region zu Region ganz verschieden sein können. So sind im Schwäbischen oft Teigwaren wie Spätzle oder Flädle die Suppeneinlage der Wahl. Bei Letzteren handelt es sich um dünn geschnittene Pfannkuchenstreifen, die andernorts auch Frittaten genannt werden. Beliebte Einlagen sind außerdem Eierstich, Nudeln, Grießnockerl, Leberknödel und Markklößchen oder einfach Backerbsen sowie gekochtes Fleisch und Geflügel. Gebundene Suppen werden oft erst beim Anrichten im Teller veredelt, z.B. mit einem Klecks Crème fraîche oder Schmand oder mit knusprig gebratenen Croûtons.

Die Hühnersuppe – Medizin für Leib und Seele Was schon unsere Großmütter wussten, ist jetzt wissenschaftlich erwiesen: Hühnersuppe ist gut gegen Erkältung. Der Grund dafür sind Cysteine – Eiweißstoffe, die beim Kochen vom Fleisch in die Brühe übergehen und entzündungshemmend und abschwellend wirken. Ein Stück mitgekochte Ingwerwurzel oder eine Chilischote wirken zusätzlich desinfizierend. Und auch der heiße Dampf, der uns beim Löffeln in die Nase steigt, fördert den Heilungsprozess. Weil bei einem guten Huhn immer etwas Fett unter der Haut sitzt, gehören auch ein paar appetitliche Fettaugen in eine gute Hühnersuppe. Um den Fettgehalt etwas zu reduzieren, kann man vor dem Kochen aber das sichtbare Fett am Schwanzansatz entfernen oder die fertige Brühe entfetten. Dafür wird das Fett entweder mit Küchenpapier aufgesaugt oder mit einem Löffel abgeschöpft. Wer Zeit hat, lässt die Brühe restlos erkalten und nimmt das fest gewordene Fett einfach von der Oberfläche ab.

Rinderbein-
scheiben
Champagner-
linsen
rote Linsen
Fadennudeln
Muschelnudeln
Suppenhuhn
Cannellini-
bohnen
Graupen
Blumenkohl
Hokkaido-
kürbis
Rote Bete
Gemüsebrühe
Liebstöckel
braune
Zwiebeln
Suppengemüse
Weißwein

Suppen – heiß & würzig

1 KLARE SUPPEN

Klare Suppen bzw. Brühen schmecken schon für sich alleine wunderbar, oft braucht man sie aber auch als Zutat für ein anderes Gericht. Gemüsebrühe ist besonders häufig gefragt, hier kann man gut auf Instantprodukte zurückgreifen. Für eine aromatische Hühnerbrühe sollte man jedoch selbst zum Kochtopf greifen – und gleich etwas auf Vorrat kochen, denn sie ist Basis für viele gebundene Suppen und Saucen.

1. Die Poularde innen und außen waschen. In einen Topf legen und so viel Wasser angießen, dass sie bedeckt ist. Die ungeschälte, halbierte Zwiebel und 1 TL Salz dazugeben. Langsam zum Kochen bringen, den aufsteigenden Schaum abschöpfen.

2. Die Suppe bei schwacher Hitze etwa 1 Stunde köcheln lassen. Die Gewürze in einen Einwegteebeutel geben und diesen mit Küchengarn zubinden. Zur Suppe geben, weitere 30 Minuten garen.

2 GEBUNDENE SUPPEN

Cremig-pikanter Genuss zum Löffeln – wer Gemüse in Brühe weich kocht und das Ganze anschließend püriert, erhält im Handumdrehen ein feines Süppchen. Besonders einfach geht es mit Gemüsesorten, die bereits Stärke enthalten wie Kürbis, Kartoffeln oder Hülsenfrüchte. Bei anderen Gemüsen wird die Bindung durch Mehl, Stärke oder Sahne erreicht. Die Krönung sind knusprige Toppings wie Kerne oder Croûtons.

1. Den Kürbis schälen, entkernen und das Fruchtfleisch in etwa 2 cm große Würfel schneiden. Die Zwiebel und den Ingwer schälen und in feine Würfel schneiden.

2. Die Butter in einem Topf erhitzen. Den Kürbis, die Zwiebel und den Ingwer darin 2 bis 3 Minuten andünsten. Das Currypulver darüberstreuen und unter Rühren kurz andünsten.

3 EINTÖPFE

Alles aus einem Topf – wenn Gemüse und Fleisch oder Fisch zusammen garen, mischen sich die Aromen auf unvergleichliche Weise. Damit man den Eintopf später gut löffeln kann, werden alle Zutaten in mundgerechte Stücke geschnitten. Fleisch bleibt jedoch besonders saftig, wenn man es am Stück gart. Erst kurz vor dem Servieren wird es vom Knochen gelöst, zerkleinert und wieder in den Eintopf gegeben.

1. Die Rippchen in der Brühe aufkochen und zugedeckt bei schwacher Hitze etwa 1 Stunde garen. Zwiebeln, Möhren und Sellerie putzen, schälen und in etwa 1 cm große Würfel schneiden.

2. Die Butter in einer Pfanne erhitzen und das Gemüse darin 2 bis 3 Minuten andünsten. Tomatenmark dazugeben, etwa 1 Minute andünsten und mit der Hälfte des Essigs ablöschen.

3. Möhren und Sellerie putzen, schälen und in etwa 1 cm große Stücke schneiden. Lauch putzen, waschen und in dünne Ringe schneiden. Gemüse 15 Minuten vor Ende der Garzeit zur Suppe geben. Gewürze und Zwiebel entfernen.

4. Das Huhn herausnehmen, häuten, Fleisch auslösen und in Stücke teilen. Suppe mit Salz, Pfeffer und Muskat würzen, das Fleisch wieder hineingeben. Oder Brühe und Fleisch für andere Rezepte verwenden, z.B. für Frikassee (siehe S. 178).

1 HÜHNERSUPPE

1 Poularde (ca. 1,2 kg; küchenfertig)
1 braunschalige Zwiebel
Salz
2 Lorbeerblätter
1 TL schwarze Pfefferkörner
je 4 Pimentkörner und Wacholderbeeren
2 Möhren
200 g Knollensellerie
1 Stange Lauch
Pfeffer aus der Mühle
frisch geriebene Muskatnuss

zum Online-Video
www.kochen-digital.de/huehnersuppe

3. Den Apfelsaft und die Brühe dazugießen. Die Suppe zugedeckt bei mittlerer Hitze 25 Minuten köcheln lassen. Die Sahne hinzufügen, weitere 2 bis 3 Minuten köcheln lassen.

4. Suppe grob oder fein pürieren. Mit Salz, Pfeffer und Muskat würzen. Nach Belieben mit gerösteten Kürbiskernen und Kürbiskernöl anrichten. Eignet sich auch als Vorspeise, z.B. zu Minutensteaks (siehe S. 200) mit Roten Beten (siehe S. 138).

2 KÜRBISSUPPE

600 g Muskatkürbis
1 Zwiebel
1 walnussgroßes Stück Ingwer
1 EL Butter
1 TL Currypulver
200 ml Apfelsaft
600 ml Gemüsebrühe
200 g Sahne
Salz
Pfeffer aus der Mühle
frisch geriebene Muskatnuss

zum Online-Video
www.kochen-digital.de/kuerbissuppe

3. Gemüse und Linsen zur Suppe geben, weitere 40 Minuten köcheln lassen. Den Lauch putzen und waschen, längs vierteln und in ½ cm große Stücke schneiden. Nach 30 Minuten dazugeben.

4. Rippchen aus dem Eintopf nehmen, das Fleisch auslösen. Fleisch, Kräuter und Zitronenschale zum Eintopf geben. Mit restlichem Essig, Salz und Pfeffer abschmecken. Als Nachspeise passt z.B. eine Joghurt-Limetten-Mousse (siehe S. 258).

3 LINSENEINTOPF MIT RIPPCHEN

1–1,2 kg geräucherte Schweinerippchen (vom Metzger in grobe Stücke gehackt)
1 ½ l Rinder- oder Hühnerbrühe (siehe S. 220 bzw. 62) · je 200 g Zwiebeln, Möhren und Knollensellerie · 1 EL Butter
1 EL Tomatenmark · 50 ml Aceto balsamico
200 g braune Berglinsen · 100 g Lauch
1 EL gehackte Petersilie
1 TL gehackter Majoran
½ TL abgeriebene unbehandelte Zitronenschale
Salz · Pfeffer aus der Mühle

zum Online-Video
www.kochen-digital.de/linseneintopf

Feine Suppeneinlagen

Eine klare Brühe allein macht noch nicht viel her – die optische und kulinarische Krönung erhält sie durch raffinierte Einlagen. Ganz egal, ob Sie lieber Hühner- (siehe S. 62), Rinder- (siehe Tafelspitz S. 220) oder Gemüsebrühe servieren – mit folgenden Rezepten ist für Abwechslung im Suppenteller gesorgt.

Schnittlauchpfannkuchen

60 g Mehl · 100 ml Milch · 2 Eier (Größe L)
½ TL abgeriebene unbehandelte Zitronenschale · Salz
frisch geriebene Muskatnuss · 1 Bund Schnittlauch · 4 TL Öl

1 | Das Mehl mit der Milch in einer Schüssel mit dem Schneebesen oder den Quirlen des Handrührgeräts verrühren. Die Eier, die Zitronenschale sowie 1 Prise Salz und Muskatnuss hinzufügen und alles zu einem glatten Teig verrühren. Den Schnittlauch waschen, trocken schütteln und in feine Röllchen schneiden. Unter den Teig rühren und diesen 15 Minuten quellen lassen.

2 | Den Teig kurz durchrühren. In einer Pfanne 1 TL Öl erhitzen und ein Viertel des Teigs in die Pfanne gießen. Bei schwacher Hitze goldbraun backen. Dann wenden und auf der anderen Seite ebenfalls goldbraun backen. Mit dem restlichen Teig ebenso verfahren. Die Pfannkuchen zusammenrollen, in dünne Streifen schneiden und als Suppeneinlage servieren.

Petersilienspätzle

60 g junger Spinat · 60 g Petersilie · Salz · 100 g Schmand
5 Eier (Größe L) · 1 EL Öl · frisch geriebene Muskatnuss
500 g Spätzlemehl (ersatzweise Mehl Type 405)

1 | Den Spinat verlesen und waschen. Die Petersilie waschen, die Blätter abzupfen und mit dem Spinat in kochendem Salzwasser etwa 30 Sekunden blanchieren.

2 | Spinat und Petersilie in ein Sieb abgießen, kalt abschrecken und gut ausdrücken. Mit dem Schmand, den Eiern und dem Öl fein pürieren. Kräftig mit Salz und Muskatnuss würzen. Mit dem Mehl in eine große Schüssel geben und mit den Knethaken des Handrührgeräts 5 bis 6 Minuten kräftig durchkneten, bis der Teig Blasen wirft.

3 | Reichlich Salzwasser in einem großen Topf aufkochen. Den Teig portionsweise mit dem Spätzlehobel oder der Spätzlepresse in das Salzwasser geben und die Spätzle darin ziehen lassen, bis sie an die Oberfläche steigen. Mit dem Schaumlöffel herausheben und als Suppeneinlage servieren.

Chili-Brätstrudel

200 g feines Bratwurstbrät (vom Kalb oder Schwein)
50 g Sahne · 2 EL gehackte Petersilie
½ TL abgeriebene unbehandelte Zitronenschale
Salz · frisch geriebene Muskatnuss · Chiliflocken
2 Schnittlauchpfannkuchen (siehe links) · 1 EL Butter

1 | Das Bratwurstbrät in eine Schüssel geben und mit der Sahne und der Petersilie glatt rühren. Mit der Zitronenschale, Salz, Muskatnuss und Chiliflocken würzen.

2 | Die Pfannkuchen mit der Brätmasse bestreichen und fest aufrollen. Zwei große Stücke Alufolie mit der Butter bestreichen und die Pfannkuchen darin einrollen, die Folienenden zusammendrehen.

3 | Reichlich Wasser in einem großen Topf zum Kochen bringen und die Chili-Brätstrudel darin zugedeckt bei schwacher Hitze 10 bis 15 Minuten ziehen lassen. Die Strudel auspacken, schräg in etwa 1 cm dicke Scheiben schneiden und als Suppeneinlage servieren.

Grießnockerl

160 ml Hühnerbrühe (siehe S. 62) · 160 ml Milch
120 g Hartweizengrieß · 1 Ei (Größe L) · 1 Eigelb
½ TL abgeriebene unbehandelte Zitronenschale
frisch geriebene Muskatnuss · Salz

1 | Die Brühe mit der Milch aufkochen. Den Grieß einrieseln lassen und unter Rühren 2 bis 3 Minuten »abbrennen«, bis sich ein weißer Belag am Topfboden bildet. Die Grießmasse etwas abkühlen lassen, dann das Ei und das Eigelb unterrühren und mit der Zitronenschale und Muskatnuss würzen.

2 | Reichlich Salzwasser zum Kochen bringen. Mit zwei angefeuchteten Esslöffeln aus der Grießmasse Nockerl abstechen und im Salzwasser zugedeckt 10 bis 12 Minuten ziehen lassen. Herausheben und als Suppeneinlage servieren.

Tipp: Für Kräuternockerl 2 EL gehackte gemischte Kräuter unter den Grieß rühren. Für Pilznockerl 20 g getrocknete Steinpilze einweichen, trocken tupfen, hacken und unter den Grieß rühren. Für Safrannockerl 1 Msp. gemahlenen Safran mit der Brühe und der Milch aufkochen. Den Grieß einrieseln lassen und 1 TL abgeriebene unbehandelte Orangenschale dazugeben.

Misosuppe
mit Knuspertofu und Pilzen

Für 4 Personen

1½ l Gemüsebrühe (oder Hühnerbrühe; siehe S. 62)
20–30 g Wakame-Algen · 200 g weißer Rettich
100 g kleine Shiitake-Pilze · 500 g Tofu · 2–3 EL Mehl
100 g Panko (asiat. Paniermehl; siehe Tipp S. 163) · 1 Ei (Größe L)
200 ml Öl · 1–2 Kästchen Daikon-Sprossen (oder Gartenkresse)
1 Bund Frühlingszwiebeln · 1–2 EL helle Misopaste
1 TL Sesamöl · 1–2 EL helle Sojasauce

1 | Die Brühe aufkochen. Die Algen nach Packungsanweisung einweichen und in kleine Stücke schneiden. Den Rettich putzen, schälen und in feine Streifen schneiden. Die Pilze putzen und, falls nötig, trocken abreiben. Algen, Rettich und Pilze in die Brühe geben und 4 bis 5 Minuten darin ziehen lassen.

2 | Den Tofu in 1 bis 2 cm große Würfel schneiden. Das Mehl und den Panko jeweils in tiefe Teller geben. Das Ei in einem tiefen Teller verquirlen. Die Tofuwürfel zunächst im Mehl wenden, dann durch das Ei ziehen und zuletzt mit Panko panieren. Das Öl in einer Pfanne erhitzen und die Tofuwürfel darin goldbraun ausbacken. Auf Küchenpapier abtropfen lassen.

3 | Inzwischen die Sprossen abschneiden, waschen und trocken tupfen. Die Frühlingszwiebeln putzen, waschen und schräg in feine Ringe schneiden. Von der Suppe 100 ml Brühe abnehmen und mit der Misopaste verrühren. Die Suppe mit Sesamöl und Sojasauce würzen. Die Tofuwürfel, die Sprossen und die Frühlingszwiebeln mit der Suppe in Schälchen verteilen. Die Misobrühe zum Würzen dazu reichen.

Rindfleischsuppe
auf vietnamesische Art

Für 4 Personen

600 g flache Rinderschulter · 1 Bund Suppengemüse
4–5 cm Ingwer (in Scheiben) · 2 Knoblauchzehen (geschält)
2 Sternanis · 1 TL Fenchelsamen · 1 Zimtstange · 2 EL Fischsauce
2 EL Sojasauce · 1 EL Zucker · 150 g Reisnudeln · 1 Bund
Frühlingszwiebeln · 80 g Erdnüsse (geröstet und gesalzen)
1–2 Bund Kräuter (z. B. Thaibasilikum, Minze und Koriander)
80 g Röstzwiebeln · 2–3 EL Hoisinsauce (BBQ)

1 | Das Rindfleisch in kochendem Wasser 1 bis 2 Minuten blanchieren. Herausnehmen, trocken tupfen und mit 2 l kaltem Wasser in einen Topf geben. Das Fleisch zugedeckt bei schwacher Hitze 45 Minuten garen.

2 | Inzwischen das Suppengemüse putzen, waschen bzw. schälen und in Stücke schneiden und mit dem Ingwer, dem Knoblauch, dem Anis, den Fenchelsamen und dem Zimt zum Fleisch geben. Alles weitere 45 Minuten garen, dann das Fleisch aus der Suppe nehmen, mit zwei Gabeln in Stücke zupfen und beiseitestellen. Die Suppe durch ein Sieb passieren und mit etwas Fischsauce, Sojasauce und Zucker würzen.

3 | Die Reisnudeln nach Packungsanweisung garen, kalt abschrecken und in Schälchen verteilen. Die Frühlingzwiebeln putzen, waschen und schräg in dünne Ringe schneiden. Die Erdnüsse grob hacken. Die Kräuter waschen, trocken schütteln und die Blätter abzupfen. Das Fleisch und die Frühlingszwiebeln zu den Reisnudeln in die Schälchen geben und die Suppe dazugießen. Die Erdnüsse, Röstzwiebeln, Hoisinsauce und Kräuter zur Suppe servieren.

Enten-Consommé

mit Orangenaroma und Wan-Tans

Für 4 Personen

2–3 Entenkeulen (ca. 1–1,2 kg)
2 EL Öl
2 l Hühnerbrühe (siehe S. 62; oder Wasser)
1 Zwiebel
1 Bund Suppengemüse
1 Lorbeerblatt
je 1 TL Wacholderbeeren, Pfeffer- und Pimentkörner
4 Zweige Thymian
1 walnussgroßes Stück Ingwer (in Scheiben)
2 Streifen unbehandelte Orangenschale
150 g feines Bratwurstbrät
1 EL gehackte Petersilie
Salz · Pfeffer aus der Mühle
frisch geriebene Muskatnuss
1 Eiweiß
16–20 Wan-Tan-Blätter
100 g geräucherte Entenbrust (in Scheiben)

1 | Die Entenkeulen waschen und trocken tupfen. Das Öl in einer großen Pfanne erhitzen und die Keulen darin bei mittlerer Hitze rundum 5 bis 6 Minuten anbraten. Herausnehmen und auf Küchenpapier trocken tupfen. Mit der Brühe in einen Topf geben und 45 Minuten bei schwacher Hitze garen, dabei den aufsteigenden Schaum abschöpfen.

2 | Zwiebel ungeschält halbieren und die Schnittflächen in einer Pfanne ohne Fett goldbraun anrösten. Das Suppengemüse putzen, waschen bzw. schälen, in 1 bis 2 cm große Stücke schneiden. Mit den Zwiebelhälften, Lorbeerblatt, Wacholderbeeren, Pfeffer- und Pimentkörnern zum Fleisch geben und weitere 45 Minuten garen. Den Thymian waschen, trocken schütteln und 5 Minuten vor Ende der Garzeit mit Ingwer und Orangenschale dazugeben.

3 | Die Entenkeulen aus der Suppe nehmen, die Haut entfernen und das Fleisch vom Knochen lösen. Die Enten-Consommé durch ein mit Küchenpapier ausgelegtes Sieb passieren.

4 | Etwa die Hälfte des Entenfleischs in sehr kleine Würfel schneiden und in einer Schüssel mit dem Brät mischen. Die andere Hälfte anderweitig verwenden (siehe Tipp). Die Petersilie unterrühren und mit Salz, Pfeffer und Muskatnuss würzen. Das Eiweiß mit 1 EL Wasser verquirlen. Die Wan-Tan-Blätter nebeneinanderlegen und je 1 TL Füllung in die Mitte setzen. Die Ränder mit dem Eiweiß bestreichen, die Blätter zu einem Rechteck zusammenfalten und mit einem Glas oder Ausstecher halbmondförmig ausstechen. Die Consommé kurz aufkochen und die Wan-Tans 5 bis 6 Minuten darin ziehen lassen. Die Enten-Consommé auf tiefe Teller verteilen und die geräucherte Entenbrust darin anrichten.

Tipp: Man braucht 2 bis 3 Entenkeulen, damit die Suppe schön kräftig wird, für die Füllung ist es aber zu viel Fleisch. Das restliche Fleisch lässt sich gut einfrieren und später anderweitig verwenden, z.B. für Entenfrühlingsrollen.

Blumenkohlcreme
mit Kräutern

Für 4 Personen

80 g gemischte Kräuter (z.B. Petersilie, Kerbel, Dill, Kresse, Basilikum) · 75 ml Öl · Salz · Pfeffer aus der Mühle
1 Blumenkohl (ca. 600 g) · 1 Zwiebel · 2 EL Butter
600 ml Gemüsebrühe · 300 g Sahne · frisch geriebene Muskatnuss · ½ TL abgeriebene unbehandelte Zitronenschale
2 EL Paniermehl · 2 EL Schnittlauchröllchen

1 | Die Kräuter waschen, trocken schleudern und ggf. die Blätter abzupfen. Mit dem Öl in einen hohen Rührbecher geben und mit dem Stabmixer fein pürieren. Mit Salz und Pfeffer würzen.

2 | Blumenkohl putzen, waschen und in Röschen teilen. Zwiebel schälen, in feine Würfel schneiden. In einem Topf 1 EL Butter erhitzen und beides 2 bis 3 Minuten darin andünsten. Mit Brühe ablöschen und zugedeckt bei schwacher Hitze 20 Minuten köcheln lassen. Ein paar Blumenkohlröschen herausnehmen und beiseitestellen. Die Sahne zur Brühe geben und 5 Minuten köcheln lassen. Mit dem Stabmixer fein pürieren und mit Salz, Pfeffer, Muskatnuss und Zitronenschale würzen.

3 | Die restliche Butter in einer Pfanne erhitzen und das Paniermehl darin goldbraun rösten. Die Suppe auf tiefe Teller verteilen, mit etwas Kräuteröl beträufeln und mit den Butterbröseln bestreuen. Mit Schnittlauchröllchen garnieren.

Rote-Bete-Suppe
mit Meerrettich und Räucherlachs

Für 4 Personen

400 g Rote Beten · 1 Apfel (Boskop) · 1 Zwiebel · 2 EL Butter
300 ml Rote-Bete-Saft · 300 ml Gemüsebrühe · 200 g Sahne
1 EL Rotweinessig · ½ TL gemahlener Kümmel
Salz · Pfeffer aus der Mühle · Zucker
100 g Lachsfilet oder Räucherlachs (in Streifen)
1 kleines Stück Meerrettich

1 | Die Roten Beten putzen und schälen. Den Apfel schälen, vierteln und entkernen. Beides in 1 cm große Würfel schneiden. Die Zwiebel schälen und in feine Würfel schneiden.

2 | In einem Topf 1 EL Butter erhitzen und die Zwiebelwürfel darin andünsten. Die Roten Beten und die Hälfte der Apfelwürfel dazugeben und kurz mitdünsten. Mit dem Saft und der Brühe ablöschen und bei schwacher Hitze 30 Minuten köcheln lassen. Die Sahne dazugeben und nochmals 2 bis 3 Minuten köcheln lassen. Mit dem Stabmixer fein pürieren. Mit Essig, Kümmel, Salz, Pfeffer und Zucker abschmecken.

3 | Die restliche Butter in einer kleinen Pfanne erhitzen und die übrigen Apfelwürfel darin 4 bis 5 Minuten weich dünsten. Die Apfelwürfel mit den Lachsstreifen in tiefe Teller verteilen und die Suppe dazugießen. Etwas Meerrettich darüberreiben und die Suppe nach Belieben mit Dillspitzen garnieren.

Erbsen-Minze-Suppe
mit Joghurt und Harissa

Für 4 Personen

250 g griechischer Joghurt · ½ TL abgeriebene unbehandelte Zitronenschale · Salz · Öl zum Verarbeiten · ½ Bund Minze 2 Schalotten · 1 EL Butter · 800 ml Hühnerbrühe (siehe S. 62) 200 g Sahne · 600 g Erbsen (tiefgekühlt) · Pfeffer aus der Mühle 1 TL Harissapaste

1 | Am Vortag Joghurt mit Zitronenschale und Salz verrühren. In ein Mulltuch geben und in einem Sieb über eine Schüssel hängen. Eine mit Wasser gefüllte Schüssel daraufstellen. Über Nacht abtropfen lassen. Am nächsten Tag mit eingeölten Händen aus dem Joghurt 12 kleine Nocken formen.

2 | Die Minze waschen, trocken schütteln und die Blätter abzupfen. Die Schalotten putzen, schälen und in feine Würfel schneiden. Butter in einem Topf erhitzen und die Schalotten darin 1 bis 2 Minuten andünsten. Brühe und Sahne angießen, 5 Minuten köcheln lassen. Erbsen und 5 bis 6 Minzeblätter hinzufügen und 5 Minuten ziehen lassen. Alles fein pürieren und durch ein Sieb passieren. Mit Salz und Pfeffer würzen.

3 | Die Harissapaste mit etwas Wasser glatt rühren. Die Suppe in tiefe Teller verteilen und je 3 Joghurtnocken daraufgeben. Mit der Harissapaste beträufeln und mit den übrigen Minzeblättern garnieren.

Kartoffel-Kokos-Suppe
mit Garnelen und Thaibasilikum

Für 4 Personen

500 g mehligkochende Kartoffeln · 1 Zwiebel · 1 große Stange Lauch (ca. 300 g) · 2 Stängel Zitronengras · 1 EL Butter ½ l Gemüsebrühe · 300 ml Kokosmilch · 200 ml Milch ½ Bund Thaibasilikum · 200 g kleine Garnelen (küchenfertig) 1 EL Öl · Salz · Pfeffer aus der Mühle · 1–2 TL Sesamöl

1 | Kartoffeln, Zwiebel und Lauch schälen bzw. putzen und waschen. Kartoffeln und Zwiebel in Würfel schneiden, das Weiße vom Lauch und etwas Grün in Ringe schneiden, das Grün beiseitelegen. Vom Zitronengras die Außenblätter und die obere Hälfte entfernen, die untere Hälfte mit einer Pfanne anschlagen. Butter in einem Topf erhitzen, Zwiebel, weiße Lauchringe und Zitronengras darin 2 bis 3 Minuten andünsten. Kartoffeln, Brühe, Kokosmilch und Milch dazugeben und bei schwacher Hitze 20 bis 25 Minuten köcheln lassen.

2 | Basilikum waschen, trocken schütteln, die Blätter abzupfen. Garnelen abbrausen und abtropfen lassen. Das Öl in einer Pfanne erhitzen, die Garnelen darin rundum 2 bis 3 Minuten braten. Herausnehmen, mit Salz und Pfeffer würzen.

3 | Zitronengras aus dem Topf nehmen, die Suppe pürieren. Mit Salz, Pfeffer und Sesamöl würzen. In tiefe Teller geben, Garnelen darauf verteilen, mit Lauchgrün und Basilikum garnieren.

Spanische Mandelsuppe
mit Kabeljau und Chorizo

Für 4 Personen

300 g mehligkochende Kartoffeln · 1 Zwiebel
2 Knoblauchzehen · 2 EL Butter
100 g gehackte Mandeln · 600 ml Gemüsebrühe
200 g Sahne · 110 ml Olivenöl
Salz · Pfeffer aus der Mühle
60 g Chorizo (span. Paprikawurst)
2 EL Mandelblättchen · 1 EL gehackte Petersilie
240 g Kabeljaufilet (ohne Haut)

1 | Die Kartoffeln schälen, waschen und in 1 cm große Würfel schneiden. Die Zwiebel und den Knoblauch schälen und in feine Würfel schneiden.

2 | In einem großen Topf 1 EL Butter erhitzen, die Zwiebel und den Knoblauch darin 2 Minuten andünsten. Die Mandeln dazugeben und 2 bis 3 Minuten mitdünsten. Die Kartoffelwürfel, die Brühe und die Sahne dazugeben und bei schwacher Hitze 20 bis 25 Minuten köcheln lassen.

3 | Die Suppe mit dem Stabmixer fein pürieren, dabei 100 ml Olivenöl untermixen. Mit Salz und Pfeffer würzen und nicht mehr kochen lassen.

4 | Die Chorizo häuten, in Scheiben schneiden und in einer Pfanne kurz anbraten. Die restliche Butter in einer weiteren Pfanne erhitzen und die Mandelblättchen darin goldbraun braten. Die Pfanne vom Herd nehmen und die Petersilie unter die Mandeln rühren.

5 | Das Fischfilet waschen, trocken tupfen und in 1 cm dicke Stücke schneiden. Mit Salz und Pfeffer würzen. Das restliche Olivenöl in einer großen Pfanne erhitzen und die Fischstücke darin etwa 1 Minute braten.

6 | Die Fischstücke in tiefen Tellern anrichten und die Suppe darüber verteilen. Mit den Chorizoscheiben und den Petersilienmandeln bestreut servieren.

Petersilienwurzelsuppe
mit gebratenen Entenleberspießen

Für 4 Personen

500 g Petersilienwurzeln · 2 Schalotten · 2 EL Butter
100 ml trockener Weißwein · 600 ml Hühnerbrühe
200 g Sahne · Salz · Pfeffer aus der Mühle
frisch geriebene Muskatnuss · 1 großes Bund Petersilie
200 g Entenleber · 80 g Frühstücksspeck (in Scheiben)
1 EL Olivenöl · 2 EL gehobelte Haselnüsse

1 | Die Petersilienwurzeln putzen, schälen und in 1 cm große Würfel schneiden. Die Schalotten schälen und in feine Würfel schneiden.

2 | Die Butter in einem Topf erhitzen, die Petersilienwurzeln und die Schalotten darin 2 bis 3 Minuten andünsten. Mit dem Wein ablöschen und diesen fast vollständig einkochen lassen. Die Brühe dazugießen und bei schwacher Hitze 20 Minuten köcheln lassen. Die Sahne hinzufügen und weitere 5 Minuten einköcheln. Mit dem Stabmixer fein pürieren und mit Salz, Pfeffer und Muskatnuss würzen.

3 | Die Petersilie waschen, trocken schütteln und die Blätter abzupfen. Die Petersilienblätter in kochendem Salzwasser etwa 30 Sekunden blanchieren. In ein Sieb abgießen, kalt abschrecken, abtropfen lassen und gut ausdrücken. Mit der Hälfte der Suppe fein pürieren.

4 | Die Leber häuten, putzen, waschen und trocken tupfen. In mundgerechte Stücke schneiden, diese jeweils in etwas Frühstücksspeck einwickeln und auf Holzspieße stecken. Das Olivenöl in einer Pfanne erhitzen und die Leberspieße darin rundum etwa 4 Minuten braten. Mit Pfeffer würzen.

5 | Die Haselnüsse in einer Pfanne ohne Fett rösten. Die weiße und die grüne Suppe gleichzeitig in je einen tiefen Teller gießen. Die gebratenen Entenleberspieße auf der Suppe anrichten und mit den Haselnüssen bestreuen.

»Rote« Minestrone
mit Ricotta

Für 4 Personen

500 g Strauchtomaten · 800 ml Gemüsebrühe
2 Stangen Staudensellerie · 300 g Blumenkohl · 1 Möhre
1 weiße Zwiebel · 1 Knoblauchzehe · 50 ml Olivenöl
1 Bund Frühlingszwiebeln · 150 g weiße Bohnen (aus der Dose)
100 g Cocktailtomaten · 200 g Erbsen (tiefgekühlt)
60 g Conchigliette (kleine Muschelnudeln)
Salz · Pfeffer aus der Mühle · Chiliflocken
je 60 g Ricotta und geriebener Parmesan

1 | Die Strauchtomaten waschen und vierteln, dabei die Stielansätze entfernen. Das Fruchtfleisch in kleine Würfel schneiden und mit 200 ml Brühe in einen hohen Rührbecher geben. Mit dem Stabmixer fein pürieren, durch ein feines Sieb passieren und beiseitestellen.

2 | Den Sellerie, den Blumenkohl und die Möhre putzen und waschen bzw. schälen. Den Blumenkohl in Röschen teilen, die Möhren und den Sellerie in 1 bis 1½ cm große Stücke schneiden. Die Zwiebel und den Knoblauch schälen und in feine Würfel schneiden.

3 | In einem großen Topf 4 EL Olivenöl erhitzen, die Zwiebel und den Knoblauch darin 1 bis 2 Minuten andünsten. Den Sellerie, den Blumenkohl und die Möhre dazugeben und 2 bis 3 Minuten mitdünsten. Mit dem beiseitegestellten Tomatensaft und der restlichen Brühe ablöschen und alles bei mittlerer Hitze 15 Minuten köcheln lassen.

4 | Die Frühlingzwiebeln putzen, waschen und schräg in 2 cm große Stücke schneiden. Die Bohnen in ein Sieb abgießen, kalt abbrausen und abtropfen lassen. Die Cocktailtomaten waschen und halbieren. Frühlingszwiebeln, Bohnen, Tomaten, Erbsen und Muschelnudeln in den Eintopf geben und weitere 6 bis 7 Minuten köcheln lassen. Mit Salz, Pfeffer und Chiliflocken würzen.

5 | Den Eintopf in Schälchen verteilen, je 1 Klecks Ricotta in die Mitte geben und mit Parmesan bestreuen. Mit dem restlichen Olivenöl beträufeln und nach Belieben mit Basilikumblättern garnieren.

»Grüne« Minestrone

mit Bohnen, Salsicce und Brot

Für 4 Personen

2 Stangen Staudensellerie · 400 g Wirsing · 1 Möhre
1 weiße Zwiebel · 1 Knoblauchzehe · 70 ml Olivenöl
1 l Gemüsebrühe · 200 g Dicke Bohnen (oder grüne Bohnen)
Salz · 2 Salsicce (ital. Bratwurst) · Pfeffer aus der Mühle
Chiliflocken · 100 g ital. Weißbrot (vom Vortag; oder Toastbrot)
60 g geriebener Parmesan

1 | Den Sellerie, den Wirsing und die Möhre putzen und waschen bzw. schälen. Den Wirsing vierteln und den harten Strunk entfernen. Die Blätter in 3 bis 4 cm große Stücke schneiden. Den Sellerie und die Möhre in 1 bis 1½ cm große Stücke schneiden. Die Zwiebel und Knoblauch schälen und in feine Würfel schneiden.

2 | In einem großen Topf 4 EL Olivenöl erhitzen, die Zwiebel und den Knoblauch darin 1 bis 2 Minuten andünsten. Den Sellerie, den Wirsing und die Möhre dazugeben und 2 bis 3 Minuten mitdünsten. Mit der Brühe ablöschen und bei mittlerer Hitze 15 Minuten köcheln lassen.

3 | Die Dicken Bohnen aus den Schoten lösen und die Kerne (oder die geputzten grünen Bohnen) in kochendem Salzwasser 2 Minuten blanchieren. In ein Sieb abgießen, kalt abschrecken und gut abtropfen lassen. Die Bohnenkerne aus den Häutchen drücken. Die Salsicce in Scheiben schneiden, in den Eintopf geben und diesen weitere 6 bis 7 Minuten köcheln lassen. Die Bohnenkerne hinzufügen und nur kurz erhitzen. Mit Salz, Pfeffer und Chiliflocken würzen.

4 | Das Weißbrot in Würfel schneiden und grob hacken. In einer Pfanne 2 EL Olivenöl erhitzen und die Brösel darin anrösten. Den Eintopf auf Schälchen verteilen, mit Bröseln und Parmesan bestreuen, mit dem restlichen Olivenöl beträufeln und nach Belieben mit Basilikumblättern garnieren.

Marokkanischer Eintopf
mit Lamm und Aprikosen

Für 4 Personen

1 große Zwiebel
500 g Lammfleisch (aus der Keule)
Salz · Pfeffer aus der Mühle
2 EL Öl
2 EL Butter
1 EL Tomatenmark
1,2 l Hühnerbrühe
100 g braune Berglinsen
100 g getrocknete Aprikosen
2 Tomaten
400 g Kichererbsen (aus der Dose)
1 EL Ras-el-Hanout
1 EL gehackte Petersilie
1 EL gehackter Koriander
Zimtpulver
1 Fladenbrot

1 | Die Zwiebel schälen und in feine Würfel schneiden. Das Lammfleisch in etwa 2 cm große Stücke schneiden, mit Salz und Pfeffer würzen. In einer Schüssel mit dem Öl mischen. Das Fleisch in einem großen Topf portionsweise rundum anbraten und wieder herausnehmen.

2 | Im selben Topf 1 EL Butter erhitzen und die Zwiebelwürfel darin andünsten. Das Tomatenmark dazugeben und 2 bis 3 Minuten mitrösten. Das Fleisch hinzufügen und mit der Brühe ablöschen. Zugedeckt bei schwacher Hitze etwa 50 Minuten garen. Die Linsen dazugeben und alles weitere 15 Minuten garen.

3 | Inzwischen die Aprikosen in 1 bis 1½ cm große Stücke schneiden, mit kochendem Wasser übergießen und etwa 10 Minuten einweichen. Die Tomaten kreuzweise einritzen, überbrühen, kalt abschrecken, häuten, vierteln und entkernen. Die Tomatenviertel in etwa 2 cm große Stücke schneiden. Die Kichererbsen in ein Sieb abgießen, kalt abbrausen und abtropfen lassen. Die Aprikosen in ein Sieb abgießen und abtropfen lassen.

4 | Die Hälfte der Aprikosen mit den Tomatenstücken und den Kichererbsen zum Eintopf geben und alles nochmals 15 Minuten garen. Mit dem Ras-el-Hanout, Salz und Pfeffer würzen. Die restliche Butter in einer Pfanne erhitzen. Die übrigen Aprikosenstücke mit der Petersilie, dem Koriander und 1 Prise Zimt darin 2 bis 3 Minuten andünsten. Über dem Eintopf verteilen und mit dem Fladenbrot servieren.

Borschtsch
mit Rinderfilet, Roter Bete und Schmand

Für 4 Personen

800 ml Rinderbrühe · 400 ml Rote-Bete-Saft · 1 Lorbeerblatt
½ kleiner Spitzkohl (oder junger Weißkohl)
300 g vorwiegend festkochende Kartoffeln
300 g Rote Beten (vorgegart und vakuumiert)
2 EL gehackte Petersilie · Zucker · Salz · Pfeffer aus der Mühle
350–400 g Rinderfilet · 2 EL Olivenöl · 100 g Schmand
½ TL abgeriebene unbehandelte Zitronenschale

1 | Die Brühe mit dem Rote-Bete-Saft und dem Lorbeerblatt aufkochen. Vom Spitzkohl die äußeren Blätter entfernen, den Kohl vierteln und den harten Strunk entfernen. Die Blätter in 3 bis 4 cm große Stücke schneiden. Die Kartoffeln schälen, waschen und in 1½ cm große Würfel schneiden. Den Kohl und die Kartoffeln in die Brühe geben und bei schwacher Hitze 20 Minuten köcheln lassen.

2 | Inzwischen die Roten Beten in mundgerechte Stücke schneiden. Zur Brühe geben und 2 Minuten mitköcheln lassen. Die Petersilie dazugeben und mit Zucker, Salz und Pfeffer würzen. Das Lorbeerblatt entfernen.

3 | Das Rinderfilet waschen und trocken tupfen und in etwa 1½ cm große Würfel schneiden. In einer Schüssel mit dem Olivenöl mischen und mit Salz und Pfeffer würzen. Die Fleischwürfel in einer Pfanne rundum 1 bis 2 Minuten anbraten. Den Schmand mit der Zitronenschale verrühren und mit etwas Salz würzen. Den Eintopf auf tiefe Teller verteilen, das Fleisch daraufgeben und mit dem Zitronenschmand servieren.

Leipziger Allerlei
mit Flusskrebsen

Für 4 Personen

1 Bund Suppengemüse · 1 Hähnchen (ca. 1 kg) · Salz · 1 Lorbeerblatt · 30 g getrocknete Spitzmorcheln · 300 g Blumenkohl 800 g weißer Spargel · 1 Kästchen Gartenkresse · 200 g Sahne 200 g Erbsen (tiefgekühlt) · 2–3 TL Speisestärke · Pfeffer aus der Mühle · frisch geriebene Muskatnuss · ½ TL abgeriebene unbehandelte Zitronenschale · 100 g Flusskrebsfleisch (vorgegart)

1 | Suppengemüse putzen, waschen bzw. schälen, in Stücke schneiden. Hähnchen waschen, trocken tupfen, längs halbieren. Mit 1½ Liter Wasser und ½ TL Salz aufkochen. Gemüse und Lorbeerblatt hinzufügen und 1 Stunde bei schwacher Hitze köcheln lassen, aufsteigenden Schaum abschöpfen.

2 | Morcheln mit 100 ml von der angesetzten Brühe übergießen und etwa 20 Minuten einweichen. Blumenkohl putzen, waschen, in Röschen teilen. Spargel schälen, schräg in 3 cm große Stücke schneiden, die holzigen Enden abschneiden. Morcheln abgießen, die Brühe auffangen. Die Pilze abbrausen, abtropfen lassen. Kresse waschen und trocken tupfen.

3 | Hähnchen aus der Brühe nehmen, das Fleisch von Haut und Knochen lösen und in Stücke zupfen. Brühe durch ein Sieb passieren, mit Blumenkohl, Spargel und Morchelbrühe aufkochen und 2 bis 3 Minuten köcheln lassen. Sahne und Erbsen dazugeben, 2 bis 3 Minuten köcheln lassen. Die Stärke mit wenig Wasser glatt rühren und den Eintopf damit binden. Mit Salz, Pfeffer, Muskatnuss und Zitronenschale würzen. Hähnchenfleisch, Pilze und Krebsfleisch dazugeben, kurz erwärmen. Das Allerlei auf tiefe Teller verteilen, mit Kresse bestreuen.

Bouillabaisse
mit Fenchelaioli

Für 4 Personen

Für die Bouillabaisse:
200 ml trockener Weißwein
100 ml Noilly Prat (franz. Wermut)
½ Bund Thymian
1 TL Tomatenmark · 2 Sternanis
je ½ TL Paprika- und Currypulver
1 Döschen Safranfäden (0,1 g)
2 Schalotten · 2 Knoblauchzehen
2 EL Olivenöl · 1 l Fischfond
1 Fenchelknolle · 2 Tomaten
100 g Champignons
1 mehligkochende Kartoffel (ca. 150 g)
400–500 g Fischfilet (Wolfsbarsch, Dorade, Rotbarbe oder Seeteufel)
4 Kaisergranate (oder Riesengarnelen; küchenfertig)
4 Jakobsmuscheln (küchenfertig)
Salz · Pfeffer aus der Mühle
½ TL abgeriebene unbehandelte Zitronenschale
1 Spritzer Zitronensaft

Für die Fenchelaioli:
1 TL Fenchelsamen
1 kleine Knoblauchzehe
3 EL Mayonnaise (siehe S. 242)
1 Msp. gemahlener Safran
Salz · Pfeffer aus der Mühle
1 Spritzer Zitronensaft

Außerdem:
½ Baguette

1 | Den Wein mit dem Noilly Prat in einem Topf aufkochen. Inzwischen den Thymian waschen und trocken schütteln. Das Tomatenmark unter den Wein rühren, den Thymian und den Sternanis dazugeben. Das Paprikapulver, das Currypulver und den Safran hinzufügen. Alles bei schwacher Hitze etwa 5 Minuten köcheln lassen und anschließend durch ein feines Sieb gießen, dabei den Gewürzwein auffangen.

2 | Die Schalotten und den Knoblauch schälen und in feine Würfel schneiden. Das Öl in einem großen Topf erhitzen, die Schalotten und den Knoblauch darin andünsten. Mit dem Fond und dem Gewürzwein ablöschen.

3 | Den Fenchel putzen, waschen und halbieren, den harten Strunk entfernen. Die Tomaten waschen und vierteln, dabei die Stielansätze entfernen. Die Pilze putzen und, falls nötig, mit Küchenpapier trocken abreiben. Fenchel, Tomaten und Champignons in kleine Stücke schneiden. Die Kartoffel schälen, waschen und in kleine Stücke schneiden. Mit dem Gemüse in den Topf geben und 30 Minuten köcheln lassen.

4 | Inzwischen für die Fenchelaioli die Fenchelsamen in einer Pfanne ohne Fett anrösten. In einen Mörser geben und fein zerreiben. Den Knoblauch schälen und in feine Würfel schneiden. Die Mayonnaise mit den Fenchelsamen, dem Knoblauch und dem Safran verrühren. Mit Salz, Pfeffer und Zitronensaft abschmecken.

5 | Das Fischfilet, die Kaisergranate und die Jakobsmuscheln waschen und trocken tupfen. Das Fischfilet in mundgerechte Stücke schneiden. Die Suppe mit dem Stabmixer fein pürieren oder durch ein Sieb streichen und nochmals aufkochen. Die Fischstücke, die Kaisergranate und die Jakobsmuscheln dazugeben und zugedeckt bei schwacher Hitze 4 bis 5 Minuten in der Suppe ziehen lassen.

6 | Das Baguette in Scheiben schneiden und nach Belieben rösten. Die Bouillabaisse mit Salz, Pfeffer, Zitronenschale und -saft abschmecken und in tiefe Teller verteilen. Die Fenchelaioli mit dem Baguette dazu reichen.

Tipp: Anstelle der Fenchelaioli können Sie zur Bouillabaisse auch die Safranrouille (siehe S. 244) servieren.

Nudeln

Liebling der Küchen

Wenn es schnell gehen muss, greifen die meisten intuitiv zur Pasta – fix was Feines zaubern! Aber auch für Feinschmecker hält die Vielfalt an Nudelgerichten wahre Hochgenüsse bereit.

Alle lieben Pasta Nudeln machen glücklich, das ist auf der ganzen Welt so. In Asien mag man Nudeln aus Mungobohnenstärke, Reis- oder Buchweizenmehl, im Rest der Welt liebt man vor allem solche aus Weizenmehl oder -grieß, mit und ohne Ei. Unangefochtene Weltmeister im Nudelessen sind die Italiener. Im Land der Pasta – wie die Nudeln dort heißen – werden pro Jahr und Kopf etwa 26 kg der Teigwaren verzehrt, Deutschland liegt mit knapp 8 kg zwar nur im Mittelfeld der Nudelesser, der Appetit auf Pasta steigt aber stetig.

Auf verschlungenen Pfaden Über welche Wege die Nudel nach Europa kam, ist nicht ganz geklärt. Venezianer behaupten, Marco Polo habe sie im 13. Jahrhundert von seinen China-Reisen mitgebracht, die Sizilianer bestehen darauf, die Araber hätten sie etwa um diese Zeit auf ihrer Insel eingeführt. Tatsache ist, dass sich die Kunst der Nudelherstellung schnell in ganz Italien verbreitete und das Land es heute auf rund 300 verschiedene Pastasorten bringt. Mit den italienischen Auswanderern schaffte die Pastaküche den Sprung über die Alpen. Anfangs galten die Spaghetti und Makkaroni der Südländer zwar als höchst exotisch, heute belegen Penne mit Tomatensauce und Spaghetti bolognese auf den Hitlisten der Leibgerichte regelmäßig vorderste Plätze. Und auf Lasagne, Tortellini, Fusilli, Farfalle & Co. wollen wir nicht mehr verzichten.

Pasta – mit und ohne Ei Ein Teig aus Hartweizengrieß, Salz und Wasser, dazu die geschickten Hände einer italienischen Hausfrau und die Hitze der südlichen Sonne – fertig ist die getrocknete Nudel, in Italien »Pasta secca« genannt. Die Formenvielfalt der Hartweizennudeln ist einzigartig, sie reicht von haarfeinen Fäden (Capellini), zierlichen Öhrchen (Orecchiette) oder halb runden Muscheln (Conchiglie) bis zu breiten gekräuselten Bändern (Lasagnette) oder daumendicken Röhren (Ziti). Heute werden Hartweizennudeln fast immer industriell hergestellt, sie bilden den Löwenanteil der weltweit verspeisten Pasta. In den nördlicheren Regionen Italiens ist die »Pasta fresca« zu Hause. Der mit Eiern hergestellte, geschmeidige Teig wird zu dünnen Platten ausgerollt und dann in unterschiedlich lange und breite Bänder geschnitten oder mit Käse, Gemüse, Fisch oder Fleisch gefüllt. Eiernudeln werden entweder unmittelbar nach der Herstellung zubereitet oder ebenfalls getrocknet, damit sie länger haltbar sind. Pappardelle, Tagliatelle, Ravioli, Tortellini, Agnolotti – die Liste der Namen und Spezialitäten ist lang. In Italien kann man selbst gemachte Frischteignudeln in Supermärkten und kleinen Läden, »Pastificio« genannt, kaufen. Aber auch in Deutschland bieten inzwischen immer mehr Feinkostläden und Marktstände frisch gemachte Nudeln in vielen Variationen an.

Ein perfektes Paar: Nudel und Sauce Ohne Sauce ist die beste Pasta nur das halbe Vergnügen. Aber kann man jede Nudel zu jeder Sauce essen? Prinzipiell ja. Größerer Genuss ist jedoch garantiert, wenn sich die Nudelsorte nach der Sauce richtet. Gefüllte Eiernudeln wie Tortelloni oder Ravioli kommen schon mit einer dezenten Salbei-Butter-Sauce, einer leichten Tomaten- oder Sahnesauce gut zur Geltung, die den Geschmack der Füllung nicht überdeckt. Auch feine selbst gemachte Eiernudeln sollten nicht von einer zu dominanten Sauce erschlagen werden, etwas Butter und Parmesan kann manchmal schon genug sein. Für Hartweizennudeln gilt: Robuste Nudeln vertragen schwere, kräftige Saucen, schlanke Pasta liebt es leichter und zurückhaltender. Auch auf Oberflächen und Hohlräume kommt es an: Je rauer oder geriffelter eine Nudel ist, je mehr Wölbungen oder Öffnungen sie besitzt, desto mehr Sauce kann mit ihr zusammen aufgegabelt werden.

Die richtigen Verhältnisse Die Voraussetzungen für perfekt gegarte Nudeln sind ein großer Topf mit reichlich Wasser und dazu eine gute Portion Salz, damit die Nudeln bereits einen herzhaften Eigengeschmack bekommen. Pro 100 g Nudeln rechnet man 1 l Wasser und 8 bis 10 g Salz. Die Nudeln werden ins sprudelnd kochende Wasser gegeben und ohne Deckel während der gesamten, auf der Packung angegebenen Garzeit weiter sprudelnd gekocht. Dabei ist es wichtig, ab und zu umzurühren, damit die Nudeln nicht aneinanderkleben. Gegen Ende der Kochzeit empfiehlt es sich, eine Nudel herauszufischen und zu probieren.

Hauptsache »al dente« Nudelnkochen ist keine Kunst – das Zauberwort heißt »al dente«, bissfest gegart. Werden die Nudeln nach dem Kochen mit Sauce vermischt und nochmals erhitzt, sollte man sie lieber etwas kürzer kochen, als auf der Packung angegeben. In der Sauce garen sie noch etwas nach. Bei Zubereitungen mit viel Sauce, z.B. bei Ragout wie Bolognese, sollte man die Nudeln zunächst in ein Sieb abgießen, abtropfen lassen, wieder in den Topf zurückgeben und auf die noch heiße Herdplatte stellen. So verdampft das restliche Wasser und verdünnt die Sauce später nicht. Bei Zubereitungen mit wenig Sauce, z.B. bei Pesto oder Olivenölsaucen, ist es besser, die Nudeln mit einer Nudelzange oder einem Nudellöffel aus dem Wasser zu heben, sie nur kurz abtropfen zu lassen und sofort mit den Saucenzutaten zu vermischen. Ein guter Tipp ist auch, immer etwas vom Kochwasser aufzufangen, damit man die Konsistenz des Nudelgerichts nach dem Vermischen von Pasta und Sauce noch regulieren kann. Übrigens sollte man Nudeln niemals kalt abschrecken, sie kühlen sonst ab und werden wässrig.

Reisnudeln
Kritharáki
Linguine
Bucatini
Spaghetti
Rigatoni
Fusilli
Penne
Casarecce
Pappardelle
Tagliatelle
Lasagneplatte
Cannelloni
Maultasche
Ravioli
Tortellini

Nudeln – und drei ideale Partner

1 NUDELN MIT SAUCE

Unter den Nudelsaucen kann es eigentlich nur eine geben. Denn wer die kann, kann sie alle - mit dem Grundrezept für Tomatensauce lassen sich unendlich viele Nudelsaucen zubereiten. Einfach würzige Zutaten wie gebratenes Gemüse, Kapern, Oliven, Thunfisch oder Mozzarella unterheben – fertig! Im Hochsommer kann man statt Dosentomaten natürlich auch schön reife aromatische Freilandtomaten verwenden.

1. Die Zwiebeln und den Knoblauch schälen und in feine Würfel schneiden. Die Möhren putzen und schälen, den Sellerie putzen und waschen. Beides in kleine Würfel schneiden.

2. Das Olivenöl in einem Topf erhitzen. Die Zwiebel-, Knoblauch- und Gemüsewürfel darin bei mittlerer Hitze 2 bis 3 Minuten andünsten. Das Tomatenmark unterrühren und kurz anrösten.

2 NUDELN MIT RAGOUT

Der bekannteste Vertreter dieser Gruppe ist Spaghetti bolognese. Die deftige Hackfleischsauce wird in ihrem Heimatland Italien mit fein gewürfeltem oder sehr grob durchgedrehtem Fleisch zubereitet. Das Fleisch sollte sorgfältig - eventuell portionsweise – angebraten werden, damit es kein Wasser zieht. Wer mag, kann auch noch etwas fein gewürfelten durchwachsenen Speck oder gehackte Hühnerleber mitschmoren.

1. Die Zwiebeln und den Knoblauch schälen und in feine Würfel schneiden. Die Möhren und den Sellerie putzen, schälen und in kleine Würfel schneiden.

2. Das Olivenöl in einem Topf erhitzen. Das Hackfleisch darin bei starker Hitze 8 bis 10 Minuten anbraten. Zwiebeln, Knoblauch und Gemüse dazugeben und 2 bis 3 Minuten mitbraten. Mit Salz und Pfeffer würzen.

3 NUDELN MIT PESTO

So schmeckt der Süden! Ein frisch gemachtes Pesto ist nicht nur eine der schnellsten Nudelsaucen überhaupt, es würzt auch Salatsaucen und ist eine feine Begleitung zu gegrilltem Fisch oder Steak. Wer zu viel davon hat, füllt das aromatische Püree in Schraubgläser und bedeckt es mit einer dünnen Schicht Olivenöl. So kann man es im Kühlschrank bis zu 2 Wochen aufbewahren oder an gute Freunde verschenken.

1. Die Pinienkerne in einer Pfanne ohne Fett unter Rühren bei mittlerer Hitze anrösten, bis sie goldbraun sind und duften. Auf einen Teller geben und abkühlen lassen.

2. Basilikum waschen und trocken schütteln, die Blätter abzupfen und grob zerzupfen. Den Knoblauch schälen und klein schneiden. Beides in einen Rührbecher oder den Blitzhacker geben. Käse, Pinienkerne und etwas Olivenöl dazugeben.

3. Die geschälten Tomaten etwas zerkleinern, samt Flüssigkeit und der Brühe zum Gemüse geben. Alles mit Salz und Pfeffer würzen. Sauce zugedeckt bei schwacher Hitze 25 bis 30 Minuten köcheln lassen.

4. Basilikum fein schneiden und unterrühren. Die Tomatensauce mit Zucker, Salz und Pfeffer abschmecken und nach Wunsch mit dem Stabmixer pürieren. Mit den frisch gekochten Penne mischen. Dazu passt ein Kopfsalat mit Vinaigrette (siehe S. 40).

1 PENNE AL POMODORO

100 g Zwiebeln · 2 Knoblauchzehen
je 150 g Möhren und Staudensellerie
2 EL Olivenöl · 1 EL Tomatenmark
800 g geschälte Tomaten (aus der Dose)
200 ml Gemüsebrühe
Salz · Pfeffer aus der Mühle
1 Handvoll Basilikumblätter (gewaschen)
Zucker
400 g Penne (frisch gekocht)

zum Online-Video
www.kochen-digital.de/pomodoro

3. Das Tomatenmark unterrühren und 1 Minute anrösten. Mit dem Wein ablöschen und einköcheln lassen. Die Tomaten und die Brühe dazugeben und die Sauce zugedeckt bei schwacher Hitze etwa 1 Stunde köcheln lassen.

4. Lorbeer und Rosmarin mit Küchengarn zusammenbinden, dazugeben, 20 bis 30 Minuten mitköcheln und herausnehmen. Die Sauce mit Zucker, Salz, Pfeffer und Chili abschmecken. Mit Spaghetti anrichten. Als Nachspeise passt Himbeerparfait (siehe S. 258).

2 SPAGHETTI BOLOGNESE

200 g Zwiebeln · 2 Knoblauchzehen
je 150 g Möhren und Knollensellerie
3 EL Olivenöl · 500 g gemischtes Hackfleisch
Salz · Pfeffer aus der Mühle · 2 EL Tomatenmark · 100 ml trockener Rotwein
800 g stückige Tomaten (aus der Dose)
200 ml Gemüsebrühe
1 Lorbeerblatt · 3 Zweige Rosmarin
Zucker
getrocknete Chiliflocken
400 g Spaghetti
(frisch gekocht)

zum Online-Video
www.kochen-digital.de/bolognese

3. Die Basilikummischung mit dem Stabmixer oder im Blitzhacker kurz grob pürieren. Das restliche Olivenöl dazugießen und alles fein pürieren.

4. Pesto mit Salz und Pfeffer abschmecken und in einer großen Schüssel mit etwas Nudelwasser mischen. Die Linguine direkt aus dem Nudelwasser tropfnass dazugeben und untermischen. Eignet sich auch als Vorspeise, z.B. zu Minutensteaks (siehe S. 200).

3 LINGUINE AL PESTO GENOVESE

40 g Pinienkerne
90 g Basilikum
½–1 Knoblauchzehe (nach Geschmack)
60 g grob geriebener Parmesan
(oder Pecorino)
200 ml Olivenöl
Salz · Pfeffer aus der Mühle
400 g Linguine
(frisch gekocht)
etwas Nudelkochwasser

zum Online-Video
www.kochen-digital.de/pesto

Fusilli alla puttanesca

Für 4 Personen

3 Sardellenfilets (in Öl) · 3 Knoblauchzehen
1–2 rote Peperoni · 2 EL Olivenöl · 1 EL Tomatenmark
600 g stückige Tomaten (aus der Dose)
100 g schwarze Oliven (ohne Stein) · 40 g Kapern
2 EL gehackte Petersilie · Zucker · Salz · Pfeffer aus der Mühle
400 g Fusilli

1 | Die Sardellen abtropfen lassen, den Knoblauch schälen und beides fein hacken. Die Peperoni längs halbieren, entkernen, waschen und in feine Würfel schneiden. Das Olivenöl in einem Topf erhitzen. Knoblauch, Sardellen und Peperoni darin 2 bis 3 Minuten andünsten. Das Tomatenmark unterrühren und 1 Minute anrösten.

2 | Die stückigen Tomaten dazugeben und die Sauce 5 Minuten köcheln lassen. Die Oliven grob hacken und mit den Kapern und der Petersilie zur Sauce geben. Kurz aufkochen und mit Zucker, Salz und Pfeffer würzen.

3 | Die Fusilli nach Packungsanweisung in reichlich kochendem Salzwasser bissfest garen. Abgießen, abtropfen lassen und zur Sauce geben. Gut mischen und in tiefen Tellern anrichten.

Penne all'arrabbiata

Für 4 Personen

100 g Zwiebeln · 2 Knoblauchzehen
1–2 getrocknete Peperoncini · 2 EL Olivenöl
1 EL Tomatenmark · 400 g stückige Tomaten (aus der Dose)
400 g passierte Tomaten (aus dem Tetrapak) · 400 g Penne
Salz · Zucker · Pfeffer aus der Mühle · 2 EL gehackte Petersilie

1 | Die Zwiebeln und den Knoblauch schälen und in feine Würfel schneiden. Die Peperoncini fein hacken. Das Olivenöl in einem Topf erhitzen. Zwiebeln, Knoblauch und Peperoncini darin 1 bis 2 Minuten andünsten. Das Tomatenmark unterrühren und kurz anrösten.

2 | Die stückigen und die passierten Tomaten dazugeben und die Sauce zugedeckt bei schwacher Hitze 15 bis 20 Minuten köcheln lassen.

3 | Inzwischen die Penne nach Packungsanweisung in reichlich kochendem Salzwasser bissfest garen. Die Sauce mit Zucker, Salz und Pfeffer würzen und die Petersilie unterrühren. Die Penne in ein Sieb abgießen, abtropfen lassen und zur Sauce geben. Gut mischen und in tiefen Tellern anrichten.

Bucatini alle verdure

Für 4 Personen

je 120 g Staudensellerie, rote Paprikaschote, Zucchino und Aubergine · 100 g Zwiebeln · 2 Knoblauchzehen · 3 EL Olivenöl
1 EL Tomatenmark · 400 g stückige Tomaten (aus der Dose)
400 g passierte Tomaten (aus dem Tetrapak) · 200 ml Gemüse- oder Hühnebrühe · 400 g Bucatini (oder Maccheroni)
Zucker · Salz · Pfeffer aus der Mühle · 2 EL gemischte gehackte Kräuter (z.B. Basilikum, Rosmarin, Oregano)

1 | Sellerie und Paprika mit dem Sparschäler schälen, Zucchino und Aubergine putzen und waschen. Alles in kleine Würfel schneiden. Zwiebeln und Knoblauch schälen und in feine Würfel schneiden. Olivenöl in einem Topf erhitzen. Zwiebeln, Knoblauch und Gemüse darin 1 bis 2 Minuten andünsten.

2 | Das Tomatenmark unterrühren und kurz anrösten. Stückige und passierte Tomaten dazugeben, Brühe angießen und zugedeckt bei schwacher Hitze 20 bis 25 Minuten köcheln lassen.

3 | Die Bucatini nach Packungsanweisung bissfest garen. Die Gemüse-Tomaten-Sauce mit Zucker, Salz und Pfeffer würzen und die Kräuter unterrühren. Bucatini in ein Sieb abgießen, abtropfen lassen und unter die Sauce mischen.

Spaghetti all'amatriciana

Für 4 Personen

200 g Pancetta (ital. Bauchspeck, in Scheiben; oder
150 g Chorizowürfel) · 200 g Zwiebeln
2 Knoblauchzehen · 1 EL Olivenöl · 1 EL Tomatenmark
600 g stückige Tomaten (aus der Dose)
200 ml Hühnerbrühe · 400 g Spaghetti · Salz · Zucker
Pfeffer aus der Mühle · Chiliflocken · 2 EL gehackte Petersilie

1 | Die Pancetta in Streifen schneiden. Zwiebeln und Knoblauch schälen und in feine Würfel schneiden. Das Olivenöl in einem Topf erhitzen und den Speck darin goldbraun braten. Einen Teil vom Bratfett abgießen. Die Zwiebeln und den Knoblauch zum Speck in den Topf geben und 1 bis 2 Minuten mitbraten.

2 | Das Tomatenmark unterrühren und 1 Minute anrösten. Die stückigen Tomaten und die Brühe dazugeben. Die Sauce zugedeckt bei schwacher Hitze 20 Minuten köcheln lassen.

3 | Spaghetti nach Packungsanweisung in reichlich kochendem Salzwasser bissfest garen. Die Sauce mit Salz, Zucker, Pfeffer und Chiliflocken würzen. Die Petersilie untermischen. Die Nudeln in ein Sieb abgießen, abtropfen lassen und unter die Sauce mischen. In tiefen Tellern anrichten.

Spaghetti carbonara
mit Petersilie

Für 4 Personen

400 g Spaghetti · Salz
150 g Pancetta (ital. Bauchspeck; in Scheiben)
120 g Parmesan (am Stück)
1 EL Olivenöl
3 Eier (Größe L)
60 g Sahne
2 EL gehackte Petersilie
½ TL milde Chiliflocken (nach Belieben)
Pfeffer aus der Mühle
frisch geriebener Parmesan (nach Belieben)

1 | Die Spaghetti nach Packungsanweisung in reichlich kochendem Salzwasser bissfest garen.

2 | Inzwischen die Pancetta in feine Streifen schneiden. Den Parmesan auf der Käsereibe fein reiben. Das Olivenöl in einer großen Pfanne erhitzen und die Pancetta darin bei mittlerer Hitze knusprig braten.

3 | Die Eier, die Sahne und den Parmesan in einer Schüssel gut verrühren. In die Pfanne geben und mit der Pancetta nur erwärmen.

4 | Die Spaghetti mit der Pastazange aus dem Kochwasser heben und kurz abtropfen lassen. Zur Eier-Speck-Mischung geben und gut verrühren. Dabei darauf achten, dass die Sauce nicht kocht. Falls nötig, noch etwas Nudelkochwasser dazugeben.

5 | Die Petersilie und nach Belieben die Chiliflocken unterrühren und die Spaghetti carbonara mit Salz und Pfeffer würzen. Die Spaghetti in tiefen Tellern anrichten und nach Belieben mit frisch geriebenem Parmesan bestreuen.

Rigatoni
mit Spargel, Erbsen und Estragonsauce

Für 4 Personen

2 Schalotten · 30 g Butter · 25 g Mehl · 100 ml Weißwein
400 ml Hühnerbrühe · 200 g Sahne · 400 g Rigatoni · Salz
½ Bund Estragon · Pfeffer aus der Mühle · ½ TL abgeriebene
unbehandelte Zitronenschale · 600 g grüner Spargel
200 g Erbsen (tiefgekühlt) · 150 g Mortadella (am Stück)

1 | Die Schalotten schälen und in feine Würfel schneiden. Die Butter in einem Topf erhitzen und die Schalotten darin 1 bis 2 Minuten andünsten. Das Mehl unterrühren und 1 Minute anschwitzen. Mit dem Wein und der Brühe unter Rühren mit dem Schneebesen ablöschen und aufkochen lassen. Die Sahne dazugeben und die Sauce zugedeckt bei schwacher Hitze 20 bis 25 Minuten köcheln lassen.

2 | Inzwischen die Rigatoni nach Packungsanweisung in reichlich kochendem Salzwasser bissfest garen.

3 | Die Sauce durch ein feines Sieb in einen anderen Topf passieren. Den Estragon waschen und trocken schütteln, die Blätter abzupfen, fein hacken und unter die Sauce rühren. Die Estragonsauce mit Salz, Pfeffer und Zitronenschale würzen.

4 | Den Spargel waschen und nur im unteren Drittel schälen, die holzigen Enden abschneiden. Den Spargel schräg in 1 cm breite Stücke schneiden. Mit den Erbsen in kochendem Salzwasser 3 bis 4 Minuten blanchieren, abgießen und kalt abschrecken. Mortadella in kleine Würfel schneiden und mit dem Gemüse in der Sauce erwärmen. Die Rigatoni in ein Sieb abgießen, abtropfen lassen und unter die Sauce rühren. In tiefen Tellern anrichten.

Penne
mit Gorgonzola, Walnüssen und Spinat

Für 4 Personen

1 Zwiebel · 1 EL Butter · 100 ml Weißwein
200 ml Hühnerbrühe · 200 g Sahne · 1–2 TL Speisestärke
150 g Gorgonzola dolce (mit Mascarpone)
Salz · Pfeffer aus der Mühle
½ TL abgeriebene unbehandelte Zitronenschale
400 g Penne · 200 g junger Spinat · 50 g gehackte Walnüsse

1 | Die Zwiebel schälen und in feine Würfel schneiden. Die Butter in einem Topf erhitzen und die Zwiebelwürfel darin 1 bis 2 Minuten andünsten. Mit dem Wein ablöschen und einkochen lassen. Die Brühe und die Sahne dazugießen und alles 5 Minuten köcheln lassen.

2 | Die Speisestärke mit 2 bis 3 EL kaltem Wasser glatt rühren und die Sauce damit binden. Den Käse klein schneiden und in der Sauce schmelzen lassen. Die Käsesauce mit dem Stabmixer kurz aufmixen und mit Salz, Pfeffer und Zitronenschale würzen.

3 | Die Penne nach Packungsanweisung in reichlich kochendem Salzwasser bissfest garen. Inzwischen den Spinat verlesen, waschen und trocken schütteln.

4 | Die Penne in ein Sieb abgießen, abtropfen lassen und unter die Sauce rühren. Den Spinat unterheben und die Pasta auf tiefe Teller verteilen. Mit Walnüssen bestreut servieren.

Mangold-Cannelloni
auf Tomatensugo

Für 4 Personen

12 Lasagneplatten · Salz
600 g Mangold
2 Schalotten
1 Knoblauchzehe
1 EL Butter
Pfeffer aus der Mühle
frisch geriebene Muskatnuss
600 g Kalbsbrät (oder feines Bratwurstbrät)
40 g Sahne
½ TL abgeriebene unbehandelte Zitronenschale
½ TL milde Chiliflocken
1 Grundrezept Tomatensauce (Penne al pomodoro; siehe S. 82)
2 Kugeln Mozzarella (à 125 g)
100 g Parmesan (am Stück)

1 | Die Lasagneplatten in kochendem Salzwasser 6 bis 7 Minuten garen, herausheben, kalt abschrecken und auf einem Küchentuch trocken tupfen.

2 | Den Mangold in Blätter teilen und waschen. Die Blätter von den Stielen schneiden und in kochendem Salzwasser kurz blanchieren. (Die Stiele anderweitig verwenden.) Abgießen, kalt abschrecken, gut ausdrücken und grob hacken.

3 | Die Schalotten und den Knoblauch schälen und in feine Würfel schneiden. Die Butter in einer Pfanne erhitzen, Schalotten und Knoblauch darin andünsten. Den Mangold unterrühren und mit Salz, Pfeffer und Muskatnuss würzen.

4 | Das Kalbsbrät in einer Schüssel mit der Sahne verrühren. Mit Salz, Pfeffer, Muskatnuss, Zitronenschale und Chiliflocken würzen. Die Nudelplatten gleichmäßig damit bestreichen. Auf den unteren Teil jeweils etwas Mangold geben und die Lasagneplatten zu Cannelloni aufrollen.

5 | Den Backofen auf 200 °C vorheizen. Die Tomatensauce in eine Auflaufform geben und die Cannelloni hineinsetzen. Den Mozzarella in Würfel schneiden, den Parmesan fein reiben. Beides über den Cannelloni verteilen. Die Cannelloni im Ofen auf der mittleren Schiene etwa 20 Minuten goldbraun backen. Aus dem Ofen nehmen und die Mangold-Cannelloni mit der Tomatensauce auf Tellern anrichten.

Griechische Nudeln

mit Lammragout und Feta

Für 4 Personen

800 g Lammschulter (ohne Knochen)
Salz · Pfeffer aus der Mühle
2 Zwiebeln
je 150 g Möhren und Knollensellerie
2 EL Öl · 1 EL Tomatenmark
200 ml Rotwein
400 ml Hühner- oder Rinderbrühe
400 g stückige Tomaten (aus der Dose)
2 Knoblauchzehen
10 Zweige Oregano (gewaschen)
1 Lorbeerblatt · 8 Pimentkörner
2 Streifen unbehandelte Zitronenschale
1–2 TL Speisestärke
250 g Kritharáki (reisförmige griech. Nudeln; oder Risoni)
100 g Feta (Schafskäse)

1 | Das Lammfleisch in 2 cm große Würfel schneiden und mit Salz und Pfeffer würzen. Die Zwiebeln schälen, die Möhren und den Sellerie putzen und schälen. Alles in 1 cm große Würfel schneiden.

2 | Das Öl in einer Schmorpfanne erhitzen, das Fleisch darin rundum goldbraun anbraten und wieder herausnehmen.

3 | Zwiebel-, Möhren- und Selleriewürfel im verbliebenen Bratfett 2 bis 3 Minuten anrösten. Das Tomatenmark unterrühren und 1 Minute anrösten. Mit dem Wein ablöschen und fast vollständig einkochen lassen. Die Brühe und die Tomaten dazugeben, das Lammfleisch wieder hinzufügen und zugedeckt bei schwacher Hitze 2 Stunden schmoren lassen.

4 | Das Ragout in ein Sieb abgießen, dabei die Sauce in einem Topf auffangen. Fleisch und Gemüse zurück in die Schmorpfanne geben. Den Knoblauch schälen, in feine Scheiben schneiden und mit 6 Oreganozweigen, dem Lorbeerblatt, Piment und der Zitronenschale in die Sauce geben. Die Sauce 5 Minuten köcheln lassen. Die Speisestärke mit 2 bis 3 EL kaltem Wasser glatt rühren und die Sauce damit binden. Durch ein Sieb zurück zum Fleisch gießen und erwärmen. Das Lammragout mit Salz und Pfeffer würzen.

5 | Die Nudeln nach Packungsanweisung bissfest garen. In ein Sieb abgießen und abtropfen lassen. Die Nudeln mit dem Lammragout in tiefen Tellern anrichten und den Feta darüberbröckeln. Die Blättchen von den restlichen Oreganozweigen zupfen und darüberstreuen.

Spaghetti
mit Fleischbällchen

Für 4 Personen

60 g Toastbrot · 80 ml warme Milch · 1 Zwiebel · 1 EL Butter
2 EL gehackte Petersilie · 300 g Salsiccia (ital. Bratwurst)
400 g gemischtes Hackfleisch · 2 Eier (Größe L) · 150 g frisch geriebener Parmesan · ½ TL abgeriebene unbehandelte Zitronenschale · Salz · Pfeffer aus der Mühle · frisch geriebene Muskatnuss · ½ TL milde Chiliflocken · 2 EL Butterschmalz
1 Grundrezept Tomatensauce (Penne al pomodoro; siehe S. 82)
400 g Spaghetti · 1 kleines Bund Basilikum (gewaschen)

1 | Toastbrot entrinden und in der Milch einweichen. Zwiebel schälen und in feine Würfel schneiden. Butter in einer kleinen Pfanne erhitzen und die Zwiebelwürfel darin andünsten. Die Petersilie kurz mitdünsten, die Pfanne vom Herd nehmen.

2 | Das Salsiccia-Brät aus der Pelle drücken. Mit Hackfleisch, Eiern, Toastbrot, Zwiebelmischung und 80 g Parmesan in eine Schüssel geben. Mit Zitronenschale, Salz, Pfeffer, Muskatnuss und Chiliflocken würzen und gut mischen. Aus der Masse mit angefeuchteten Händen walnussgroße Bällchen formen.

3 | Butterschmalz in einer Schmorpfanne erhitzen und die Fleischbällchen darin rundum goldbraun anbraten. Tomatensauce dazugeben und zugedeckt bei schwacher Hitze 20 bis 25 Minuten köcheln lassen.

4 | Spaghetti nach Packungsanweisung in kochendem Salzwasser bissfest garen. Mit der Pastazange herausheben, abtropfen lassen und zur Sauce geben. In tiefen Tellern anrichten, mit Basilikumblättern und restlichem Parmesan bestreut servieren.

Pappardelle
mit Gewürzentenragout

Für 4 Personen

2 Zwiebeln · je 150 g Möhren und Knollensellerie
4 Entenkeulen (à 300–350 g) · Salz · Pfeffer aus der Mühle
1 TL Puderzucker · 1 EL Tomatenmark · 350 ml Rotwein
600 ml Hühnerbrühe · 10 Pimentkörner · 6 Wacholderbeeren
½ TL schwarze Pfefferkörner · ½ Zimtstange
1–2 TL Speisestärke · 400 g Pappardelle

1 | Zwiebeln schälen, Möhren und Sellerie putzen und schälen. Alles in kleine Würfel schneiden. Entenkeulen waschen, trocken tupfen und häuten. Am Gelenk halbieren, salzen und pfeffern. Die Haut klein schneiden, in einem Topf erhitzen und das Fett auslassen. In einem Schmortopf 2 bis 3 EL davon erhitzen, die Keulen darin rundum anbraten und herausnehmen. Im Bratfett Zwiebeln und Gemüse 5 Minuten anbraten. Puderzucker darüberstäuben, Tomatenmark unterrühren und 1 Minute anrösten. Mit Wein ablöschen und einköcheln lassen. Brühe angießen, Keulen wieder dazugeben und zugedeckt bei schwacher Hitze 2 bis 2½ Stunden weich garen.

2 | Entenkeulen herausnehmen, Fleisch vom Knochen lösen und in kleine Stücke zupfen. Sauce durch ein Sieb in einen Topf gießen und das Gemüse mit dem Fleisch zurück in den Schmortopf geben. Gewürze im Mörser zerstoßen, zur Sauce geben und 5 Minuten köcheln lassen. Stärke mit wenig Wasser glatt rühren und die Sauce damit binden. Mit Salz und Pfeffer würzen. Durch ein Sieb zurück zum Fleisch geben.

3 | Nudeln nach Packungsanweisung bissfest garen. Abgießen, abtropfen lassen und mit dem Ragout mischen.

Lasagne

mit Ricotta und Basilikum

Für 4 Personen

100 g Zwiebeln
2 Knoblauchzehen
je 100 g Möhren und Staudensellerie
2 EL Olivenöl
400 g gemischtes Hackfleisch
2 EL Tomatenmark
400 g stückige Tomaten (aus der Dose)
200 ml Hühnerbrühe
Zucker
Salz · Pfeffer aus der Mühle
400 g Ricotta
160 g geriebener Parmesan
1 Ei (Größe L)
2 EL gehacktes Basilikum
2 Kugeln Mozzarella (à 125 g)
200 g Lasagneplatten
Butter für die Form
2 EL Butter (in Flocken)
1 Handvoll Basilikumblätter

1 | Die Zwiebeln und den Knoblauch schälen. Die Möhren und den Sellerie putzen und schälen bzw. waschen. Alles in feine Würfel schneiden.

2 | Das Olivenöl in einem Topf erhitzen und das Hackfleisch darin krümelig braten. Zwiebeln, Knoblauch, Möhren und Sellerie dazugeben und 1 bis 2 Minuten mitbraten. Das Tomatenmark unterrühren und 1 Minute anrösten. Die Tomaten und die Brühe dazugeben und die Sauce bei schwacher Hitze 20 bis 25 Minuten köcheln lassen. Dann mit Zucker, Salz und Pfeffer würzen.

3 | Den Backofen auf 180 °C vorheizen. Ricotta, 100 g Parmesan, Ei und Basilikum in einer Schüssel verrühren. Mit Salz und Pfeffer würzen. Mozzarella abtropfen lassen und in dünne Scheiben schneiden.

4 | Die Hackfleischsauce, die Lasagneplatten, die Ricottacreme und die Mozzarellascheiben abwechselnd in eine gefettete Auflaufform schichten. Die letzte Schicht sollte aus Fleischsauce, Mozzarella und dem restlichen Parmesan bestehen.

5 | Die Lasagne mit den Butterflocken belegen und im Ofen auf der mittleren Schiene 40 bis 50 Minuten goldbraun backen. Bräunt die Oberfläche zu schnell, einfach mit Alufolie abdecken. Die Lasagne portionieren, auf Tellern anrichten und mit Basilikumblättern bestreut servieren.

Tipp: Für eine besonders würzige Fleischsauce können Sie statt Hackfleisch auch 400 g Salsiccia-Brät verwenden. Die grobe italienische Bratwurst bekommen Sie in Feinkostläden oder gut sortierten Supermärkten. Je nach Hersteller schmeckt die Wurst bzw. das Brät immer ein bisschen anders: Mal ist es mit Fenchelsamen oder Rosmarin, mal mit Chili oder Knoblauch gewürzt.

Linguine
mit Steinpilzpesto

Für 4 Personen

20 g getrocknete Steinpilze · 100 g weiße Bohnen (aus der Dose)
60 g Parmesan (am Stück) · 40 g Walnusskerne
50 g Petersilienblätter · 200 ml mildes Olivenöl
½ TL Trüffelöl (nach Belieben) · Salz · Pfeffer aus der Mühle
400 g Linguine · 2 EL gehackte Petersilie (nach Belieben)

1 | Die Steinpilze in eine Schüssel geben, mit 150 ml kochendem Wasser übergießen und 10 Minuten einweichen. Die Pilze herausnehmen und klein schneiden. Den Sud durch ein feines Teesieb in eine Tasse gießen.

2 | Bohnen auf einem Sieb unter fließendem Wasser abspülen. Den Parmesan fein reiben. Walnüsse und Petersilie hacken. Pilze samt Sud, Bohnen, Nüsse, Petersilie, Olivenöl und nach Belieben Trüffelöl in einen hohen Rührbecher geben und mit dem Stabmixer fein pürieren. Mit Salz und Pfeffer würzen.

3 | Linguine nach Packungsanweisung in reichlich kochendem Salzwasser bissfest garen. Mit der Pastazange aus dem Kochwasser heben, kurz abtropfen lassen und mit dem Pesto mischen. Nach Belieben mit Petersilie bestreut servieren.

Spaghetti
al pesto rosso

Für 4 Personen

50 g Pinienkerne · 1 Knoblauchzehe
200 g getrocknete Tomaten (in Öl) · 50 g Parmesan (am Stück)
20 Basilikumblätter · 150 ml mildes Olivenöl
Salz · Pfeffer aus der Mühle · 400 g Spaghetti
2 EL geriebener Parmesan (nach Belieben)

1 | Die Pinienkerne in einer Pfanne ohne Fett goldbraun rösten, vom Herd nehmen und abkühlen lassen. Den Knoblauch schälen und klein schneiden. Die Tomaten in einem Sieb abtropfen lassen und klein schneiden. Parmesan fein reiben.

2 | Alles in einen hohen Rührbecher füllen. Basilikumblätter und Olivenöl dazugeben und mit dem Stabmixer fein pürieren. Das Pesto mit Salz und Pfeffer würzen.

3 | Spaghetti nach Packungsanweisung in reichlich kochendem Salzwasser bissfest garen. Mit der Pastazange aus dem Kochwasser heben, kurz abtropfen lassen und mit dem Pesto mischen. In tiefen Tellern anrichten und nach Belieben mit geriebenem Parmesan bestreuen.

Spaghetti
mit Paprika-Mandel-Pesto

Für 4 Personen

2 rote Paprikaschoten · 50 g gehackte Mandeln
40 g Pecorino (am Stück) · 1 Knoblauchzehe · 200 ml mildes
Olivenöl · Salz · Pfeffer aus der Mühle · 400 g Spaghetti

1 | Den Backofengrill einschalten. Paprikaschoten längs halbieren, entkernen und waschen. Mit der Haut nach oben auf ein Backblech legen. Auf der mittleren Schiene 10 bis 15 Minuten grillen, bis die Haut dunkel wird und Blasen wirft. Herausnehmen, mit feuchtem Küchenpapier bedecken und etwa 20 Minuten abkühlen lassen. Paprika mit einem spitzen Messer häuten, die Paprika in kleine Stücke schneiden.

2 | Die Mandeln in einer Pfanne ohne Fett rösten und abkühlen lassen. Den Pecorino fein reiben. Den Knoblauch schälen und klein schneiden. Paprika, Mandeln, Pecorino, Knoblauch und Olivenöl in einen hohen Rührbecher füllen und mit dem Stabmixer fein pürieren. Das Pesto mit Salz und Pfeffer würzen.

3 | Spaghetti bissfest garen. Mit der Pastazange aus dem Kochwasser heben, kurz abtropfen lassen und mit dem Pesto mischen. Nach Belieben mit geriebenem Pecorino bestreuen.

Reisnudeln
mit Koriander-Cashew-Pesto

Für 4 Personen

350 g runde Reisnudeln
1 Bund Koriander (ca. 60 g) · 4 Stiele Minze
80 g Cashewkerne (geröstet und gesalzen)
200 ml Öl · 1 EL Sesamöl
1 EL Fischsauce · 1 EL Palmzucker

1 | Die Reisnudeln in warmem Wasser einweichen und 10 Minuten quellen lassen. Den Koriander und die Minze waschen, trocken schütteln und die Blätter abzupfen.

2 | Mit den Cashewkernen, dem Öl und dem Sesamöl in einen hohen Rührbecher geben und mit dem Stabmixer fein pürieren. Das Pesto mit Fischsauce und Palmzucker würzen.

3 | Die Reisnudeln abgießen und in reichlich kochendem Salzwasser bissfest garen. In ein Sieb abgießen, abtropfen lassen und mit dem Pesto mischen.

Tipp: Sie können das Koriander-Cashew-Pesto auch klassisch mit Spaghetti oder Linguine servieren.

Maultaschen
mit Petersilienpesto

Für 4 Personen

Für die Maultaschen:
375 g Mehl · Salz
3 Eier (Größe M) · 3 EL Öl
300 g Blattspinat (tiefgekühlt)
1 Zwiebel · 1 EL Butter
400 g Kalbsbrät (oder feines Bratwurstbrät)
2 EL Paniermehl
½ TL abgeriebene unbehandelte Zitronenschale
Pfeffer aus der Mühle
frisch geriebene Muskatnuss
Mehl zum Ausrollen

Für das Pesto:
60 g Petersilienblätter
10 g Liebstöckelblätter
60 g geriebener Parmesan
30 g geröstete Pinienkerne
150 ml Traubenkernöl
Salz · Pfeffer aus der Mühle

1 | Für die Maultaschen das Mehl, ½ TL Salz, die Eier, das Öl und 4 EL Wasser zu einem glatten Nudelteig verkneten. Den Teig zugedeckt 30 Minuten ruhen lassen.

2 | Für das Pesto die Petersilien- und Liebstöckelblätter waschen und trocken tupfen. Die Kräuterblätter mit Parmesan, Pinienkernen und Traubenkernöl in einen hohen Rührbecher füllen und mit dem Stabmixer fein pürieren. Mit Salz und Pfeffer würzen.

3 | Für die Füllung den Spinat auftauen, gut ausdrücken und fein hacken. Zwiebel schälen, in feine Würfel schneiden und in der Butter 2 bis 3 Minuten andünsten. Spinat, Zwiebel, Brät, Paniermehl und Zitronenschale gut verrühren. Mit Salz, Pfeffer und Muskatnuss würzen.

4 | Den Nudelteig in vier gleich große Portionen teilen. Jeweils dünn mit der Nudelmaschine oder dem Nudelholz auf der bemehlten Arbeitsfläche zu 12 x 40 cm großen Teigbahnen ausrollen. Je ein Viertel der Füllung der Länge nach auf zwei Drittel des Teiges gleichmäßig verstreichen. Das obere Drittel mit etwas Wasser bestreichen und die Teigplatten von unten nach oben aufrollen. Mit einem Holzlöffelstiel die Rollen in 3 bis 4 cm große Rauten abteilen und gut andrücken. Mit einem Messer dann an den angedrückten Stellen teilen.

5 | Reichlich Salzwasser in einem großen Topf zum Kochen bringen und die Maultaschen darin 10 bis 12 Minuten ziehen lassen. Die Maultaschen mit dem Petersilienpesto servieren. Nach Belieben mit in einer Mischung aus Mehl und Paprikapulver gewendeten, ausgebackenen Zwiebelringen garnieren.

Linguine
mit Erbsenpesto und Chorizo

Für 4 Personen

1 Bund Petersilie · ½ Bund Minze · Salz
400 g Erbsen (tiefgekühlt) · 60 g geröstete Pinienkerne
120 g geriebener Parmesan · 1 TL Zitronensaft
210 ml mildes Olivenöl · Pfeffer aus der Mühle 400 g Linguine
100 g feine Chorizo (span. Paprikawurst)
1 TL abgeriebene unbehandelte Zitronenschale

1 | Die Kräuter waschen und trocken tupfen. Blätter abzupfen, einige für die Deko beiseitelegen. Restliche Petersilienblätter in kochendem Salzwasser kurz blanchieren, kalt abschrecken und mit der Minze in einen hohen Rührbecher geben.

2 | Die Erbsen ebenfalls in kochendem Salzwasser 2 bis 3 Minuten blanchieren. 150 g Erbsen abnehmen und mit Pinienkernen, 60 g Parmesan, Zitronensaft und dem Olivenöl – bis auf 1 EL – ebenfalls in den Rührbecher geben. Alles mit dem Stabmixer fein pürieren und mit Salz und Pfeffer würzen.

3 | Linguine nach Packungsanweisung in reichlich kochendem Salzwasser bissfest garen. In einer großen Pfanne die restlichen Erbsen und das Pesto nur erwärmen, nicht kochen lassen. Die Nudeln mit der Pastazange aus dem Kochwasser heben, zum Pesto geben und gut verrühren. Eventuell noch etwas Kochwasser dazugeben. Mit Salz und Pfeffer würzen.

4 | Die Chorizo in dünne Scheiben schneiden und im restlichen Olivenöl kurz anbraten. Die Linguine mit der Chorizo anrichten. Mit den übrigen Kräuterblättern, Parmesan und Zitronenschale bestreut servieren.

Penne
mit Bohnen und Kartoffeln

Für 4 Personen

600 g vorwiegend festkochende Kartoffeln · Salz
1 kg Dicke Bohnen (oder 400 g grüne Bohnen)
400 g Penne rigate · 1 Grundrezept Basilikumpesto
(Pesto genovese; siehe S. 82) · Pfeffer aus der Mühle
80 g Parmesan (am Stück)

1 | Die Kartoffeln schälen, waschen und in 1 cm große Würfel schneiden. In Salzwasser 10 bis 12 Minuten weich garen, in ein Sieb abgießen und abtropfen lassen.

2 | Die Dicken Bohnen aus den Schoten lösen und die Kerne (oder die geputzten grünen Bohnen) in kochendem Salzwasser 3 bis 4 Minuten blanchieren. Die Bohnen in ein Sieb abgießen, kalt abschrecken und aus den Häutchen drücken.

3 | Die Penne nach Packungsanweisung in reichlich kochendem Salzwasser bissfest garen. Kartoffeln und Bohnen 2 Minuten vor Ende der Garzeit dazugeben und mitgaren.

4 | Das Pesto in eine große Schüssel geben. Nudeln, Bohnen und Kartoffeln mit dem Schaumlöffel aus dem Kochwasser heben, kurz abtropfen lassen und zum Pesto geben. Gut durchrühren und noch etwas Kochwasser dazugeben, bis die Sauce cremig ist. Mit Salz und Pfeffer würzen und in tiefen Tellern anrichten. Den Parmesan fein darüberreiben.

Tipp: Bestreuen Sie die Pasta noch mit in Olivenöl gerösteten Weißbrotbröseln.

Reis

Ein Korn erobert die Welt

Reis ist das Hauptnahrungsmittel für mehr als die Hälfte der Weltbevölkerung. Die Vielfalt an Sorten und Zubereitungsarten zeigt, dass Reis weit mehr als ein Sattmacher ist.

Lebensmittel für Milliarden »Eine Mahlzeit ohne Reis ist keine Mahlzeit«, sagt ein Sprichwort in Japan, einem Land, in dem dieses Getreide im Mittelpunkt der Ernährung steht – so wie in ganz Asien. Man isst Reis zum Frühstück, zum Mittag- und zum Abendessen. Auch der Reisanbau findet zu über 90 Prozent in den warmen und feuchten Klimazonen des asiatischen Kontinents statt, vor allem in China, wo vor über 5000 Jahren an den Ufern des Jangtse-Flusses die ersten Reispflanzen kultiviert wurden. Größere Reisanbaugebiete außerhalb Asiens befinden sich in den USA und in Südeuropa. Gegessen wird das vielfältige Korn fast überall auf der Welt.

Ko(r)nkurrenz In unserer Ernährung spielte Reis lange Zeit kaum eine Rolle, und im Vergleich zu Grundnahrungsmitteln wie Brot oder Kartoffeln ist er nach wie vor eher eine Nebensache. Mit der Reiselust ist aber auch die Lust auf Reis gewachsen, die Liebe zur italienischen und asiatischen Küche und der weltweite Sushi-Boom haben uns auch die Vielfalt von Reis nähergebracht. Heute gehören Risotto-, Basmati-, Klebreis und viele andere Reissorten zum Standardsortiment gut sortierter Supermärkte.

Auf die Form kommt es an Es existieren mehr als 7000 Reissorten, die man nach Größe und Gestalt der Körner in drei Gruppen unterteilt: Lang-, Mittel- und Rundkornreis. Langkornreis hat schlanke Körner von über 6 mm Länge, gekocht ist er schön körnig. Der besonders schlanke Basmatireis aus dem Himalaja, der fein duftende Jasminreis aus dem Norden Thailands und der Patnareis aus Indien gehören zu dieser Gruppe. Langkornreis ist eine beliebte Beilage zu Fleisch- und Fischgerichten, er ist ideal für asiatische Pfannengerichte, orientalische Pilaws und für Füllungen. Zum Mittelkornreis mit 5 bis 6 mm Länge zählen die etwas kürzeren und dickeren Risottoreissorten Vialone, Arborio und Carnaroli sowie Paellareis. Gekocht hat dieser Reis eine cremige Konsistenz, er ist deshalb die richtige Wahl für mediterrane Reisgerichte, die nicht zu trocken sein sollen. Ebenfalls zu den mittelkörnigen Sorten gehören Sushireis und Klebreis aus Südostasien, die vor allem in der japanischen Küche verwendet werden. Durch ihren hohen Stärkeanteil haften die Körner nach dem Kochen noch zusammen, der Reis lässt sich so besonders gut formen und mit Stäbchen essen. Die kurzen Körner des Rundkornreises können sehr viel Flüssigkeit aufnehmen und binden, sie werden vorwiegend in Milch gekocht und für Süßspeisen wie Puddinge verwendet. Der nussige schwarze Wildreis gehört botanisch gesehen gar nicht zum Reis, es handelt sich dabei um den langen, schmalen Samen einer wild wachsenden Wasserpflanze, die vor allem in den USA und Kanada vorkommt.

Mal natur, mal vorgekocht Nicht nur die Sorte, sondern auch die Verarbeitung von Reis nach der Ernte ist für seine Verwendung und vor allem für seine Kocheigenschaften von Bedeutung. Von Naturreis oder Vollkornreis spricht man, wenn das Reiskorn noch vom nährstoffreichen Keimling und Silberhäutchen ummantelt ist. Naturreis ist bräunlich, hat einen festen Biss und schmeckt kräftig. Seine Garzeit beträgt etwa 40 Minuten. Werden Silberhäutchen und Keimling entfernt, erhält man weißen Reis, auch polierter oder geschliffener Reis genannt. Weißer Reis hat ein feines Aroma und braucht 15 bis 20 Minuten, um gar zu werden. Parboiled Reis wird mit einem mechanischen Verfahren behandelt, bei dem 80 Prozent der im Silberhäutchen enthaltenen Nährstoffe aus den Außenschichten ins Innere des Reiskorns übergehen. Danach wird der Reis geschält und poliert. Weil bei dem Verfahren gleichzeitig die Stärke auf der Oberfläche des Korns »verkleistert« wird, ist parboiled Reis besonders körnig. Er ist in 15 bis 20 Minuten gar. Nur 5 bis 10 Minuten Kochzeit benötigt Schnellkoch- und Kochbeutelreis, ein parboiled Reis, der bei der Herstellung zusätzlich vorgekocht und anschließend getrocknet wird.

Verschiedene Methoden und Geschmäcker Wie Reis gegart wird, hängt ab von der Sorte, der Verwendung und natürlich von regionalen Vorlieben. In einigen Kulturkreisen wird Reis eingeweicht und gedämpft, anderswo in einem speziellen Reiskocher gegart, hierzulande kocht man ihn in der Regel in Wasser. Obwohl Sushi und Risotto immer beliebter werden, mögen die meisten ihren Reis schön körnig und locker. Dafür wählt man Langkorn- oder parboiled Reis und bereitet ihn nach der Wasserreis- oder der Quellreismethode zu.

Quellen oder kochen? Bei der Wasserreismethode wird der Reis in reichlich kochendem Salzwasser gegart und danach in ein Sieb abgegossen. Die Methode ist besonders einfach, mit dem Kochwasser wird aber auch ein Teil der Nährstoffe weggeschüttet. Bei der Quellreismethode wird der Reis nur mit so viel Wasser gegart, wie er aufnehmen kann, die Nährstoffe bleiben dadurch weitgehend erhalten. Der Reis wird mit der doppelten Menge Wasser und etwas Salz aufgekocht und quillt anschließend im geschlossenen Topf bei schwacher Hitze, bis alles Wasser aufgesogen ist. Reis- und Wassermenge werden dabei nach Volumen abgemessen und nicht nach Gewicht, also 100 ml Reis auf 200 ml Wasser. Wer gerne Reis isst und viele Sorten probieren möchte, geht auf Nummer sicher, wenn er sich an die Anleitung auf der Verpackung hält oder an die in den Rezepten angegebenen Zubereitungsmethoden.

Wildreis
schwarzer Reis
roter Reis
Risottoreis
Naturreis
parboiled Reis
Basmatireis
Milchreis
Sushireis

Reis – Korn für Korn ein Erlebnis

1 RISOTTO

Schön sämig, mit Reiskörnern, die im Kern noch etwas Biss haben – so ist ein Risotto perfekt. Dafür braucht man vor allem den richtigen Reis: Mittelkörnige Sorten wie Arborio oder Carnaroli nehmen viel Flüssigkeit auf und geben gleichzeitig genügend Stärke ab, um sie leicht zu binden. Damit beim Garen nichts anbrennt, sollte der Reis bei möglichst schwacher Hitze köcheln und regelmäßig gerührt werden.

1. Die Schalotten schälen und in feine Würfel schneiden. Die Möhre putzen und schälen, den Sellerie putzen und waschen. Beides in kleine Würfel schneiden.

2. Schalotten- und Gemüsewürfel in einem Topf im Olivenöl 2 bis 3 Minuten andünsten. Reis dazugeben und 1 bis 2 Minuten mitdünsten. Mit Wein ablöschen und vollständig einkochen lassen. Safran in 3 EL heißer Brühe einweichen.

2 SUSHIREIS

Übung macht den Sushimeister – mit etwas Fingerspitzengefühl lassen sich die frischen Röllchen auch zu Hause problemlos herstellen. Alles Nötige wie Bastmatten, Noriblätter oder Sushireis bekommt man inzwischen schon in gut sortierten Supermärkten und natürlich im Asienladen. Die wichtigste Voraussetzung für gute Sushi ist aber eine erstklassige Fischqualität, der Fischhändler vor Ort kann dazu die besten Tipps geben.

1. Reis in einer Schüssel mit Wasser bedecken. Mit kreisenden Bewegungen die Stärke abspülen. Vorgang zwei- bis dreimal wiederholen. Reis auf einem Sieb 30 Minuten abtropfen lassen. Essig, Salz und Zucker in einem Topf erhitzen. Abkühlen lassen.

2. Reis in ½ l Wasser aufkochen. Zugedeckt bei schwacher Hitze 15 Minuten quellen lassen. Vom Herd nehmen, offen 15 bis 20 Minuten ziehen lassen. Mit der Marinade mischen und mit einem feuchten Tuch bedeckt abkühlen lassen.

3 DUFTREIS

Ob Jasminreis aus Thailand oder Basmatireis aus Indien – beim Kochen verströmt er seinen feinen Duft. Ideal geeignet ist Duftreis für Bratreis, den man am besten in Wok oder Wokpfanne zubereitet. Eine große Pfanne mit hohem Rand tut es auch. Unbedingt ein hoch erhitzbares, neutral schmeckendes Öl verwenden. Das Waschen und Abkühlen des Reises sorgen dafür, dass die Körner beim Braten nicht kleben.

1. Reis in einem Sieb unter fließendem Wasser waschen. In einem Topf mit der doppelten Menge Wasser aufkochen. Zugedeckt bei schwacher Hitze 15 Minuten garen. Vom Herd nehmen, 15 Minuten quellen und gut abkühlen lassen.

2. Das Öl im Wok erhitzen. Die Schalotten, den Ingwer und den Knoblauch darin unter Rühren 2 bis 3 Minuten dünsten. Die Garnelen abbrausen und abtropfen lassen, in die Pfanne geben und 2 Minuten mitbraten.

3. Unter gelegentlichem Rühren etwas heiße Brühe angießen und bei schwacher Hitze einkochen lassen. Den Vorgang wiederholen, bis der Reis nach 20 bis 25 Minuten weich, aber noch bissfest ist. Nach 15 Minuten Safran dazugeben.

4. Den Topf vom Herd nehmen, die kalte Butter und den Parmesan unter den Risotto rühren. Den Safranrisotto mit Salz, Pfeffer und Zitronensaft abschmecken. Passt zu gebratenem Zander oder Dorade in Pergament (siehe S. 156).

1 SAFRANRISOTTO

2 Schalotten
je 80 g Möhren und Staudensellerie
3 EL Olivenöl
250 g Risottoreis (z. B. Arborio)
150 ml trockener Weißwein
1 Döschen Safranfäden (0,1 g)
1 l heiße Hühnerbrühe
60 g kalte Butter (in Würfeln)
60 g geriebener Parmesan
Salz · Pfeffer aus der Mühle
etwas Zitronensaft

zum Online-Video
www.kochen-digital.de/risotto

3. Die Noriblätter halbieren. Eine Hälfte auf eine Bambusmatte legen. Etwa 60 g Reis mit angefeuchteten Händen darauf verteilen, dabei oben einen 1 cm breiten Rand frei lassen. Den Wasabi hauchdünn auf den Reis streichen.

4. Unteres Drittel mit Lachs und Avocado belegen. Noriblatt mithilfe der Matte aufrollen, dabei leicht andrücken. Jede Rolle in 6 Stücke schneiden, mit Ingwer und Sojasauce servieren. Als Nachspeise passt Joghurt-Limetten-Mousse (siehe S. 258).

2 MAKI-SUSHI MIT LACHS

400 g Sushireis
6 EL Reisessig
3 TL Salz · 3 TL Zucker
6–8 Noriblätter
Wasabipaste
200 g Lachsfilet (Sushi-Qualität; ohne Haut, in 1 cm dicken Streifen)
1 reife Avocado (in 1 cm dicken Stiften)
60 g eingelegter Ingwer
Sojasauce

zum Online-Video
www.kochen-digital.de/sushi

3. Den gegarten Reis, die Sojasauce und den braunen Zucker untermischen und alles weitere 4 bis 5 Minuten braten.

4. Sprossen nach Belieben auf einem Sieb mit kochendem Wasser übergießen und mit Frühlingszwiebeln, Koriander und Chili unter den Reis rühren. Den Reis mit Sweet-Chili-Sauce servieren. Dazu passt Kopfsalat mit Vinaigrette (siehe S. 40).

3 BRATREIS MIT GARNELEN

250 g Duftreis (z. B. Basmatireis) · 3 EL Öl
2 Schalotten (in feinen Streifen)
4 cm Ingwer (in feinen Streifen)
2 Knoblauchzehen (in feinen Würfeln)
250 g kleine Garnelen (küchenfertig)
2–3 EL Sojasauce · 1 EL brauner Zucker
200 g Sojabohnensprossen
4 Frühlingszwiebeln (in feinen Ringen)
2 EL gehackter Koriander
2 rote Chlischoten
(in feinen Streifen)
Sweet-Chili-Sauce

zum Online-Video
www.kochen-digital.de/bratreis

Erbsenrisotto

mit Hähnchen und Liebstöckelöl

Für 4 Personen

4 Hähnchenbrustfilets (à 140 g) · 1 l Hühnerbrühe · 1 Zwiebel
5 EL Olivenöl · 250 g Risottoreis · 150 ml trockener Weißwein
1 Bund Petersilie · ½ Bund Liebstöckel · 250 g Erbsen (tiefgekühlt) · 60 g kalte Butter (in Würfeln) · 60 g geriebener Pecorino · Salz · Pfeffer aus der Mühle · etwas Zitronensaft

1 | Die Hähnchenbrustfilets waschen und trocken tupfen. Die Brühe aufkochen und die Filets darin zugedeckt bei schwacher Hitze 10 bis 12 Minuten ziehen lassen. Wieder herausnehmen. Zwiebel schälen und in feine Würfel schneiden.

2 | Zwiebel in einem Topf in 2 EL Olivenöl andünsten. Den Reis dazugeben und 1 bis 2 Minuten mitdünsten. Mit dem Wein ablöschen und vollständig einköcheln lassen. Den Reis mit etwas heißer Brühe aufgießen, dann wie auf S. 103, Step 3, beschrieben, bissfest garen.

3 | Die Kräuter waschen und trocken schütteln, die Blätter abzupfen, mit 3 EL Brühe und restlichem Olivenöl fein pürieren. Erbsen überbrühen, abtropfen lassen und 5 Minuten vor Garzeitende zum Risotto geben. Das Hähnchenfleisch klein zupfen und im Risotto erwärmen. Vom Herd nehmen, Butter und Pecorino unterrühren. Risotto mit Salz, Pfeffer und Zitronensaft würzen und mit dem Liebstöckelöl beträufeln.

Rote-Bete-Risotto

mit Räucherforelle und Brunnenkresse

Für 4 Personen

1 Zwiebel · 1 Apfel · 3 EL Olivenöl · 250 g Risottoreis
150 ml trockener Weißwein · ½ l Rote-Bete-Saft · 400 ml Gemüsebrühe · 400 g Rote Beten (vorgegart und vakuumiert)
4 geräucherte Forellenfilets (à 80 g) · 100 g Sahne · 60 g kalte Butter (in Würfeln) · 1 EL gehackter Majoran · Salz · Pfeffer aus der Mühle · gemahlener Kümmel · etwas Zitronensaft · 1 Bund Brunnenkresse (gewaschen) · 80 g Apfelchips (nach Belieben)

1 | Zwiebel schälen, Apfel vierteln, schälen und entkernen. Beides in kleine Würfel schneiden und in einem Topf im Olivenöl 2 bis 3 Minuten andünsten. Reis dazugeben und 1 bis 2 Minuten mitdünsten. Mit dem Wein ablöschen und vollständig einköcheln lassen.

2 | Rote-Bete-Saft und Brühe aufkochen. Den Reis mit etwas Saft-Brühe-Mix aufgießen, dann wie auf S. 103, Step 3, beschrieben, bissfest garen.

3 | Rote Beten abtropfen lassen und in kleine Würfel schneiden. Die Forellenfilets klein zupfen. Beides 5 Minuten vor Ende der Garzeit unter den Risotto heben. Die Sahne halb steif schlagen und unterheben. Butter und Majoran unterrühren. Risotto mit Salz, Pfeffer, Kümmel und Zitronensaft würzen, mit Kresse und nach Belieben mit Apfelchips garnieren.

Kürbisrisotto
mit Ziegenkäse und Mandeln

Für 4 Personen

600 g Muskatkürbis · 1 weiße Zwiebel
1 Knoblauchzehe · 4 EL Olivenöl · 250 g Risottoreis
150 ml trockener Weißwein · 1 Lorbeerblatt · 1 Zimtstange
1 l heiße Gemüsebrühe · 200 g Ziegenkäserolle · 1–2 EL Mehl
60 g kalte Butter (in Würfeln) · 60 g geriebener Parmesan
1 Bund Basilikum (grob gehackt) · Salz · Pfeffer aus der Mühle
etwas Zitronensaft · 40 g Mandelblättchen (geröstet)

1 | Den Kürbis schälen, entkernen und in ½ cm große Würfel schneiden. Zwiebel und Knoblauch schälen, in feine Würfel schneiden und in einem Topf in 3 EL Olivenöl 1 bis 2 Minuten andünsten. Kürbis dazugeben, 2 bis 3 Minuten mitdünsten. Reis ebenfalls dazugeben und 1 bis 2 Minuten dünsten. Mit dem Wein ablöschen und vollständig einköcheln lassen.

2 | Das Lorbeerblatt und die Zimtstange dazugeben. Den Reis mit etwas heißer Brühe aufgießen, dann wie auf S. 103, Step 3, beschrieben, bissfest garen.

3 | Ziegenkäse in 8 Scheiben schneiden, in Mehl wenden und in einer beschichteten Pfanne im restlichen Olivenöl auf beiden Seiten je 1 Minute anbraten. Butterwürfel, Parmesan und Basilikum unter den Risotto rühren. Mit Salz, Pfeffer und Zitronensaft würzen, mit Ziegenkäse und Mandeln servieren.

Radicchiorisotto
mit geräucherter Entenbrust

Für 4 Personen

1 weiße Zwiebel · 1 Knoblauchzehe · 2 EL Olivenöl
250 g Risottoreis · 150 ml Prosecco · 1 l heiße Hühnerbrühe
400 g Radicchio · 2 EL Butter · 1–2 EL Granatapfelsirup
60 g kalte Butter (in Würfeln) · 60 g geriebener Parmesan
Kerne von 1 kleinen Granatapfel · 1 TL gehackter Thymian · Salz
Pfeffer aus der Mühle · ½ TL abgeriebene unbehandelte
Zitronenschale · 100 g junger Spinat (gewaschen)
120 g geräucherte Entenbrust (in dünnen Scheiben)

1 | Zwiebel und Knoblauch schälen, in feine Würfel schneiden. In einem Topf das Olivenöl erhitzen und beides darin 2 bis 3 Minuten andünsten. Reis dazugeben, kurz mitdünsten. Mit dem Prosecco ablöschen und vollständig einköcheln lassen.

2 | Reis mit etwas heißer Brühe aufgießen, dann wie auf S. 103, Step 3, beschrieben, bissfest garen. Radicchio putzen, vierteln und den weißen Strunk entfernen. Radicchio in 1 cm breite Streifen schneiden, 10 Minuten in warmes Wasser legen, abgießen und abtropfen lassen. In einer Pfanne in der Butter kurz dünsten. Mit dem Sirup unter den Risotto rühren.

3 | Kalte Butter, Käse, Granatapfelkerne und Thymian unter den Risotto rühren. Risotto mit Salz, Pfeffer und Zitronenschale würzen und mit Spinat und Entenbrust garniert servieren.

Spargelrisotto

mit Garnelen, Minze und Mascarpone

Für 4 Personen

je 500 g weißer und grüner Spargel
4 Schalotten
4 EL Olivenöl
250 g Risottoreis
150 ml Prosecco
800–900 ml heiße Gemüse- oder Hühnerbrühe
Salz
500 g mittelgroße Garnelen (küchenfertig)
Pfeffer aus der Mühle
milde Chiliflocken
100 g Mascarpone
60 g geriebener Parmesan
6 Stiele Minze
3 Stiele Estragon
Zucker
etwas Zitronensaft

1 | Den weißen Spargel schälen und die holzigen Enden abschneiden. Spargel schräg in 1 cm dicke Scheiben schneiden. Grünen Spargel nur im unteren Drittel schälen und die holzigen Enden abschneiden. Schalotten schälen und in feine Würfel schneiden.

2 | In einem Topf 2 EL Olivenöl erhitzen, die Schalotten und den weißen Spargel darin 2 bis 3 Minuten andünsten. Den Reis dazugeben und 1 bis 2 Minuten mitdünsten. Mit dem Prosecco ablöschen und vollständig einkochen lassen.

3 | Den Reis mit etwas heißer Brühe aufgießen und diese unter gelegentlichem Rühren bei schwacher Hitze einköcheln lassen. Den Vorgang wiederholen, bis der Reis nach 20 bis 25 Minuten weich, aber im Kern noch »al dente«, also bissfest, ist.

4 | Den grünen Spargel in kochendem Salzwasser 2 bis 3 Minuten blanchieren, kalt abschrecken und abtropfen lassen. Schräg in 1 cm dicke Scheiben schneiden, zum Risotto geben und 1 bis 2 Minuten erwärmen.

5 | Die Garnelen auf einem Sieb abbrausen und trocken tupfen. Das restliche Olivenöl in einer Pfanne erhitzen und die Garnelen darin bei starker Hitze 2 bis 3 Minuten anbraten. Mit Salz, Pfeffer und Chiliflocken würzen.

6 | Den Mascarpone und den Parmesan unter den Risotto rühren und kurz erwärmen. Die Kräuter waschen und trocken schütteln, die Blätter abzupfen und – bis auf einige zum Garnieren – fein hacken. Ebenfalls unter den Risotto rühren. Mit Salz, Pfeffer, Zucker und Zitronensaft abschmecken. Den Spargelrisotto mit Garnelen und Kräutern garnieren und servieren.

Tipp: Anstelle der Garnelen können Sie auch 400 g Kalbsfilet in 1½ cm dicke Scheiben schneiden, im Olivenöl auf beiden Seiten anbraten und auf dem Risotto anrichten. Für eine vegetarische Risottovariante die Garnelen einfach weglassen.

Gebackene Sushirolle
mit Kürbis und Spinat

Für 4 Personen

150 g Tempuramehl (aus dem Asienladen) · 300 g Blattspinat
Salz · 1 EL helle Sesamsamen (geröstet) · 1–2 EL Kokoscreme
1 EL Sojasauce · 200 g Kürbis (z. B. Hokkaido) · 1 EL Butter
½ TL geriebener Ingwer · 4 Noriblätter · 1 Grundrezept
Sushireis (siehe S. 102) · 1 l Öl zum Frittieren · 1 Kästchen
Daikon-Kresse · 1 Rezept Asia-Mayonnaise (siehe S. 244)

1 | Tempuramehl mit 210 ml Eiswasser verrühren. Spinat verlesen, waschen und trocken schleudern, grobe Stiele entfernen. In kochendem Salzwasser ½ Minute blanchieren, abgießen, kalt abschrecken und gut ausdrücken. Grob hacken, mit Sesam und Kokoscreme verrühren und mit Sojasauce würzen.

2 | Den Kürbis schälen, in ½ cm dicke Stäbchen schneiden und in einer Pfanne in der Butter 5 bis 6 Minuten weich dünsten. Den Ingwer dazugeben.

3 | Noriblätter halbieren. Eine Blatthälfte auf die Bambusmatte legen. 60 bis 80 g Sushireis mit angefeuchteten Händen darauf verteilen, dabei oben einen Rand von 1 cm frei lassen. Das untere Drittel mit etwas Spinat und einigen Kürbisstäbchen belegen. Noriblatt mithilfe der Bambusmatte aufrollen, dabei leicht andrücken. Die Matte entfernen.

4 | Restliche Rollen auf die gleiche Weise herstellen. Das Öl in einem breiten Topf auf 170 °C erhitzen. Sushirollen halbieren, durch den Tempurateig ziehen und im Öl 1 bis 2 Minuten goldbraun backen. Abtropfen lassen und aufschneiden. Mit Daikon-Kresse und Mayonnaise servieren.

California Roll
mit Krebsfleisch und Avocado

Für 8 Rollen (à 6 Stücke)

120 g Mayonnaise (siehe S. 242) · 1 TL Sesamöl · 1 EL Sojasauce
milde Chiliflocken · 1 kleine Avocado · ½ Salatgurke
200 g Krebsfleisch (vorgegart; oder Surimi) · 4 Noriblätter
1 Grundrezept Sushireis (siehe S. 102) · Wasabipaste
2 EL Tobiko (Fliegenfisch-Kaviar) · 2 EL helle Sesamsamen
(geröstet) · 60 g eingelegter Ingwer (siehe Tipp S. 110)

1 | Mayonnaise mit Sesamöl, Sojasauce und Chiliflocken würzen. Avocado halbieren und den Kern entfernen. Die Hälften schälen und in ½ cm dicke Spalten schneiden. Gurke waschen, längs halbieren, entkernen und in ½ cm dicke Stäbchen schneiden. Krebsfleisch in kleine Stücke zupfen.

2 | Die Noriblätter halbieren. Die Bambusmatte mit Frischhaltefolie umwickeln. Eine Blatthälfte darauflegen, 60 bis 80 g Sushireis mit angefeuchteten Händen darauf verteilen und andrücken. Das Noriblatt wenden, sodass der Reis auf der Folie liegt. Das untere Blattdrittel mit etwas Wasabipaste und 1 TL Mayonnaise bestreichen. Darauf einige Avocado-, Gurken- und Krebsfleischstücke geben. Das Blatt mithilfe der Bambusmatte aufrollen und leicht andrücken. Die Matte entfernen. Die restlichen Rollen auf die gleiche Weise herstellen.

3 | Vier Rollen in Kaviar und die übrigen Rollen in Sesam wälzen. Jede Rolle in 6 Stücke schneiden. Die California Rolls mit eingelegtem Ingwer und Sojasauce servieren.

Tipp: Sie können die Sushirollen auch mit gegarten Garnelen oder Hummerfleisch füllen.

Crunchy Sushiroll
mit Ente und Pflaumensauce

Für 4 Personen

2 rosa gegarte Entenbrustfilets (à 200 g; siehe S. 178)
4 EL Pflaumensauce (aus dem Asienladen)
½ Salatgurke
1 Bund Schnittlauch
75 g Tempuramehl
½ l Öl zum Frittieren
4 Noriblätter
1 Grundrezept Sushireis (siehe S. 102)
Wasabipaste
60 g eingelegter Ingwer (siehe Tipp S. 110)

1 | Die Haut von den Entenbrustfilets abschneiden und entsorgen. Das Fleisch längs in 1 cm dicke Streifen schneiden und in 1 EL Pflaumensauce wenden. Die Gurke waschen, längs halbieren, entkernen und in ½ cm dicke Stäbchen schneiden. Den Schnittlauch waschen, trocken schütteln und in feine Röllchen schneiden.

2 | Das Tempuramehl mit 100 ml Eiswasser verrühren. Das Öl in einem Topf erhitzen und den Tempurateig mit dem Schneebesen in das Öl tropfen lassen. Die frittierten Tempurabrösel mit dem Schaumlöffel herausnehmen und auf Küchenpapier abtropfen lassen.

3 | Die Noriblätter halbieren. Die Bambusmatte mit Frischhaltefolie umwickeln. Eine Blatthälfte darauflegen, 60 bis 80 g Sushireis mit angefeuchteten Händen darauf verteilen und andrücken, dabei oben einen Rand von 1 cm frei lassen. Das Noriblatt wenden, sodass der Reis auf der Folie liegt.

4 | Auf dem unteren Blattdrittel etwas Wasabipaste verteilen und mit etwas Schnittlauch bestreuen. Darauf einige Gurkenstäbchen und Entenfleischstreifen geben. Das Blatt mithilfe der Bambusmatte von unten nach oben aufrollen, dabei leicht andrücken. Die Matte entfernen. Die restlichen Rollen auf die gleiche Weise herstellen.

5 | Die Rollen mit etwas Schnittlauch bestreuen, in den Tempurabröseln wenden und diese leicht andrücken. Jede Rolle in 6 Stücke schneiden und mit der restlichen Pflaumensauce und dem eingelegten Ingwer servieren.

Nigiri-Sushi und Sushitörtchen

mit Thunfisch, Lachs und Jakobsmuscheln

Für 4 Personen

Für die Nigiri-Sushi:
Wasabipaste
120 g Thunfischfilet (Sushi-Qualität; ca. 6 cm breit und 3 cm hoch)
120 g Lachsfilet (Sushi-Qualität; ohne Haut, ca. 6 cm breit und 3 cm hoch)
60 g eingelegter Ingwer
Sojasauce

Für die Sushitörtchen:
4 Noriblätter
120 g Lachsfilet (Sushi-Qualität; ohne Haut)
120 g Jakobsmuschelfleisch
½ Avocado
4 EL Mayonnaise (siehe S. 242)
milde Chiliflocken
1 EL gehackter Koriander
Salz · Pfeffer aus der Mühle
1 TL Sesamöl
1 TL geriebener Ingwer
1 EL Schnittlauchröllchen
1–2 TL Limettensaft
50 g Röstzwiebeln (aus dem Asienladen; nach Belieben)

Außerdem:
1 Grundrezept Sushireis (siehe S. 102)

1 | Für die Nigiri-Sushi die Hälfte des gekochten Sushireises in 16 Portionen teilen. Jede Portion mit angefeuchteten Händen zu einer Nocke formen und auf der Oberseite dünn mit etwas Wasabipaste bestreichen.

2 | Thunfisch- und Lachsfilet waschen, trocken tupfen und jeweils schräg in 8 dünne Scheiben schneiden. Jeweils 1 Scheibe auf 1 Reisnocke legen und leicht andrücken. Mit eingelegtem Ingwer, Wasabi und Sojasauce servieren.

3 | Für die Sushitörtchen den restlichen Sushireis in 16 Portionen teilen. Jede Portion mit angefeuchteten Händen zu einer Kugel formen und diese etwas flach drücken. Die Noriblätter mit einer Schere jeweils in 4 Streifen schneiden und um die Reisportionen wickeln.

4 | Das Lachsfilet und die Jakobsmuscheln waschen und trocken tupfen, in ½ cm große Würfel schneiden und getrennt in Schüsseln geben. Den Kern aus der halben Avocado entfernen, die Avocado schälen und ebenfalls in ½ cm große Würfel schneiden. Jeweils die Hälfte zu Lachs und Muscheln geben.

5 | Lachs und Avocadowürfel mit 2 EL Mayonnaise, Chiliflocken und Koriander mischen. Mit Salz, Pfeffer und Sesamöl abschmecken. Jakobsmuscheln und Avocadowürfel mit der restlichen Mayonnaise, geriebenem Ingwer und Schnittlauch mischen. Mit Salz, Pfeffer und Limettensaft abschmecken.

6 | Die beiden Füllungen jeweils auf 8 Törtchen verteilen. Die Sushitörtchen nach Belieben mit Röstzwiebeln bestreut servieren.

Tipp: Eingelegter Ingwer – auch Sushiingwer genannt, ist cremefarben oder rosa gefärbter Ingwer, der in einen Würzsud eingelegt wird. Er schmeckt süßsäuerlich, leicht scharf und dient beim Sushiessen zum Neutralisieren zwischen den verschiedenen Häppchen. Man bekommt ihn im Asienladen oder in gut sortierten Supermärkten.

Gebratener Reis
mit Ente, Ananas und Cashewkernen

Für 4 Personen

1 kleine Ananas (600–700 g) · 400 g Entenbrustfilet · 3 EL Öl
2 Schalotten · 4 cm Ingwer · 2 Knoblauchzehen · 1 Grundrezept Duftreis (siehe S. 102) · 100 g Mais (aus der Dose; abgetropft)
100 g Erbsen (tiefgekühlt) · 2 EL Sojasauce · 1 EL brauner Zucker
Blätter von 1 Bund Thaibasilikum · 50 g Cashewkerne (geröstet und gesalzen) · 2 rote Chilischoten (in feinen Ringen)

1 | Ananas schälen, vierteln und den harten Strunk entfernen. Das Fruchtfleisch in 1 cm große Würfel schneiden. Die Haut vom Entenbrustfilet abschneiden und das Fleisch in ½ cm dicke Scheiben schneiden. Mit 1 EL Öl gut mischen. Schalotten und Ingwer schälen und in feine Streifen schneiden. Knoblauch schälen und in feine Würfel schneiden.

2 | Im Wok 1 EL Öl erhitzen, Schalotten, Ingwer und Knoblauch darin 1 bis 2 Minuten andünsten. Das Entenfleisch dazugeben und unter Rühren 2 bis 3 Minuten braten. Alles herausnehmen und beiseitestellen. Reis im restlichen Öl im Wok 5 Minuten braten. Ananas, Mais, Erbsen, Sojasauce und braunen Zucker dazugeben und weitere 4 bis 5 Minuten braten.

3 | Thaibasilikum – bis auf einige Blätter – und Fleisch untermischen, kurz erwärmen. Cashewkerne grob hacken. Bratreis mit Chilis, Cashewkernen und übrigem Basilikum bestreuen.

Gebratener Safranreis
mit Lamm und Datteljoghurt

Für 4 Personen

200 g Basmatireis · 400 ml Hühnerbrühe · 1 Döschen Safranfäden (0,1 g) · ½ TL gemahlene Kurkuma · 300 g Lammfilet
Salz · Pfeffer aus der Mühle · 2 EL Öl · 1 EL Butter · 1 TL Ras-el-Hanout · 2 Tomaten (in kleinen Würfeln) · 200 g junger Spinat (gewaschen) · 2–3 reife Datteln (ohne Stein) · 200 g griechischer Joghurt (10 % Fett) · ½ TL gemahlener Kreuzkümmel

1 | Den Reis in einem Sieb unter fließendem Wasser waschen, bis dieses klar bleibt. Mit Wasser bedeckt 30 Minuten quellen lassen. Abgießen, mit Brühe, Safran und Kurkuma aufkochen und zugedeckt bei schwacher Hitze 12 bis 15 Minuten garen. Vom Herd nehmen und 10 Minuten ausquellen lassen. Mit einer Gabel auflockern und abkühlen lassen.

2 | Fleisch schräg in 1 cm breite Streifen schneiden. Salzen, pfeffern und mit 1 EL Öl mischen. In einer Pfanne in der Butter 2 bis 3 Minuten rundum braten. Ras-el-Hanout unterrühren und Fleisch herausnehmen. Den Reis in der Pfanne in 1 EL Öl 5 Minuten braten. Tomaten, Spinat und Fleisch untermischen und 2 bis 3 Minuten erwärmen. Mit Salz und Pfeffer würzen.

3 | Datteln zerdrücken und mit dem Joghurt mischen. Mit Salz, Pfeffer und Kreuzkümmel würzen. Bratreis nach Belieben mit Pistazien bestreut servieren. Den Datteljoghurt dazu reichen.

Gewürzreis
mit Lachs und Blumenkohl

Für 4 Personen

200 g Basmatireis · 400 ml Hühnerbrühe · 1 kleiner Blumenkohl
Salz · 1 Bund Frühlingszwiebeln · 400 g Lachsfilet (ohne Haut)
2 EL Butter · 3 cm Ingwer (in feinen Würfeln)
1 rote Chilischote (in feinen Würfeln) · 1 TL braune Senfkörner
½ TL Kreuzkümmel · 8–10 Curryblätter (frisch oder getrocknet)
2 EL Öl · gemahlene Kurkuma · Pfeffer aus der Mühle
etwas Limettensaft · 1 Rezept Zitronenchutney (siehe S. 253)

1 | Reis, wie links beschrieben, zubereiten und abkühlen lassen. Blumenkohl putzen, waschen, in einzelne Röschen teilen und in kochendem Salzwasser 4 bis 5 Minuten garen. Abgießen und abtropfen lassen. Frühlingszwiebeln putzen, waschen und schräg in 3 cm große Stücke schneiden.

2 | Das Lachsfilet waschen, trocken tupfen und in 1½ cm große Würfel schneiden. Die Butter in einer Pfanne erhitzen und die Gewürze darin 1 bis 2 Minuten braten. Die Lachswürfel dazugeben und bei schwacher Hitze 2 bis 3 Minuten mitbraten. Aus der Pfanne nehmen und warm halten.

3 | Den Reis in der Pfanne im Öl 3 bis 4 Minuten braten. Gemüse und 1 bis 2 Prisen Kurkuma 3 bis 4 Minuten mitbraten. Den Lachs vorsichtig unterheben. Den Bratreis mit Salz, Pfeffer und Limettensaft würzen. Zitronenchutney dazu servieren.

Nasigoreng
mit Huhn und Garnelen

Für 4 Personen

200 g Duftreis · 400 ml Hühnerbrühe · 1–2 TL Currypulver
2 Knoblauchzehen · 4 cm Ingwer · 1 Zwiebel · 100 g Möhren
½ kleiner Chinakohl · 80 g Shiitake-Pilze · 1 Bund Frühlingszwiebeln · 400 g Hähnchenbrustfilet · 4 EL Öl · 200 g Garnelen
(küchenfertig; gewaschen) · 2 rote Chilischoten (in feinen Würfeln)
200 g Sojabohnensprossen (gewaschen) · je 2 EL Sojasauce und
Reiswein · 1 TL Sambal Oelek · je 1 EL Ketjap manis und Sesamöl

1 | Reis, wie auf S. 102 beschrieben (»Duftreis«), mit Brühe und Currypulver zubereiten und abkühlen lassen. Knoblauch und Ingwer schälen, fein hacken. Zwiebel und Möhren schälen, Chinakohl putzen und waschen. Alles in feine Streifen schneiden. Pilze putzen und halbieren. Frühlingszwiebeln putzen, waschen und schräg in 4 cm lange Stücke schneiden.

2 | Fleisch waschen, trocken tupfen und in 1 cm große Stücke schneiden. Mit 2 EL Öl mischen und im Wok in zwei Portionen 1 bis 2 Minuten bei starker Hitze anbraten. Herausnehmen. Garnelen im Wok 2 bis 3 Minuten braten. Ebenfalls herausnehmen. Restliches Öl im Wok erhitzen, Zwiebeln, Knoblauch und Ingwer darin 2 bis 3 Minuten braten. Gemüse und Pilze dazugeben und 5 bis 6 Minuten mitbraten. Reis, Chili und Sprossen dazugeben, weitere 5 Minuten braten. Mit Würzsaucen und Sesamöl würzen. Fleisch und Garnelen dazugeben.

Zitronenreis
mit Gyrosspießen

Für 4 Personen

200 g Langkornreis · Salz · 500 g Schweinefilet (küchenfertig)
4 EL Öl · 2–3 TL Gyros-Gewürzmischung
2 kleine weiße Zwiebeln · 2 gelbe Paprikaschoten
2 Tomaten · 3 unbehandelte Zitronen
Zucker · 1 EL gehackte Petersilie
Pfeffer aus der Mühle · 4–5 Stiele Oregano (gewaschen)

1 | Den Reis in einem Sieb unter fließendem Wasser waschen, bis dieses klar bleibt. In einem Topf mit der doppelten Menge leicht gesalzenem Wasser aufkochen lassen. Zugedeckt bei schwacher Hitze 15 bis 18 Minuten garen. Vom Herd nehmen, 15 Minuten quellen und dann am besten über Nacht abkühlen lassen.

2 | Das Schweinefilet der Länge nach halbieren und in ½ cm dicke Scheiben schneiden. In einer Schüssel mit 2 EL Öl und 1 bis 2 TL Gyrosgewürz gut mischen. Die Zwiebeln schälen, halbieren und zu Blättern in der Größe der Fleischscheiben schneiden. Fleisch und Zwiebeln abwechselnd auf acht Holzspieße stecken. In dem Würzöl 20 Minuten marinieren.

3 | Die Paprikaschoten längs halbieren, entkernen, waschen und in 1 cm große Würfel schneiden. Tomaten waschen, vierteln, entkernen und in 1 cm große Würfel schneiden. Die Zitronen heiß waschen und trocken reiben. Von 1 Zitrone die Schale fein abreiben und den Saft auspressen. Die restlichen Zitronen halbieren.

4 | Den Backofen auf 80 °C vorheizen. Eine große Grillpfanne erhitzen und die Fleischspieße darin rundum 5 bis 6 Minuten braten. Herausnehmen und im Ofen warm halten.

5 | Die Zitronenhälften mit der Schnittfläche in Zucker drücken, in der Pfanne karamellisieren und beiseitestellen.

6 | Das restliche Öl in einer großen Pfanne erhitzen und die Paprikawürfel darin 5 bis 6 Minuten anbraten. Den Reis dazugeben und 4 bis 5 Minuten mitbraten. Die Tomaten und die Petersilie dazugeben und 2 bis 3 Minuten garen. Gemüsereis mit Zitronenschale und -saft, restlichem Gyrosgewürz, Salz und Pfeffer würzen.

7 | Den Zitronenreis mit den Gyrosspießen und Zitronenhälften auf Tellern anrichten und mit Oregano bestreut servieren.

Tipp: Dazu passt Tsatsiki. Dafür 1 kleine Salatgurke schälen, raspeln und aus den Raspeln das Wasser gut ausdrücken. Mit 250 g griechischem Joghurt mischen. Eine Knoblauchzehe schälen und dazupressen. Das Tsatsiki mit etwas Zitronensaft, 1 EL Olivenöl, Salz und Pfeffer würzen.

Jambalaya
mit Chorizo und Riesengarnelen

Für 4 Personen

200 g Langkornreis · Salz · 2 Tomaten
2 Stangen Staudensellerie · 1 kleine rote Paprikaschote
250 g kleine Okraschoten · 1 Zwiebel · 2 Knoblauchzehen
1 walnussgroßes Stück Ingwer · 4 EL Öl
2 EL gehackte Petersilie · 1 TL gehackter Thymian
300 g Hähnchenbrustfilet · 8 Riesengarnelen (küchenfertig)
120 g Chorizo (span. Paprikawurst) · Pfeffer aus der Mühle
milde Chiliflocken · Tabasco · 1 Bund Koriander

1 | Den Reis in einem Sieb unter fließendem Wasser waschen, bis dieses klar bleibt. In einem Topf mit der doppelten Menge leicht gesalzenem Wasser aufkochen. Zugedeckt bei schwacher Hitze 15 bis 18 Minuten köcheln lassen. Vom Herd nehmen, 15 Minuten quellen und dann am besten über Nacht abkühlen lassen.

2 | Tomaten waschen, vierteln, entkernen und ohne die Stielansätze in kleine Würfel schneiden. Sellerie putzen, waschen, falls nötig, harte Fäden entfernen, und in ½ cm dicke Scheiben schneiden. Die Paprikaschote längs halbieren, entkernen, waschen und in kleine Rauten schneiden.

3 | Die Okraschoten putzen, waschen und in kochendem Salzwasser 1 bis 2 Minuten blanchieren. Abgießen, kalt abschrecken und abtropfen lassen. Zwiebel, Knoblauch und Ingwer schälen und in feine Würfel schneiden.

4 | In einer großen Pfanne 2 EL Öl erhitzen, Zwiebel, Knoblauch und Ingwer darin 1 bis 2 Minuten andünsten. Das Gemüse – bis auf die Tomatenwürfel – dazugeben und bei schwacher Hitze 10 bis 12 Minuten braten. Dann den Reis dazugeben und weitere 5 bis 6 Minuten braten. Petersilie und Thymian untermischen.

5 | Inzwischen die Hähnchenbrust waschen, trocken tupfen und in 1½ cm große Würfel schneiden. Die Garnelen abbrausen und abtropfen lassen. Die Chorizo in ½ cm dicke Scheiben schneiden. Das restliche Öl in einer zweiten Pfanne erhitzen, Hähnchenfleisch und Garnelen darin 3 bis 4 Minuten braten. Die Chorizo dazugeben und 1 bis 2 Minuten mitbraten.

6 | Alles unter den Reis rühren und das Jambalaya mit Salz, Pfeffer, Chiliflocken und Tabasco würzen. Koriander waschen und trocken schütteln, die Blätter abzupfen und grob hacken. Jambalaya mit Koriander bestreut servieren.

Kartoffeln

Rund um die tolle Knolle

Allroundtalent in rauer Schale: Von ihrem unscheinbaren Äußeren sollte man sich nicht täuschen lassen – Kartoffeln sind in der Küche wahre Alleskönner.

Eine kleine Geschichte des Erfolgs Die Geschichte der Kartoffel ist eine Erfolgsstory mit Anlaufschwierigkeiten. Denn die fremdartige Andenpflanze namens »papa«, die im 16. Jahrhundert im Gepäck der spanischen Konquistadoren erstmals in Europa auftauchte, wurde zunächst misstrauisch beäugt. Zwar hatte sie hübsche Blüten, ihre beerenartigen grünen Früchte waren aber ungenießbar. Bis man bemerkte, dass die wertvollen Teile des Nachtschattengewächses nicht über, sondern unter der Erde lagen, dauerte es noch mehrere Generationen. Für den echten Durchbruch der Kartoffel in Mitteleuropa sorgte Friedrich der Große im 18. Jahrhundert. Der Preußenkönig erkannte die Chance, die ihm die nahrhafte, robuste Pflanze bot – als preiswerte Verpflegung für Truppen und Volk. Er verordnete seinen Bauern den Anbau im großen Stil und machte die Knolle zum Grundnahrungsmittel. Bis ins letzte Jahrhundert hinein wurde die Kartoffel das Image als Armen- und Bauernessen nicht los, erst die französische Kochlegende Escoffier erhob sie in den kulinarischen Adelsstand. Heute ist sie längst vom Kellerkind zum Darling der Spitzenköche aufgestiegen. Der Liebling des Volkes ist sie geblieben.

Grenzenlos wandelbar Grumbeere, Erdbirne, Tartuffel – der Volksmund hat der Kartoffel unzählige Namen gegeben. Denn nachdem sie einmal akzeptiert war, begann man, ihr die besten Seiten zu entlocken, und passte sie den jeweiligen regionalen Vorlieben an. Kartoffeln wurden zum festen Bestandteil der Hausmannskost. Während der Norden sie bis heute am liebsten als Brat-, Pell- und Salzkartoffel verspeist und sie gerne mit Fleisch und Fisch kombiniert, mag man im Süden vor allem die Zubereitungen aus Kartoffelteig wie Knödel, Schupfnudeln oder Kartoffelküchlein und macht auch gerne Süßspeisen und Gebäck daraus. Im Zeitalter der »global cuisine«, der grenzenlosen Küche, servieren wir die Kartoffel mal mediterran mit Knoblauch und Kräutern, mal orientalisch mit Kichererbsen und Kokosmilch, mal sterneverdächtig als Schaumsüppchen mit gehobelten Trüffeln. Sie ist eben grenzenlos vielseitig.

Ein Hoch auf die Vielfalt Unsere Vorfahren kannten noch unzählige Kartoffelsorten. In der modernen Landwirtschaft sind jedoch viele davon verschwunden. Zu unserem Glück hat die Rückbesinnung auf Tradition und Regionalität diese Entwicklung gestoppt. Heute finden wir auf den Märkten und bei engagierten Erzeugern wieder fast vergessene aromatische Sorten wie die schmale lange La Ratte, das krumme Bamberger Hörnle, die violettfleischige blaue Elise oder die schwarze, knubbelige Trüffelkartoffel Vitelotte. Beim Kochen kommt es allerdings weniger auf den klangvollen Namen der Knolle an, hinter dem Gelinggeheimnis von Kartoffelgerichten steckt etwas anderes: die Kocheigenschaft, auch Kochtyp genannt. Sie ist ausschlaggebend dafür, dass die Pellkartoffel beim Pellen nicht zerfällt, der Knödel sich nicht im Kochwasser auflöst und das Püree schön locker wird. Wer gerne Bratkartoffeln, Salzkartoffeln, Pellkartoffeln oder Kartoffelsalat isst, wählt dafür eine »speckige«, festkochende Sorte wie Linda, Annabelle oder Sieglinde. Festkochende Kartoffeln haben den niedrigsten Stärkegehalt, bleiben fest und sind auch nach dem Garen gut in Form. Sie sind die Frühchen unter den Sorten, schon im März treffen erste Importe aus dem Mittelmeerraum ein, ab dem Frühsommer sind auch heimische Sorten zu haben. Liebhaber von Püree, Kartoffelsuppen, Knödeln und Kroketten greifen am besten zu mehligkochenden Sorten. Bei Aula, Adretta, Augusta & Co. ist der Stärkeanteil sehr hoch, die Kartoffeln zerfallen leicht, haben ein lockeres Innenleben und geben eine gute Bindung. Die mehligen sind die Nachzügler der Kartoffelsaison, denn je später eine Kartoffel geerntet wird, desto mehr Stärke kann sie entwickeln. Wem die Entscheidung schwerfällt, der liegt mit vorwiegend festkochenden Sorten nicht verkehrt. Sie heißen zum Beispiel Christa, Quarta, Gala oder Rosara und werden im August und September geerntet. Weil sie fest genug sind, um nicht zu zerfallen, aber schon einen gewissen Stärkegehalt besitzen, kann man Salz-, Pell- und Bratkartoffeln damit machen, sie aber auch gut für Stampfkartoffeln und Suppen verwenden. Die neuerdings nicht nur in Sterneküchen sehr beliebten Drillinge sind übrigens keine eigene Sorte, sondern eine Bezeichnung für unterschiedliche Arten von Minikartoffeln.

Am richtigen Platz Ein dunkler, kühler Keller ist der ideale Ort zum Einlagern von Kartoffeln. Bei Temperaturen zwischen vier und zwölf Grad kann man sie hier, gut belüftet, mehrere Monate lang aufheben. Wer den guten alten Kartoffelkeller nicht mehr hat, dem bleibt nichts anderes übrig, als die Knolle in kleineren Mengen zu kaufen und für sie ein passendes Plätzchen in der Wohnung zu suchen, wo sie in Korb oder Papiertüte – nicht in Plastikbeuteln – einige Wochen frisch bleiben kann. Den Kühlschrank lieben Kartoffeln nicht besonders, für eine längere Lagerung ist es ihnen hier zu kalt und zu feucht. Falsche Lagerbedingungen quittiert die Knolle mit süßlichem Geschmack (zu kalt), Fäule (zu wenig Luft), mit Trieben (zu warm) oder grünen Stellen (zu hell). Grüne Stellen sind zudem ein Zeichen für verstärkte Solaninbildung. Weil das Alkaloid, das auch in den grünen Pflanzenteilen von Tomaten vorkommt, Übelkeit verursachen kann, sollte man die verfärbten Stellen großzügig wegschneiden.

Donella
Gala
Annabelle
Bintje
Linda
La Ratte
Miranda
Vitelotte
Chérie
Bamberger Hörnchen

Kartoffeln – Genuss hoch drei

1 AUS DER PFANNE

Von knusprigen Bratkartoffeln schwärmen alle – was Sie dafür brauchen, sind Pellkartoffeln, eine große Pfanne, damit die Kartoffelscheiben nebeneinander liegen können, und etwas Fett, am besten Butterschmalz. Das Wichtigste aber ist Geduld: Warten Sie, bis die Kartoffelscheiben auf der Unterseite schön goldbraun gebraten sind, wenden Sie sie erst dann und lassen Sie ihnen erneut genügend Zeit, eine Kruste zu bilden.

1. Die Kartoffeln pellen und in etwa ½ cm dicke gleichmäßige Scheiben schneiden.

2. Das Butterschmalz in einer Pfanne erhitzen und die Kartoffeln darin portionsweise bei mittlerer Hitze etwa 10 Minuten goldbraun braten, dann einmal wenden und auf der andern Seite 10 Minuten braten.

2 AUS DEM OFEN

Praktischer geht's nicht: In der Hitze des Backofens garen Kartoffeln wie von selbst, egal ob mit oder ohne Schale, ob im Ganzen, halbiert oder in Spalten. Je kleiner die Kartoffeln vor dem Garen geschnitten werden, desto schneller geht es. Für die appetitliche Bräunung sorgt etwas Öl, für das Aroma robuste Kräuter wie Rosmarin, Thymian oder Lorbeer und Gewürze wie Kümmel, Pfeffer, Chili oder Knoblauch.

1. Den Backofen auf 190 °C vorheizen. Die Kartoffeln gründlich waschen, trocken reiben und längs halbieren.

2. Die Kartoffeln in einer Schüssel mit Rosmarin, Knoblauch und 2 EL Olivenöl mischen. Mit Salz, Pfeffer und Chiliflocken würzen.

3 AUS DEM TOPF

Ein lockeres Kartoffelpüree geht schneller, als man glaubt. Auch wer keine Kartoffelpresse hat, kriegt das hin. Er zerdrückt die heißen Knollen einfach möglichst fein mit einem Stampfer. Nur eines geht nicht: Kartoffeln mit dem Stabmixer oder im Küchenmixer pürieren, denn dabei wird der Brei zäh und klebrig. Interessante Variationen ergeben sich, wenn man mit den Kartoffeln auch Sellerie-, Möhren- oder Kürbiswürfel gart.

1. Die Kartoffeln schälen, waschen und in grobe Würfel schneiden. In Salzwasser etwa 20 Minuten weich garen. Die Kartoffeln in ein Sieb abgießen und ausdampfen lassen.

2. Die Milch in einem Topf aufkochen. Die Butter in Stücken dazugeben und zerlassen. Mit Pfeffer und Muskatnuss würzen.

1 BRATKARTOFFELN

800 g gegarte festkochende Kartoffeln (mit Schale; vom Vortag)
2–3 EL Butterschmalz
1 Zwiebel
Salz · Pfeffer aus der Mühle
gemahlener Kümmel
1 EL Schnittlauchröllchen

zum Online-Video
www.kochen-digital.de/bratkartoffeln

3. Die Zwiebel schälen und in feine Würfel schneiden. Dazugeben und durch Rütteln der Pfanne untermischen. Nur kurz mitbraten, damit sie nicht anbrennen.

4. Die Bratkartoffeln mit Salz, Pfeffer und Kümmel würzen. Zum Schluss den Schnittlauch dazugeben. Bratkartoffeln passen gut zu Wiener Schnitzel und zu Minutensteaks (siehe S. 200).

2 ROSMARINKARTOFFELN

800 g kleine festkochende Kartoffeln
2–3 Zweige Rosmarin (gehackt)
2 angedrückte Knoblauchzehen
3 EL Olivenöl
Meersalz · Pfeffer aus der Mühle
Chiliflocken
1 TL abgeriebene unbehandelte Zitronenschale
einige Spritzer Zitronensaft
1 EL gehackte Petersilie

zum Online-Video
www.kochen-digital.de/rosmarinkartoffeln

3. Mit der Schnittfläche nach unten auf dem Blech oder einer Bratreine auf der mittleren Schiene im Ofen 30 bis 40 Minuten backen. Nach der Hälfte der Backzeit wenden.

4. Die Rosmarinkartoffeln in eine Schüssel geben und mit Zitronenschale, -saft, dem restlichen Olivenöl und der Petersilie mischen. Dazu passen Minutensteaks (siehe S. 200) und Guacamole (siehe S. 242).

3 KARTOFFELPÜREE

800 g mehligkochende Kartoffeln
Salz
300 ml Milch
4 EL Butter
Pfeffer aus der Mühle
frisch geriebene Muskatnuss

zum Online-Video
www.kochen-digital.de/kartoffelpueree

3. Die Kartoffeln portionsweise durch die Kartoffelpresse in eine vorgewärmte Schüssel drücken.

4. Die heiße Milch mit einem Kochlöffel locker unter die Kartoffelmasse rühren. Das Püree mit Salz, Pfeffer und Muskatnuss abschmecken. Passt zu Schmorbraten (siehe S. 220) oder gebratenem Zander (siehe S. 156).

Spanische Bratkartoffeln
mit Chorizo

Für 4 Personen

800 g gegarte festkochende Kartoffeln (mit Schale; vom Vortag) · 100 g Chorizo (span. Paprikawurst; am Stück) 2 EL Öl · 50 g schwarze Oliven (ohne Stein) Salz · Pfeffer aus der Mühle · 1 EL gehackte Petersilie

1 | Die Kartoffeln pellen und in etwa ½ cm dicke gleichmäßige Scheiben schneiden. Die Chorizo in kleine Würfel schneiden.

2 | Das Öl in einer großen Pfanne erhitzen. Die Chorizo darin anbraten und herausnehmen. Die Kartoffelscheiben im Bratfett bei mittlerer Hitze 10 Minuten goldbraun braten. Wenden und auf der anderen Seite nochmals 10 Minuten braten.

3 | Die Oliven halbieren. Die Chorizo mit den Oliven unter die Bratkartoffeln rühren. Die Kartoffeln mit Salz und Pfeffer abschmecken und die Petersilie darüberstreuen.

Tipp: Nach Belieben können Sie zusätzlich einige Speckscheiben mitbraten oder die Chorizo ganz durch Speck ersetzen.

Majorankartoffeln
mit Speck

Für 4 Personen

800 g gegarte festkochende Kartoffeln (mit Schale; vom Vortag) · 2–3 EL Butterschmalz 100 g durchwachsener Räucherspeck (in Würfeln) · 1 Zwiebel Salz · Pfeffer aus der Mühle · 1 EL gehackter Majoran

1 | Die Kartoffeln pellen und in etwa ½ cm dicke gleichmäßige Scheiben schneiden.

2 | Das Butterschmalz in einer großen Pfanne erhitzen. Die Speckwürfel darin anbraten und wieder herausnehmen. Die Kartoffelscheiben im Bratfett bei mittlerer Hitze 10 Minuten goldbraun braten. Wenden und auf der anderen Seite nochmals 10 Minuten braten.

3 | Die Zwiebel schälen und in feine Würfel schneiden. Mit dem Speck zu den Kartoffeln geben und durch Rütteln der Pfanne untermischen. Kurz mitbraten. Die Kartoffeln mit Salz und Pfeffer abschmecken und den Majoran darüberstreuen.

Italienische Bratkartoffeln
mit Pancetta

Für 4 Personen

800 g gegarte festkochende Kartoffeln (mit Schale; vom Vortag) · 2 EL Öl · 100 g Pancetta (ital. Bauchspeck; in Würfeln oder Scheiben) · 80 g getrocknete Tomaten (in Öl) · Salz Pfeffer aus der Mühle · 1 EL gehackte Basilikumblätter

1 | Die Kartoffeln pellen und in etwa ½ cm dicke gleichmäßige Scheiben schneiden.

2 | Das Öl in einer großen Pfanne erhitzen. Den Pancetta darin anbraten und herausnehmen. Die Kartoffelscheiben im Bratfett bei mittlerer Hitze 10 Minuten goldbraun braten. Wenden und auf der anderen Seite nochmals 10 Minuten braten.

3 | Die getrockneten Tomaten in kleine Würfel schneiden. Die Pancetta und die Tomaten zu den Kartoffeln geben. Die Kartoffeln mit Salz und Pfeffer abschmecken und das Basilikum untermischen.

Bratkartoffeln
mit Räucherforellenfilet

Für 4 Personen

800 g gegarte festkochende Kartoffeln (mit Schale; vom Vortag) · 2–3 EL Butterschmalz · 200 g Räucherforellenfilet 1 Handvoll Gartenkresse · Salz · Pfeffer aus der Mühle frisch geriebener Meerrettich

1 | Die Kartoffeln pellen und in etwa ½ cm dicke gleichmäßige Scheiben schneiden.

2 | Das Butterschmalz in einer großen Pfanne erhitzen. Die Kartoffelscheiben darin bei mittlerer Hitze 10 Minuten goldbraun braten. Wenden und auf der anderen Seite nochmals 10 Minuten braten.

3 | Das Räucherforellenfilet zerzupfen. Die Kresse waschen und trocken tupfen. Die Kartoffeln mit Salz und Pfeffer abschmecken. Die Forelle und die Kresse zu den Kartoffeln geben und etwas Meerrettich darüberstreuen.

Tortilla

mit Chorizo, Zucchini und Manchegokäse

Für 4 Personen

400 g gegarte vorwiegend festkochende Kartoffeln (mit Schale; vom Vortag) · 1 Zwiebel · ½ Bund Petersilie · 2 grüne und 1 gelbe Zucchini · 200 g Chorizo (span. Paprikawurst) 1 Bund Rucola · 3 EL Olivenöl · Salz · Pfeffer aus der Mühle 8 Eier · 120 g Manchegokäse (am Stück) · etwas Zitronensaft

1 | Kartoffeln pellen und in dünne Scheiben schneiden. Zwiebel schälen, halbieren und in feine Streifen schneiden. Petersilie waschen, trocken schütteln und grob hacken. Zucchini putzen, waschen, 1 grünen Zucchino und die Chorizo in Scheiben schneiden. Rucola verlesen, waschen und trocken schleudern.

2 | Den Backofen auf 180 °C vorheizen. In einer großen Pfanne 2 EL Olivenöl erhitzen und die Kartoffeln darin bei mittlerer Hitze 5 bis 6 Minuten braten. Dann die Zwiebel, die Petersilie, die Zucchinischeiben und die Chorizo hinzufügen und 5 bis 6 Minuten mitdünsten. Mit Salz und Pfeffer würzen.

3 | Die Eier verquirlen und über die Kartoffelmasse gießen. Den Manchego reiben, darüberstreuen. Die Tortilla im Ofen auf der mittleren Schiene 15 bis 18 Minuten goldbraun backen. Die restlichen Zucchini der Länge nach in dünne Scheiben hobeln. Mit Rucola, Zitronensaft und dem übrigen Olivenöl mischen. Den Salat auf der Tortilla verteilen und servieren.

Tiroler Gröstl

mit Speck und Ei

Für 4 Personen

600 g kleine gegarte festkochende Kartoffeln (mit Schale, vom Vortag) · 2 EL Öl · 250 g grüne Bohnen · Salz · 1 Zwiebel 400 g kalter Braten oder gekochtes Rindfleisch · 2 EL Butter ½ TL abgeriebene unbehandelte Zitronenschale 1 EL gehackter Majoran · ½ TL gemahlener Kümmel 2 EL gehackte Petersilie · Pfeffer aus der Mühle 2 Eier (Größe M) · 100 g Frühstücksspeck (in Scheiben)

1 | Die Kartoffeln in Scheiben schneiden. Das Öl in einer großen Pfanne erhitzen und die Kartoffeln darin goldbraun anbraten. Die Bohnen putzen, in reichlich Salzwasser 5 bis 6 Minuten garen, kalt abschrecken und der Länge nach halbieren. Die Zwiebel schälen, halbieren, in feine Streifen schneiden. Zu den Kartoffeln geben und bei mittlerer Hitze 1 bis 2 Minuten mitdünsten. Den Braten in kleine Stücke zupfen und 2 bis 3 Minuten mitbraten. Die Bohnen und die Butter dazugeben und kurz erwärmen. Zitronenschale, Majoran, Kümmel und Petersilie dazugeben. Mit Salz und Pfeffer würzen.

2 | Die Eier in kochendem Wasser 5 Minuten weich garen. Kurz unter kaltem Wasser abschrecken und pellen. Den Speck in einer Pfanne ohne Fett knusprig braten. Auf Küchenpapier abtropfen lassen. Das Gröstl auf Teller verteilen und mit je 1 halben Ei und dem Speck servieren.

Berner Rösti
mit Salatbouquet

Für 4 Personen

800 g gegarte vorwiegend festkochende Kartoffeln (mit Schale; vom Vortag) · Salz
frisch geriebene Muskatnuss · 1 EL Butterschmalz
100 g durchwachsener Räucherspeck (in Würfeln)
1 Handvoll gemischte Salatblätter (gewaschen)
4 kleine Champignons (geputzt, in Scheiben)

1 | Die Kartoffeln pellen, grob reiben und in einer Schüssel mit Salz und 1 Prise Muskatnuss verrühren.

2 | Das Butterschmalz in einer Pfanne erhitzen und den Speck darin anbraten. Die Kartoffelmasse dazugeben und kurz mit dem Speck verrühren. Den Rösti in der Pfanne gut andrücken und auf jeder Seite bei schwacher Hitze 10 Minuten braten.

3 | Die Salatblätter und die Champignons mischen und mit einer Vinaigrette (siehe S. 40) marinieren. Den Rösti mit den Salatblättern und Champignons anrichten.

Passt zu: Zürcher Geschnetzeltem (siehe S. 215).

Tipp: So lässt sich der Rösti einfach wenden: Einen Teller auf die Pfanne legen, umdrehen und den Rösti zurück in die Pfanne gleiten lassen. Anstatt eines großen Röstis kann man aber auch 4 kleine Portionsrösti braten.

Kartoffelpuffer
mit Aprikosenröster und Vanilleschmand

Für 4 Personen

600 g Aprikosen · 150 ml Holunderblütensirup
Saft von 1 Zitrone · ½ Vanilleschote · 600 g vorwiegend festkochende Kartoffeln · 1 Ei · 1 Eigelb · 1 EL Speisestärke
Salz · frisch geriebene Muskatnuss · 2–3 EL Öl · 250 g Schmand
1 Päckchen Vanillezucker · 1 EL Puderzucker

1 | Den Backofen auf 160 °C vorheizen. Die Aprikosen waschen, halbieren und entsteinen. In eine ofenfeste Form legen und den Sirup darübergießen. Den Zitronensaft darüberträufeln. Die Vanilleschote auskratzen und mit dem Mark unter die Aprikosen mischen. Die Früchte im Ofen auf der mittleren Schiene 15 Minuten garen. Herausnehmen, die Vanilleschote entfernen und die Aprikosen abkühlen lassen.

2 | Die Kartoffeln schälen, waschen und fein reiben. Gut ausdrücken und in eine Schüssel geben. Ei, Eigelb und Speisestärke unterrühren. Mit Salz und 1 Prise Muskatnuss würzen.

3 | Das Öl in einer Pfanne erhitzen und portionsweise etwas Kartoffelmasse hineingeben. Flach drücken und auf beiden Seiten jeweils 2 bis 3 Minuten goldbraun braten. Die Kartoffelpuffer auf Küchenpapier abtropfen lassen. Den Schmand mit dem Vanille- und Puderzucker glatt rühren. Die Puffer mit Aprikosen und Schmand servieren.

Ofenkartoffeln

Für 4 Personen

8 vorwiegend festkochende Kartoffeln (à 150 g) · 1 EL Olivenöl

Den Backofen auf 190 °C vorheizen. Die Kartoffeln mit der Schale gründlich waschen. Die Kartoffeln mit einer Gabel drei- bis viermal rundum einstechen und mit etwas Olivenöl bestreichen. Jede Kartoffel in Alufolie wickeln (glänzende Seite innen) und im Ofen auf der mittleren Schiene etwa 1 Stunde garen.

mit Sour Cream und Speck

200 g Schmand · 200 g saure Sahne · Salz · Pfeffer aus der Mühle · Chiliflocken · 100 g Frühstücksspeck (in Scheiben) 2 Bund Frühlingszwiebeln · 1 EL Olivenöl · 1 EL Ahornsirup

1 | Den Schmand und die saure Sahne verrühren. Mit Salz, Pfeffer und Chiliflocken würzen.

2 | Den Speck in einer Pfanne ohne Fett knusprig braten und auf Küchenpapier abtropfen lassen. Die Frühlingszwiebeln putzen, waschen und schräg in 5 cm lange Stücke schneiden. Das Olivenöl in einer Pfanne erhitzen und die Frühlingszwiebeln 3 bis 4 Minuten darin dünsten. Mit Ahornsirup karamellisieren und mit Salz und Pfeffer würzen.

3 | Die Ofenkartoffeln aufschneiden und mit der Sour Cream füllen. Speck und Frühlingszwiebeln darüber verteilen.

mit Ziegenkäse und gebrannten Mandeln

80 g geschälte ganze Mandeln · 2 EL Zucker
200 g Ziegenfrischkäse · 200 g Schmand · 1 TL Honig
½ TL abgeriebene unbehandelte Orangenschale
Salz · Pfeffer aus der Mühle · 8 Zweige Rosmarin · 5 EL Öl

1 | Den Backofen auf 220 °C vorheizen. Die Mandeln, den Zucker und 1 EL Wasser mischen und auf einem mit Backpapier belegten Backblech verteilen. Die Zuckermandeln im Ofen auf der mittleren Schiene goldbraun karamellisieren. Die Mandeln abkühlen lassen und grob hacken.

2 | Ziegenfrischkäse mit Schmand, Honig und Orangenschale verrühren. Mit Salz und Pfeffer würzen. Rosmarin waschen und trocken schütteln. Öl in einer Pfanne erhitzen und den Rosmarin darin frittieren. Auf Küchenpapier abtropfen lassen.

3 | Die Ofenkartoffeln aufschneiden und mit der Ziegenkäsecreme füllen. Rosmarin und Mandeln darauf verteilen. Nach Belieben mit Orangenzesten garnieren.

mit Roter Bete, Rucola und Shrimpssalat

200 g Rote Beten (vorgegart und vakuumiert) · 1 EL Olivenöl
Salz · Pfeffer aus der Mühle · 1 Bund Rucola · 200 g Shrimps (vorgegart und geschält) · 100 g Mayonnaise · 2 EL Naturjoghurt
1 EL Zitronensaft · 1 EL Schnittlauchröllchen

1 | Die Roten Beten in etwa 1 cm große Würfel schneiden. Mit Olivenöl beträufeln und mit Salz und Pfeffer würzen.

2 | Den Rucola verlesen, waschen und trocken schütteln, grobe Stiele entfernen. Die Shrimps in einem Sieb kalt abbrausen und abtropfen lassen.

3 | Die Mayonnaise, den Joghurt, den Zitronensaft und den Schnittlauch in einer Schüssel verrühren und die Shrimps untermischen. Mit Salz und Pfeffer würzen. Die Ofenkartoffeln aufschneiden, mit Roten Beten und Rucola füllen. Den Shrimpssalat darüber verteilen.

mit griechischem Joghurt, Dill, Feta und Gurke

100 g Schafskäse (Feta) · 1 Knoblauchzehe
½ TL abgeriebene unbehandelte Zitronenschale
1 EL Zitronensaft · 300 g griechischer Joghurt · 1 Bund Dill
Salz · Pfeffer aus der Mühle · 2–3 kleine Gärtnergurken

1 | Den Schafskäse mit einer Gabel zerdrücken. Den Knoblauch schälen und fein hacken. Schafskäse, Knoblauch, Zitronenschale und -saft mit dem Joghurt verrühren.

2 | Den Dill waschen, trocken schütteln und die Spitzen fein hacken. Die Hälfte unter den Joghurt rühren. Mit Salz und Pfeffer würzen.

3 | Die Gurken schälen und längs in dünne Scheiben schneiden. Die Ofenkartoffeln aufschneiden und mit dem Joghurt füllen. Die Gurken und den restlichen Dill darauf verteilen.

Gefüllte Raclettekartoffeln
mit Gurkenrelish

Für 4 Personen

1 weiße Zwiebel · 1 EL Öl · 180 ml Gewürzgurkensud
1–2 TL Speisestärke · 1 TL Senf · 1 TL Puderzucker
150 g Gewürzgurken · 1 TL gehackter Estragon · Salz
Pfeffer aus der Mühle · 240 g Raclettekäse
12 gegarte festkochende Kartoffeln (à 120 g; mit Schale; vom Vortag) · 12 Scheiben Frühstücksspeck · 1 EL Butterschmalz

1 | Die Zwiebel schälen und in feine Würfel schneiden. Das Öl in einem Topf erhitzen und die Zwiebel darin andünsten. Mit dem Gurkensud ablöschen und aufkochen. Die Speisestärke mit wenig kaltem Wasser glatt rühren und den Sud damit binden. Den Senf und den Puderzucker einrühren. Den Topf vom Herd nehmen und etwas abkühlen lassen. Die Gewürzgurken in kleine Würfel schneiden und mit dem Estragon unter die Sauce rühren. Mit Salz und Pfeffer würzen.

2 | Den Backofen auf 220 °C vorheizen. Den Käse in Würfel schneiden. Die Kartoffeln pellen, der Länge nach halbieren und mit einem Kugelausstecher etwas aushöhlen. Mit den Käsewürfeln füllen und die Kartoffelhälften wieder zusammensetzen. Je 1 Scheibe Speck um jede Kartoffel wickeln. Das Butterschmalz in einer Pfanne erhitzen und die Kartoffeln darin rundum kurz anbraten. Im Ofen auf der mittleren Schiene 15 bis 20 Minuten fertig backen.

3 | Die Kartoffeln aus dem Ofen nehmen, mit wenig Salz und Pfeffer würzen und mit dem Gurkenrelish servieren. Dazu passt ein kleiner Salat oder Kräuterblätter.

Kartoffelgratin
mit Möhren

Für 4 Personen

1 EL Butter · 1 Knoblauchzehe · 400 g Sahne · 1 TL abgeriebene unbehandelte Zitronenschale · 1 TL gehackter Thymian
Salz · Pfeffer aus der Mühle · frisch geriebene Muskatnuss
600 g mehligkochende Kartoffeln · 400 g dicke Möhren

1 | Den Backofen auf 180 °C vorheizen. Eine ofenfeste Form mit Butter einfetten. Den Knoblauch schälen und in feine Würfel schneiden. Die Sahne in einem Topf aufkochen und den Knoblauch, die Zitronenschale und den Thymian hinzufügen. Mit Salz, Pfeffer und Muskatnuss kräftig würzen.

2 | Die Kartoffeln schälen und waschen, die Möhren putzen und schälen. Beides in 2 bis 3 mm dicke Scheiben hobeln. Die Kartoffel- und Möhrenscheiben dachziegelartig in die Form schichten und mit der Sahne übergießen. Im Ofen auf der mittleren Schiene 40 bis 50 Minuten überbacken.

Tipp: Lecker schmeckt das Gratin auch mit einer Parmesan-Brot-Kruste. Dafür 150 g Toastbrot im Blitzhacker grob zerkleinern. Mit 100 g frisch geriebenem Parmesan und 1 EL gehackter Petersilie mischen. Die Brösel 15 Minuten vor Ende der Garzeit auf dem Gratin verteilen und fertig überbacken.

Kartoffelschmarren

mit Pfifferlingen und Petersilienschaum

Für 4 Personen

500 g kleine mehligkochende Kartoffeln
Salz
4 Eier
75 g Mehl
75 g Speisestärke
200 ml Milch
Pfeffer aus der Mühle
frisch geriebene Muskatnuss
4 EL Butter
1 Knoblauchzehe
3 Schalotten
300 ml Gemüsebrühe
200 g Sahne
2 Bund Petersilie
400 g Pfifferlinge
1 Msp. abgeriebene unbehandelte Zitronenschale

1 | Die Kartoffeln schälen, waschen und in Salzwasser weich garen. Abgießen, ausdampfen lassen und durch die Kartoffelpresse drücken. Den Backofen auf 190 °C vorheizen. Die Eier trennen. Mehl und Speisestärke mit Milch und Eigelben verrühren. Das Püree unter die Eiermilch heben. Die Eiweiße mit 1 Prise Salz steif schlagen, ebenfalls unterheben. Mit Salz, Pfeffer und Muskatnuss würzen. Eine große Auflaufform mit 1 EL Butter einfetten. Die Kartoffelmasse einfüllen und im Ofen 15 bis 20 Minuten backen.

2 | Den Knoblauch und 1 Schalotte schälen und in feine Würfel schneiden. In einem kleinen Topf 1 EL Butter erhitzen, den Knoblauch und die Schalotte kurz darin andünsten. Die Brühe angießen. Die Hälfte der Sahne dazugeben und 6 bis 8 Minuten köcheln lassen. Die Petersilie waschen und trocken schütteln. Die Blätter abzupfen und in kochendem Salzwasser 10 Sekunden blanchieren, kalt abschrecken und gut ausdrücken. Die restliche Sahne halbsteif schlagen, mit der Petersilie zur Sauce geben und 1 EL kalte Butter in kleinen Würfeln unterrühren. Mit dem Stabmixer pürieren und mit Salz und Pfeffer würzen.

3 | Die Pilze putzen und, falls nötig, trocken abreiben. Große Exemplare halbieren. Die restlichen Schalotten schälen und in feine Würfel schneiden. In einer Pfanne die übrige Butter erhitzen und die Schalotten darin kurz andünsten. Die Pfifferlinge hinzufügen und bei mittlerer Hitze 5 bis 6 Minuten dünsten. Mit Salz, Pfeffer und Zitronenschale würzen. Den Schmarren aus dem Ofen nehmen und mit zwei Gabeln in Stücke reißen. Mit Pfifferlingen und Petersilienschaum servieren.

Kartoffel-Apfel-Stampf
mit Majoran

Für 4 Personen

800 g mehligkochende Kartoffeln · Salz · 1 säuerlicher Apfel (z.B. Braeburn) · 3 EL Butter · 200 ml Milch
2 EL Apfelmus · frisch geriebene Muskatnuss
½ EL gehackter Majoran

1 | Die Kartoffeln schälen, waschen und in reichlich Salzwasser bei mittlerer Hitze 20 bis 30 Minuten weich garen.

2 | Den Apfel vierteln, schälen und entkernen. Apfelviertel in kleine Würfel schneiden. In einer Pfanne 1 EL Butter erhitzen und die Apfelwürfel darin 3 bis 4 Minuten weich dünsten.

3 | Die Milch erhitzen und die restliche Butter darin zerlassen. Die Kartoffeln abgießen, ausdampfen lassen und mit dem Kartoffelstampfer zerdrücken. Die Milch mit einem Kochlöffel unterheben. Die Apfelwürfel und das Apfelmus ebenfalls unterheben und den Stampf mit Salz und Muskatnuss würzen. Zuletzt den Majoran untermischen.

Passt zu: gebratener Kalbsleber (siehe S. 202).

Kartoffelstampf
mit Wurzelgemüse und Meerrettich

Für 4 Personen

800 g mehligkochende Kartoffeln
250 g Knollensellerie · 250 g Möhren · Salz
1 Bund Schnittlauch · ¼ l Milch · 2 EL Butter
1 EL frisch geriebener Meerrettich
frisch geriebene Muskatnuss

1 | Die Kartoffeln schälen und waschen, den Sellerie und die Möhren putzen und schälen. Das Gemüse in 2 cm große Stücke schneiden und in reichlich Salzwasser bei mittlerer Hitze 20 bis 30 Minuten weich garen.

2 | Den Schnittlauch waschen, trocken schütteln und in feine Röllchen schneiden. Die Milch erhitzen und die Butter darin zerlassen. Das Gemüse abgießen und mit dem Kartoffelstampfer zerdrücken. Die Milch und den Meerrettich mit einem Kochlöffel unterheben. Den Kartoffelstampf mit Salz und Muskatnuss würzen und die Schnittlauchröllchen darüberstreuen.

Passt zu: gebratenem Zander (siehe S. 156).

Kokos-Kartoffel-Püree
mit Frühlingszwiebeln und Chilishrimps

Für 4 Personen

1 kg mehligkochende Kartoffeln · Salz · ¼ l Kokosmilch
2 EL Butter · 4 Frühlingszwiebeln · 40 g Ingwer · 1 EL Öl
240 g Garnelen (küchenfertig) · 300 ml Öl zum Frittieren
1 rote Chilischote (entkernt) · 1 Knoblauchzehe (geschält)
1 EL Sojasauce · 150 g Tempuramehl

1 | Kartoffeln schälen, waschen und in Salzwasser weich garen. Abgießen, ausdampfen lassen und durch die Presse drücken. Kokosmilch erhitzen, mit der Butter unterrühren. Salzen.

2 | Frühlingszwiebeln putzen, waschen und schräg in 3 cm lange Stücke schneiden. Ingwer schälen, in feine Streifen schneiden. Das Öl in einer Pfanne erhitzen und beides darin 3 bis 4 Minuten andünsten. Mit Salz würzen.

3 | Die Garnelen abbrausen, abtropfen lassen. Öl in einem Topf erhitzen. Chili und Knoblauch fein hacken. Mit Garnelen und Sojasauce mischen. Tempuramehl mit 210 ml Eiswasser verrühren. Garnelen durch den Teig ziehen und im Öl 2 bis 3 Minuten goldbraun ausbacken. Auf Küchenpapier abtropfen lassen. Chilishrimps und Zwiebeln auf dem Püree anrichten.

Kräuter-Kartoffel-Püree
mit Ziegenfrischkäse

Für 4 Personen

800 g mehligkochende Kartoffeln · Salz · 1 Bund Petersilie
1 Bund Basilikum · 100 ml Milch · 50 g Butter
200 g Ziegenfrischkäse · Pfeffer aus der Mühle

1 | Die Kartoffeln schälen, waschen und in grobe Würfel schneiden. In Salzwasser etwa 20 Minuten weich garen. Inzwischen die Kräuter waschen und trocken schütteln, die Blätter von den Stielen zupfen. Von den Basilikumblättern einige für die Garnitur beiseitelegen, den Rest mit den Petersilienblättern fein hacken.

2 | Die Milch in einem Topf aufkochen. Die Butter in Stücken dazugeben und zerlassen. Den Ziegenfrischkäse dazugeben und kurz erwärmen. Mit Pfeffer würzen.

3 | Die Kartoffeln in ein Sieb abgießen und ausdampfen lassen. Duch die Kartoffelpresse in eine vorgewärmte Schüssel drücken. Die heiße Milch-Ziegenkäse-Mischung locker unter die Kartoffelmasse rühren. Das Püree mit Salz und Pfeffer abschmecken. Die beiseitegelegten Basilikumblätter nach Belieben in Öl ausbacken und das Püree damit garnieren.

Kartoffel-Gurken-Salat

Für 4 Personen

1 kg kleine festkochende Kartoffeln · Salz · 1/2 TL ganzer Kümmel
1 Zwiebel · 1 EL Öl · 300 ml Hühnerbrühe · 1 EL scharfer Senf
3–4 EL Weißweinessig · Zucker · Cayennepfeffer
2 EL geklärte Butter · 1 Salatgurke

1 | Die Kartoffeln mit der Schale gründlich waschen und in Salzwasser mit dem Kümmel weich garen. Kartoffeln abgießen, ausdampfen lassen und möglichst heiß pellen. Abgedeckt beiseitestellen. Die Zwiebel schälen und in feine Würfel schneiden. Das Öl in einer Pfanne erhitzen, die Zwiebel darin glasig dünsten. Die Kartoffeln in etwa 1/2 cm dicke Scheiben schneiden und mit der Zwiebel in eine große Schüssel geben.

2 | Für die Marinade die Brühe aufkochen. Den Senf, den Essig und 150 g gekochte Kartoffeln dazugeben. Mit dem Stabmixer pürieren und kräftig mit Salz, Zucker und Cayennepfeffer würzen. Die Marinade gut mit den Kartoffelscheiben mischen und 1 Stunde ziehen lassen.

3 | Die geklärte Butter unter den Salat rühren. Die Gurke schälen und in feine Scheiben schneiden. Unter den Kartoffelsalat heben und nach Belieben nochmals abschmecken.

Passt zu: Frikadellen (siehe S. 206).

mit gebackenem Ei und Brunnenkresse:

Vier Eier in einem Topf mit kochendem Wasser 5 Minuten garen. Unter kaltem Wasser abschrecken und pellen. Die Eier erst in Mehl, dann in verquirltem Ei und in Semmelbröseln panieren. In einer Pfanne in 2 bis 3 EL Butterschmalz 2 bis 3 Minuten rundum goldbraun braten. Die Blätter von 1 Bund Brunnenkresse waschen, trocken schleudern, grob zerzupfen und unter den Kartoffelsalat heben. Mit den Eiern servieren.

mit Roter Bete, Matjes und Dill:

200 g gegarte und geschälte Rote Beten halbieren und in dünne Scheiben schneiden. 1 Bund Dill waschen, trocken schütteln, die Spitzen abzupfen und fein hacken. Rote Beten und Dill mit 150 g Schmand verrühren und unter den Kartoffelsalat heben. Mit 4 Matjesdoppelfilets, feinen Zwiebelringen und etwas Dill garniert servieren.

mit Avocado, Shrimps und Basilikum:

Zwei Avocados halbieren, entkernen und schälen. Das Fruchtfleisch in kleine Stücke schneiden und den Saft von 1 Limette darüberträufeln. Mit 240 g gegarten Shrimps, 100 g Mayonnaise und 1 Bund grob gehacktem Basilikum unter den Salat heben. Drei Toastscheiben im Blitzhacker grob zerkleinern und in einer Pfanne mit etwas Olivenöl goldbraun rösten. Brösel über den Salat streuen und mit Basilikum garnieren.

Kartoffelsalat
mit Spargel, Räucherforelle und Wasabi

Für 4 Personen

1 kg kleine festkochende Kartoffeln · Salz
½ TL ganzer Kümmel · 1 Zwiebel · 1 EL Öl
100 g Mayonnaise (siehe S. 242) · Saft von 1 Limette
50 g Naturjoghurt · 1 TL Wasabipaste (japan. Meerrettich)
500 g grüner Spargel · 4 geräucherte Forellenfilets
4 EL gehackter Koriander

1 | Die Kartoffeln mit der Schale gründlich waschen und in Salzwasser mit dem Kümmel weich garen. Kartoffeln abgießen, ausdampfen lassen und möglichst heiß pellen. Abgedeckt beiseitestellen. Die Zwiebel schälen und in feine Würfel schneiden. Das Öl in einer Pfanne erhitzen, die Zwiebel darin glasig dünsten. Die Kartoffeln in etwa ½ cm dicke Scheiben schneiden und mit der Zwiebel in eine große Schüssel geben.

2 | Die Mayonnaise, den Limettensaft, den Joghurt und die Wasabipaste verrühren. Den Spargel waschen, im unteren Drittel schälen und, falls nötig, die holzigen Enden abschneiden. Den Spargel in kochendem Salzwasser 10 Minuten bissfest garen. In ein Sieb abgießen, kalt abschrecken und abtropfen lassen. Schräg in 1 cm breite Scheiben schneiden.

3 | Den Spargel und die Wasabimayonnaise unter den Kartoffelsalat heben. Die Forellenfilets grob zerzupfen und auf dem Salat verteilen. Mit etwas Koriander bestreut servieren.

Tipp: Gut schmeckt auch eine Variante mit Räucherlachs, grobkörnigem Senf und Babyspinat.

Gemüse & Vegetarisch

Gesund und bunt

Vom Statisten zum Star: Nicht zuletzt dank der steigenden Zahl an Vegetariern spielt Gemüse immer häufiger eine Hauptrolle – und das in den Küchen rund um den Globus.

Der bunte Schatz aus der Natur Ohne Fleisch können wir überleben, ohne Gemüse nicht. Es sind die Vitamine und Vitalstoffe in Kraut, Rüben & Co., die unseren Muskeln Kraft und Ausdauer schenken, unser Gehirn auf Hochtouren arbeiten lassen, uns vor Krankheiten schützen und uns gut aussehen lassen. Jahrtausendelang gab es vor allem zwei Gründe, warum Menschen fleischlos lebten: Armut oder religiöse Überzeugung. Heute ist ein weiterer Grund dazugekommen, wenigstens ab und zu auf Fleisch zu verzichten: Steigt der Fleischverbrauch genauso stark wie die Weltbevölkerung, wird es immer schwieriger, alle satt zu bekommen. Denn für die Erzeugung von 1 kg Fleisch werden bis zu 16 kg pflanzliche Lebensmittel verbraucht, dazu weitere wertvolle Ressourcen wie Boden und Wasser – von der Belastung des Klimas ganz abgesehen. Die Devise für die Ernährung in der Zukunft kann deshalb nur lauten: mehr Gemüse, weniger Fleisch.

Essen im Wandel der Jahreszeiten Für Vegetarier ist Gemüse unverzichtbar, aber auch Fleischfans möchten natürlich nicht auf leckere Beilagen verzichten – auf zarten Spargel im Frühling, frisch gepalte süße Erbsen im Sommer, orange leuchtenden Kürbis im Herbst oder süßsauren Rotkohl zur Weihnachtsgans. Mit dem Erntekalender erleben wir den Wechsel der Jahreszeiten intensiv und können Genuss immer wieder neu entdecken. Lange sah es so aus, als hätten heimische Gemüsesorten keine Chance gegen das ganzjährige Angebot aus aller Welt. Zum Glück sind inzwischen bei vielen Verbrauchern Gemüse aus der Region und Gemüse der Saison wieder mehr gefragt. Das ist nicht nur gut für unsere Geschmacksnerven, es ist auch gut für unseren Organismus. Denn je schneller Gemüse nach der Ernte in unseren Kochtöpfen landet, je reifer es geerntet wird, desto mehr gesunde Inhaltsstoffe stecken darin. Durch lange Transportwege und falsche Lagerung geht viel davon verloren. Auch die falsche Zubereitung schadet den Vitaminen und Mineralstoffen im Gemüse, an erster Stelle zu langes Garen in zu viel Wasser. Deshalb gilt: Eine schonende Garmethode wie Dünsten oder Dämpfen wählen, Gemüse nicht unnötig lange garen und das Kochwasser möglichst mitverwenden, z.B. für eine Gemüsesuppe.

Gemüse – die gesündeste (Neben-)Sache der Welt Dass Gemüse viele Vitamine enthält, weiß jedes Kind. In den letzten Jahren ist die Ernährungsforschung jedoch weiteren wichtigen Wirkstoffen in pflanzlichen Lebensmitteln auf die Spur gekommen: den sekundären Pflanzenstoffen. Es handelt sich um Substanzen, die den Pflanzen selbst zum Schutz und zur Abwehr von Krankheiten und Schädlingen dienen und ihnen ihre Farbe verleihen. Etwa 10 000 dieser Stoffe kommen in der menschlichen Ernährung vor und schützen auch uns vor schädlichen Umwelteinflüssen und vielen Krankheiten. Sekundäre Pflanzenstoffe mit gesundheitsfördernder Wirkung sind beispielsweise krebsvorbeugende Carotinoide in grünblättrigem Gemüse, blutdrucksenkende Polyphenole im Granatapfel, blutzuckersenkende Phytine im Getreide und entzündungshemmende Saponine in Hülsenfrüchten.

Genießen ohne Fleisch – einfach gut Biologisch gesehen, ist der Mensch ein Allesfresser. Doch wer zeitweise oder auch komplett auf Fleisch verzichtet, schadet seiner Gesundheit nicht. Zahlreiche Studien haben bewiesen, dass eine abwechslungsreiche und ballaststoffreiche pflanzliche Ernährung alles enthält, was der Organismus braucht. Vegetarier müssen also keine Mangelerscheinungen befürchten, solange sie sich bewusst und ausgewogen ernähren. Doch Vegetarier ist nicht gleich Vegetarier. Es gibt die unterschiedlichsten Ausprägungen einer fleischlosen Ernährungsweise: So essen beispielsweise Ovo-Lacto-Vegetarier auch Eier und Milchprodukte, während strenge Vegetarier auf sämtliche tierische Produkte verzichten. Dass Fleischverzicht aber nicht gleichzeitig Genussverzicht bedeutet, beweisen köstliche fleischlose Gerichte aus den verschiedensten Küchen der Welt, vor allem solchen, in denen vegetarische Ernährung traditionell weitverbreitet ist, so wie in Indien. Und besonders in der ländlichen Küche hat man es weltweit schon immer verstanden, aus den einfachsten Zutaten jeder Jahreszeit auch ohne Fleisch gut zu kochen.

Protein – richtig kombiniert noch wertvoller Nur Gemüse essen macht nicht satt. Denn für einen lang anhaltenden Sättigungseffekt sorgen vor allem Lebensmittel, die viel Protein (Eiweiß) enthalten, neben Kohlenhydraten und Fett ein Grundbaustein unserer Ernährung. Besonders gut nimmt der Körper Proteine aus tierischen Lebensmitteln, wie Eier, Milchprodukte und natürlich Fleisch, auf. Aber auch viele pflanzliche Produkte, z.B. Soja, Hülsenfrüchte, Kartoffeln und Getreide, sind sehr eiweißreich. Und wenn man sie richtig kombiniert, sind die Proteine dieser Lebensmittel ebenso hochwertig wie die aus Fleisch. Clevere Kombinationen sind beispielsweise Reis und Bohnen, Mais und Bohnen, Kartoffeln und Milchprodukte, Kartoffeln und Ei, Weizen und Milch, Weizen und Ei oder Soja und Ei. Ein italienischer Risotto mit grünen Bohnen, ein arabisches Couscousgericht oder indisches Curry mit einem Klecks Joghurt oder die beliebte Baked Potatoe mit Sour Cream sind also Köstlichkeiten, die uns nicht nur gut schmecken, sondern auch unserem Körper guttun.

Schwarzwurzeln
Möhren
Cocktailtomaten
grüner und weißer Spargel
Süßkartoffeln
grüner Zucchino
Hokkaidokürbis
Rote Beten
gelber Zucchino
rbsenschoten
Blumenkohl
Champignons
Kräuterseitlinge
Bulgur
Knoblauch
Knollensellerie
Couscous

Gemüse & Vegetarisch – Aromavielfalt

1 AUS DER PFANNE

Auch für das Auge ein Genuss – bissfest gebratenes Gemüse ist am schönsten, wenn man mehrere Sorten mischt. Je nach Saison und Vorlieben kann die Mischung immer wieder anders aussehen. Damit alle Gemüsesorten zur gleichen Zeit fertig sind, werden solche mit längerer Garzeit vor dem Braten kurz gekocht. Das anschließende Abschrecken sorgt dafür, dass die Farbe der Gemüse schön kräftig bleibt.

1. Den Spargel waschen und im unteren Drittel schälen, holzige Enden abschneiden. Zuckerschoten putzen und waschen. Beides in kochendem Salzwasser 2 Minuten blanchieren, abgießen und kalt abschrecken.

2. Champignons putzen, trocken abreiben und halbieren. Zwiebeln schälen und in ½ cm dicke Streifen schneiden. Möhren putzen, schälen und in dünne Scheiben schneiden.

2 AUS DEM OFEN

Einfach zu machen und sehr intensiv im Geschmack – in der großen Hitze des Backofens entwickelt Gemüse ein besonders kräftiges Aroma. Das Mischen oder Beträufeln mit Öl verhindert das Austrocknen, außerdem kann sich dadurch eine leckere Kruste bilden. Zum Garen im Ofen eignen sich vor allem stärkereiche Wurzel- und Knollengemüse wie Rote Beten, Möhren, Pastinaken, Kürbis, Kartoffeln oder Süßkartoffeln.

1. Den Ofen auf 180 °C vorheizen. Rote Beten waschen und trocken tupfen. In einer ofenfesten Form mit 2 EL Olivenöl mischen und mit grobem Salz würzen. Zugedeckt im Ofen auf der mittleren Schiene je nach Größe 50 bis 60 Minuten backen.

2. Die Orange heiß waschen und trocken reiben, die Schale fein abreiben und den Saft auspressen. Die Brunnenkresse waschen, trocken tupfen und in grobe Stücke zupfen.

3 AUS DEM TOPF

Gemüsebeilage mal anders – zu Fisch und Fleischgerichten, Tofu oder Eiern schmecken Gemüsepürees richtig lecker. Besonders cremige Pürees macht man aus Knollen- und Wurzelgemüse (siehe Gemüse aus dem Ofen) sowie aus Hülsenfrüchten. Extra zart wird Püree, wenn man es noch durch ein feines Sieb passiert. Eine Flotte Lotte (Passiersieb mit Kurbel) erledigt Pürieren und Passieren gleich in einem Arbeitsgang.

1. Die Möhren putzen und schälen, die Zwiebel schälen. Beides in 1½ cm große Stücke schneiden.

2. Mit der Gemüsebrühe in einen Topf geben und zugedeckt bei mittlerer Hitze 20 bis 25 Minuten weich garen. Den Deckel abnehmen und die Flüssigkeit fast vollständig einkocheln lassen.

1 BUNTE GEMÜSEPFANNE

1 Bund grüner Spargel
200 g Zuckerschoten
400 g kleine Champignons
2 kleine Zwiebeln
2–3 Möhren
4 EL Butter
300 ml Gemüsebrühe
Salz · Pfeffer aus der Mühle
Chiliflocken
½ TL abgeriebene unbehandelte Zitronenschale

zum Online-Video
www.kochen-digital.de/gemuesepfanne

3. Pilze in 1 EL Butter 3 Minuten braten. Herausnehmen. Zwiebeln und Möhren in 1 EL Butter 2 Minuten anbraten. Brühe dazugeben und 10 Minuten köcheln, bis der Sud verdampft ist.

4. Spargel, Zuckerschoten, Pilze und restliche Butter dazugeben. 3 bis 4 Minuten erhitzen und mit Salz, Pfeffer, Chiliflocken und Zitronenschale würzen. Passt zu gedämpften Garnelen (siehe S. 156) oder Schweinekrustenbraten (siehe S. 220).

2 ROTE BETE MIT BRUNNENKRESSE

800 g mittelgroße Rote Beten
4 EL Olivenöl
grobes Meersalz
1 unbehandelte Orange
1 kleines Bund Brunnenkresse
1 EL frisch geriebener Meerrettich
Pfeffer aus der Mühle

zum Online-Video
www.kochen-digital.de/rote-bete

3. Die Roten Beten aus dem Ofen nehmen, leicht abkühlen lassen, noch warm schälen und in mundgerechte Stücke schneiden.

4. Mit restlichem Olivenöl, Orangenschale und -saft, Brunnenkresse und Meerrettich mischen. Mit Salz und Pfeffer würzen. Passt zu Minutensteaks (siehe S. 200) oder gebratener Entenbrust (siehe S. 178).

3 MÖHREN-KORIANDER-PÜREE

800 g Möhren
1 Zwiebel
300 ml Gemüsebrühe
100 g Sahne
3 EL Butter
Salz · Zucker
frisch geriebene Muskatnuss
Cayennepfeffer
4 Stiele Koriander

zum Online-Video
www.kochen-digital.de/moehrenpueree

3. Die Möhren mit der Sahne und der Butter mit dem Stabmixer fein pürieren. Das Püree mit Salz, Zucker, Muskatnuss, Cayennepfeffer und nach Belieben Pfeffer würzen.

4. Der Koriander waschen und trocken schütteln, die Blätter abzupfen, fein hacken und unter das Möhrenpüree heben. Passt gut zu gebratenem Zander oder gedämpften Garnelen (siehe S. 156)

Schwarzwurzeln
mit Bröselbutter

Für 4 Personen

1 kg Schwarzwurzeln · 2–3 EL Zitronensaft · Salz · 2 EL Öl
2–3 Zweige Majoran · 1 kleines Bund Petersilie · 3 EL Butter
Zucker · Pfeffer aus der Mühle · 2 EL Weißbrotbrösel

1 | Die Schwarzwurzeln unter fließendem kaltem Wasser gründlich abbürsten. Die Stangen von den Enden zu den Spitzen schälen und dann schräg in 4 bis 5 cm lange Stücke schneiden. Sofort in eine Schüssel mit Wasser und Zitronensaft geben, damit sie sich nicht braun verfärben.

2 | Schwarzwurzeln in kochendem Salzwasser 5 bis 6 Minuten bissfest garen, in ein Sieb abgießen, kalt abschrecken und trocken tupfen. Öl in einer Pfanne erhitzen und die Schwarzwurzeln darin bei mittlerer Hitze 4 bis 5 Minuten braun braten.

3 | Kräuter waschen und trocken schütteln, die Blätter abzupfen, fein hacken und mit 1 EL Butter unter die Schwarzwurzeln rühren. Mit Zucker, Salz und Pfeffer würzen.

4 | Die restliche Butter in einer Pfanne erhitzen und die Weißbrotbrösel darin goldbraun rösten. Zum Servieren die Bröselbutter über die Schwarzwurzeln träufeln.

Passt zu: Minutensteaks (siehe S. 200) und geschmortem Fleisch (siehe z.B. S. 220).

Zucchinigemüse
mit Kapern

Für 4 Personen

800 g grüne und gelbe Zucchini · Salz · 3–4 EL Olivenöl
200 g kleine Cocktailtomaten · Pfeffer aus der Mühle
1 kleines Bund Basilikum · 1 EL Kapern · Saft von ½ Zitrone
milde Chiliflocken · 60 g Parmesan (am Stück)

1 | Die Zucchini putzen, waschen und längs in ½ cm dicke Scheiben schneiden. Nebeneinander auf ein Backblech legen, mit etwas Salz bestreuen und 20 Minuten ziehen lassen.

2 | Die Zucchini mit Küchenpapier gut trocken tupfen und auf beiden Seiten mit Olivenöl bestreichen. Eine Pfanne oder Grillpfanne erhitzen und die Zucchinischeiben darin auf beiden Seiten 2 Minuten braten. In eine große Schüssel geben.

3 | Die Cocktailtomaten waschen. Das restliche Olivenöl in der Pfanne erhitzen und die Tomaten darin rundum 3 bis 4 Minuten braten. Zu den Zucchinischeiben in die Schüssel geben und mit Salz und Pfeffer würzen.

4 | Das Basilikum waschen und trocken schütteln, die Blätter abzupfen und grob hacken. Mit den Kapern unter das Gemüse mischen. Das Zucchinigemüse mit Zitronensaft und Chili würzen. Den Parmesan mit dem Sparschäler darüberhobeln.

Passt zu: gebratenem Zander (siehe S. 156).

Glasierter Radicchio
mit Granatapfel

Für 4 Personen

600 g Radicchio · 50 g Pinienkerne · 1 rote Zwiebel
3–4 EL Olivenöl · 2–3 EL Granatapfelsirup · Salz
Pfeffer aus der Mühle · 100 g milder Gorgonzola (dolce)
Kerne von ½ kleinen Granatapfel (nach Belieben)

1 | Radicchio putzen, waschen und längs halbieren. Die Hälften in 2 cm dicke Spalten schneiden und den weißen Strunk nur so weit entfernen, dass die Blätter noch zusammenbleiben.

2 | Die Pinienkerne in einer Pfanne ohne Fett bei mittlerer Hitze goldbraun rösten. Die Zwiebel schälen und in feine Streifen schneiden. Das Olivenöl in einer großen Pfanne erhitzen und die Zwiebelstreifen darin 2 bis 3 Minuten andünsten.

3 | Die Radicchiospalten dazugeben und bei mittlerer Hitze 2 bis 3 Minuten braten. Mit dem Granatapfelsirup ablöschen und den Radicchio noch 2 Minuten dünsten. Mit Salz und Pfeffer würzen und auf Tellern anrichten.

4 | Käse in kleine Stücke zupfen und mit Pinienkernen und nach Belieben Granatapfelkernen über den Radicchio streuen.

Tipp: Wer den Radicchio nicht ganz so bitter mag, legt die Spalten 30 Minuten in warmes Wasser. Anschließend gut trocken tupfen und nach Rezept weiterverarbeiten.

Sellerieschnitzel
mit Zitronen-Chili-Dip

Für 4 Personen

1 unbehandelte Zitrone · 1 Sellerieknolle (ca. 800 g)
Salz · Pfeffer aus der Mühle · 2 Eier (Größe L) · 250 g Toastbrot (fein gemahlen) · 3–4 EL Mehl · 100 ml Öl zum Frittieren
1 EL Butter · 100 g Mayonnaise (siehe S. 242) · 150 g saure Sahne
½ TL Chiliflocken · 2 EL Schnittlauchröllchen

1 | Zitrone heiß waschen und trocken reiben, Schale fein abreiben und Saft auspressen. Sellerie putzen, schälen, halbieren und in ½ cm dicke Scheiben schneiden. In kochendem Salzwasser mit Zitronensaft 3 bis 4 Minuten garen. Gut trocken tupfen und mit Salz, Pfeffer und Zitronenschale würzen.

2 | Die Eier in einem tiefen Teller verquirlen. Toastbrot und Mehl ebenfalls in tiefe Teller geben. Selleriescheiben im Mehl wenden, durch die Eier ziehen und mit den Bröseln panieren.

3 | Das Öl in einer großen Pfanne erhitzen und die Schnitzel darin auf beiden Seiten je 2 bis 3 Minuten goldbraun braten. Die Pfanne vom Herd ziehen und das Öl vorsichtig abschütten. Die Butter in der Pfanne zerlassen, die Sellerieschnitzel darin wenden und auf Küchenpapier kurz abtropfen lassen.

4 | Mayonnaise, saure Sahne, Chiliflocken und Schnittlauch verrühren. Mit Salz, Pfeffer und Zitronensaft würzen. Zitronen-Chili-Dip zu den Sellerieschnitzeln servieren.

Samosas
mit Curry und Erbsen

Für 4 Personen

6 EL Öl · 1 EL Naturjoghurt · Salz · 1 TL gemahlene Kurkuma
450 g Mehl · 200 g Erbsen (tiefgekühlt) · 1 Zwiebel
4 cm Ingwer · 1 kleines Bund Koriander
je 1 TL gemahlener Kreuzkümmel, Currypulver und
mildes Chilipulver · 400 g gegarte vorwiegend festkochende
Kartoffeln (ohne Schale) · Mehl für die Arbeitsfläche
400 ml Öl zum Ausbacken

1 | Für den Teig 4 EL Öl, den Joghurt, 1 TL Salz, die Kurkuma und 225 ml lauwarmes Wasser in einer Schüssel verrühren. Das Mehl dazugeben und alles zu einem glatten Teig verkneten. Zugedeckt bei Zimmertemperatur 30 Minuten ruhen lassen.

2 | Inzwischen die Erbsen auftauen lassen. Die Zwiebel und den Ingwer schälen und in feine Würfel schneiden. Den Koriander waschen und trocken schütteln, die Blätter abzupfen und grob hacken.

3 | Das restliche Öl in einer Pfanne erhitzen, Zwiebel und Ingwer darin 2 bis 3 Minuten anbraten. Kreuzkümmel, Curry- und Chilipulver dazugeben und ½ Minute mitbraten. Kartoffeln mit einer Gabel grob zerdrücken und dazugeben. Erbsen und Koriander ebenfalls untermischen. Die Gemüsemischung in eine Schüssel füllen und mit Salz würzen.

4 | Den Teig auf der bemehlten Arbeitsfläche 2 mm dünn ausrollen und Kreise (à 15 cm Durchmesser) ausstechen. Jeweils 1 EL Kartoffel-Erbsen-Füllung in die Mitte der Kreise geben. Die Teigränder mit etwas Wasser einpinseln, über der Füllung halbmondförmig zusammenklappen und die Ränder mit einer Gabel gut andrücken.

5 | Das Öl zum Ausbacken in einer Pfanne erhitzen und die Samosas darin auf beiden Seiten je 1 bis 2 Minuten goldbraun ausbacken. Herausnehmen und auf Küchenpapier abtropfen lassen. Nach Belieben mit Koriander garnieren und mit Mangosalsa (siehe S. 252) oder Chilisauce servieren.

Spargel-Minze-Couscous

und Halloumi mit Fladenbrot

Für 4 Personen

200 g Erbsen (tiefgekühlt) · 120 g Instant-Couscous
1 TL Ras-el-Hanout · 200 ml Gemüsebrühe
1 Bund grüner Spargel · 40 g Butter · 1 kleines Bund Minze
1 unbehandelte Zitrone · 250 g Halloumi (Grillkäse)
1 EL Öl · 4 kleine Fladenbrote (oder Pita-Brote)
200 g griechischer Joghurt (10 % Fett)
Zitronenspalten (nach Belieben)

1 | Die Erbsen auftauen lassen. Den Couscous mit dem Ras-el-Hanout in eine Schüssel geben. Die Brühe aufkochen, unterrühren und den Couscous zugedeckt 5 bis 6 Minuten quellen lassen. Dann mit einer Gabel auflockern.

2 | Den Spargel waschen und nur im unteren Drittel schälen. Die holzigen Enden abschneiden und den Spargel schräg in dünne Scheiben schneiden.

3 | Die Butter in einer Pfanne erhitzen, Spargel und Erbsen darin 3 bis 4 Minuten dünsten. Den Couscous untermischen, alles weitere 3 bis 4 Minuten garen und dann in eine Schüssel geben.

4 | Die Minze waschen und trocken schütteln, die Blätter abzupfen und – bis auf einige zum Garnieren – grob hacken. Die Zitrone heiß waschen und trocken reiben, die Schale fein abreiben und den Saft auspressen. Minze, Zitronenschale und -saft unter den Couscous mischen und den Couscous mit Salz und Pfeffer würzen.

5 | Den Halloumi in 1 cm dicke Scheiben schneiden. Das Öl in einer Grillpfanne erhitzen und den Käse darin auf beiden Seiten je 1 bis 2 Minuten goldbraun braten. Auf einen Teller legen. Die Fladenbrote nach Belieben in der Pfanne kurz anbraten.

6 | Spargel-Minze-Couscous auf Teller verteilen, den Halloumi darauf anrichten und das Fladenbrot dazu reichen. Mit den restlichen Minzeblättern, je 1 Klecks Joghurt und nach Belieben Zitronenspalten servieren.

Tipp: Anstelle des Halloumi können Sie auch knusprig gebratenes Fischfilet (z.B. Zanderfilet, siehe S. 156) mit dem Spargel-Minze-Couscous servieren.

Ofenkürbis
mit Gewürzen

Für 4 Personen

1–1 ½ kg Kürbis (Butternut oder Hokkaido) · je ½ TL Koriander-körner, Fenchelsamen, schwarze Pfefferkörner und getrockneter Oregano · 1 getrocknete Chilischote
1 TL grobes Meersalz · 1 Knoblauchzehe · 6 EL Olivenöl
1–2 Bund Rucola · 1 rote Peperoni · 60 g Parmesan (in Spänen)

1 | Backofen auf 200 °C vorheizen. Kürbis, falls nötig, schälen, halbieren, entkernen und in 3 cm dicke Spalten schneiden.

2 | Gewürze, Chili und Salz im Mörser zerstoßen. Den Knoblauch schälen, dazugeben und zerreiben. 4 EL Olivenöl unterrühren. Die Kürbisspalten auf einem Backblech mit der Würzpaste gut mischen. Im Ofen auf der mittleren Schiene 30 bis 35 Minuten backen.

3 | Den Rucola verlesen, waschen und trocken schütteln, grobe Stiele entfernen. Die Peperoni putzen, waschen und in dünne Ringe schneiden. Den Kürbis mit restlichem Olivenöl beträufeln und mit Parmesan, Rucola und Peperoni anrichten.

Fenchelgratin
mit Cocktailtomaten und Rosmarin

Für 4 Personen

5 große Fenchelknollen (mit Grün) · Salz · 2 EL Butter
1 Zwiebel (in feinen Würfeln) · 1 TL Fenchelsamen
1 EL gehackter Rosmarin · 60 ml frisch gepresster Orangensaft
200 g Mascarpone · Pfeffer aus der Mühle
200 g Cocktailtomaten · 100 g geriebener Mozzarella

1 | Den Fenchel putzen und waschen, das Grün abschneiden, fein hacken und beiseitelegen. Fenchel halbieren, in 2 cm dicke Spalten schneiden und in kochendem Salzwasser 7 bis 8 Minuten bissfest garen. Herausnehmen und abtropfen lassen. Den Kochsud aufbewahren.

2 | Backofen auf 200 °C vorheizen. In einem Topf 1 EL Butter erhitzen, Zwiebel, Fenchelsamen und Rosmarin darin 1 bis 2 Minuten andünsten. Mit 300 ml Fenchelsud ablöschen und auf die Hälfte einkochen lassen. Orangensaft und Mascarpone unterrühren, aufkochen lassen, salzen und pfeffern.

3 | Eine ofenfeste Form mit der restlichen Butter einfetten, Fenchelspalten darin verteilen. Tomaten waschen, halbieren und darüber verteilen. Sauce darübergießen und Käse darüberstreuen. Gratin im Ofen auf der mittleren Schiene 15 bis 20 Minuten überbacken. Mit Fenchelgrün bestreut servieren.

Geschmorter Weißkohl
mit Apfel und Walnüssen

Für 4 Personen

1 kleiner Weißkohl (1–1,2 kg) · 1 Zwiebel · 1 Knoblauchzehe
1 säuerlicher Apfel (z.B. Braeburn) · 2 EL Butterschmalz
300 ml Gemüsebrühe · 1–2 EL Apfelmus · 1 EL gehackte Petersilie · gemahlener Kümmel · Salz · Cayennepfeffer
frisch geriebene Muskatnuss · 40 g gehackte Walnüsse

1 | Backofen auf 180 °C vorheizen. Vom Weißkohl die äußeren Blätter entfernen, den Kohl vierteln, Strunk herausschneiden und die Kohlviertel in 3 bis 4 cm große Stücke schneiden. Zwiebel und Knoblauch schälen, in feine Würfel schneiden. Apfel vierteln, schälen, entkernen, in kleine Würfel schneiden.

2 | Einen Bräter in den Ofen auf die mittlere Schiene stellen. Nach 5 Minuten das Butterschmalz, Zwiebel, Knoblauch und Apfelwürfel hineingeben. Den Kohl darauflegen und im Ofen 15 Minuten braten, dabei ab und zu wenden.

3 | Mit der Brühe ablöschen und den Kohl zugedeckt 30 bis 40 Minuten schmoren. Apfelmus und Petersilie unterrühren und den Kohl mit Kümmel, Salz, Cayennepfeffer und Muskatnuss würzen. Mit Walnüssen bestreut servieren.

Passt zu: Schweinekrustenbraten (siehe S. 220).

Wurzelgemüse
mit Petersilienpesto

Für 4 Personen

300 g kleine Petersilienwurzeln · je 300 g Bundmöhren und Knollensellerie · 200 g Schalotten · Salz · Zucker
Pfeffer aus der Mühle · 2–3 EL Öl · 1 Rezept Petersilienpesto (siehe »Maultaschen mit Petersilienpesto«, S. 96)

1 | Petersilienwurzeln, Möhren und Sellerie putzen und schälen, Schalotten schälen. Petersilienwurzeln und Möhren der Länge nach halbieren. Sellerie vierteln und in 1 cm dicke Scheiben schneiden. Gemüse und Schalotten in einer großen Schüssel mit Salz, Zucker und Pfeffer würzen. 20 Minuten ziehen lassen.

2 | Den Backofen auf 200 °C vorheizen. Das Gemüse mit dem Öl mischen und auf einem Backblech verteilen. Im Ofen auf der mittleren Schiene 40 bis 50 Minuten backen.

3 | Inzwischen das Petersilienpesto, wie auf S. 96 beschrieben, zubereiten. Das Gemüse mit dem Petersilienpesto servieren.

Passt zu: Rinderrouladen (siehe S. 229) oder pochiertem Rinderfilet (siehe S. 235).

Gefüllte Paprika
mit Mandel-Rosinen-Bulgur

Für 4 Personen

50 g Mandelblättchen · 260 g Bulgur (oder Instant-Couscous) 40 g Rosinen · 600 ml Gemüsebrühe · 200 g junger Spinat 1 EL Butter · 1–2 EL gehackter Koriander · Salz · Pfeffer aus der Mühle · Zucker · gemahlener Kreuzkümmel · je 4 rote und gelbe Paprikaschoten · 1 weiße Zwiebel · 2 Knoblauchzehen · 1 Chilischote · 1 EL Olivenöl · 800 g stückige Tomaten (aus der Dose)

1 | Mandeln in einer Pfanne ohne Fett goldbraun rösten. Mit Bulgur und Rosinen in eine Schüssel geben. Die Brühe aufkochen und darübergießen. Den Bulgur zugedeckt 15 bis 20 Minuten quellen lassen. Dann mit einer Gabel auflockern.

2 | Backofen auf 180 °C vorheizen. Spinat verlesen, waschen und trocken schleudern. In einem Topf in der Butter zusammenfallen lassen und mit dem Koriander unter den Bulgur mischen. Mit Salz, Pfeffer, Zucker und Kreuzkümmel würzen.

3 | Von den Paprikaschoten jeweils einen Deckel abschneiden und die Kerne entfernen. Paprika waschen, trocken tupfen und mit der Bulgurmischung füllen. Deckel wieder aufsetzen.

4 | Zwiebel und Knoblauch schälen. Chilischote längs halbieren, entkernen und waschen. Alles in feine Würfel schneiden und in einem Topf im Olivenöl 1 bis 2 Minuten andünsten. Tomaten dazugeben und mit Salz, Pfeffer, Zucker und Kreuzkümmel würzen. Die Sauce in eine ofenfeste Form geben, Paprika daraufsetzen und zugedeckt im Ofen auf der mittleren Schiene 45 bis 50 Minuten schmoren lassen. Nach Belieben mit 1 Klecks griechischem Joghurt servieren. Dazu passt Zitronenchutney (siehe S. 253).

Knusperstrudel
mit zweierlei Spargel

Für 4 Personen

800 g weißer Spargel · 500 g grüner Spargel · Salz 100 g zerlassene Butter · ½ TL abgeriebene unbehandelte Zitronenschale · milde Chiliflocken 8 Strudel- oder Filoteigblätter (ca. 250 g; aus dem Kühlregal) 50 g Panko (asiat. Paniermehl; siehe Tipp S. 163)

1 | Den Backofen auf 200 °C vorheizen. Den weißen Spargel schälen und die holzigen Enden abschneiden. Den grünen Spargel waschen, nur im unteren Drittel schälen und die holzigen Enden abschneiden. Beide Spargelsorten in kochendem Salzwasser 2 bis 3 Minuten blanchieren, herausnehmen, kalt abschrecken und trocken tupfen. Die Spargelstangen mit 2 bis 3 EL flüssiger Butter beträufeln und mit Zitronenschale, Salz und Chiliflocken würzen.

2 | Vier Teigblätter nebeneinanderlegen und mit flüssiger Butter bestreichen. Mit Panko bestreuen und jeweils ein zweites Teigblatt darauflegen. Wieder mit flüssiger Butter bestreichen. Jeweils einige Spargelstangen auf dem unteren Blattdrittel verteilen, die seitlichen Enden einschlagen und die Teigblätter von unten nach oben aufrollen.

3 | Die Strudelpäckchen auf ein mit Backpapier belegtes Backblech setzen und mit der restlichen flüssigen Butter bestreichen. Im Ofen auf der mittleren Schiene 20 bis 25 Minuten goldbraun backen. Dazu passen eine Sauce hollandaise (siehe S. 246) und ein Salat aus zarten Salatblättern.

Bunte Tomatentarte
mit Kräuterjoghurt

Für 4 Personen

1 Bund gemischte Kräuter (Petersilie, Schnittlauch, Estragon, Basilikum)
1 Knoblauchzehe
200 g griechischer Joghurt
200 g Frischkäse
Meersalz · Pfeffer aus der Mühle
375 g Blätterteig (ausgerollt; aus dem Kühlregal)
600 g rote und gelbe Cocktailtomaten
2 EL Olivenöl · Zucker
1 Eigelb · 2 EL Sahne

1 | Den Backofen auf 200 °C vorheizen. Die Kräuter waschen und trocken schütteln, die Blätter abzupfen und – bis auf einige für die Deko – fein hacken. Den Knoblauch schälen und in feine Würfel schneiden. Die Kräuter und den Knoblauch mit dem Joghurt und dem Frischkäse verrühren. Mit Meersalz und Pfeffer würzen.

2 | Den Blätterteig aus der Verpackung nehmen, die Ränder gerade abschneiden und den Teig auf ein mit Backpapier ausgelegtes Backblech legen. Die Kräutermasse auf den Teig streichen, dabei rundum einen 1 cm breiten Rand frei lassen.

3 | Die Tomaten mit einem Gemüsemesser kurz anstechen, überbrühen, kalt abschrecken und häuten. Mit dem Olivenöl mischen und mit Meersalz, Pfeffer und Zucker würzen. Die Tomaten auf dem Kräuterjoghurt verteilen.

4 | Das Eigelb mit der Sahne verquirlen und den Teigrand damit bestreichen. Die Tomatentarte im Ofen auf der mittleren Schiene 25 bis 30 Minuten goldbraun backen. Mit den restlichen Kräutern und nach Belieben Knusperparmesan (siehe Tipp S. 56) bestreuen.

Selleriepüree
mit Trüffel

Für 4 Personen

800 g Knollensellerie · 3 EL Butter · 200 g Sahne
20 g eingekochter Sommertrüffel
Salz · Pfeffer aus der Mühle · 1/4 TL hochwertiges Trüffelöl

1 | Den Sellerie putzen, schälen und in 1 cm große Würfel schneiden. In einem Topf 1 EL Butter erhitzen und die Selleriewürfel darin 3 bis 4 Minuten andünsten.

2 | Die Sahne dazugeben und den Sellerie zugedeckt bei schwacher Hitze 20 bis 25 Minuten weich garen.

3 | Die Selleriewürfel mit dem Schaumlöffel herausheben und im Blitzhacker mit der restlichen Butter und dem Sommertrüffel fein pürieren.

4 | Nach und nach den Sahnesud dazugeben, bis das Püree eine cremige Konsistenz hat. Mit Salz und Pfeffer würzen und mit dem Trüffelöl verfeinern.

Passt zu: Wild- und Geflügelgerichten, wie z.B. Rehrücken im Weißbrotmantel (siehe S. 190; ohne Rosenkohl).

Rote-Bete-Püree
mit Meerrettich

Für 4 Personen

600 g mehligkochende Kartoffeln · Salz · 100 ml Milch
3 EL Butter · frisch geriebene Muskatnuss · 300 g Rote Beten (vorgegart und vakuumiert) · 2 EL Sahnemeerrettich (aus dem Glas) · Pfeffer aus der Mühle · gemahlener Kümmel

1 | Die Kartoffeln schälen, waschen und in Salzwasser weich garen. Abgießen, ausdampfen lassen und durch die Kartoffelpresse drücken. Die Milch erhitzen und 2 EL Butter darin zerlassen. Mit Muskatnuss würzen, heiße Milch unterrühren.

2 | Die Roten Beten in kleine Würfel schneiden. Die restliche Butter in einem Topf erhitzen und die Roten Beten darin erwärmen. In einen hohen Rührbecher geben und mit dem Stabmixer fein pürieren.

3 | Das Rote-Bete-Püree und den Sahnemeerrettich unter das Kartoffelpüree heben. Mit Salz, Pfeffer und Kümmel würzen.

Passt zu: Hirschmedaillons (siehe S. 184) und zu gebratener oder geräucherter Forelle.

Kürbispüree
mit Ingwer

Für 4 Personen

700 g Kürbisfruchtfleisch (z.B. Muskat- oder Butternutkürbis)
5 cm Ingwer · 3 EL Butter · 300–400 ml Gemüsebrühe
100 g Sahne · Salz · Cayennepfeffer · Zimtpulver

1 | Das Kürbisfruchtfleisch in 2 cm große Würfel schneiden. Den Ingwer schälen und in feine Würfel schneiden.

2 | In einem Topf 1 EL Butter erhitzen, Kürbis und Ingwer darin 3 bis 4 Minuten andünsten. Die Brühe dazugießen und den Kürbis zugedeckt bei schwacher Hitze 20 bis 25 Minuten weich garen.

3 | Die restliche Butter und die Sahne dazugeben und mit dem Stabmixer fein pürieren. Das Kürbispüree mit Salz, Cayennepfeffer und 1 Prise Zimt würzen.

Passt zu: gebratenem oder gedämpftem Fischfilet (siehe S. 156) und zu kurz gebratenem Fleisch (siehe S. 200).

Tipp: Nach Belieben können Sie das Püree mit Kürbiskernen, gehacktem Koriander oder Röstzwiebeln bestreuen.

Blumenkohl-Kokos-Püree
mit Wasabi

Für 4 Personen

800 g Blumenkohl · Salz · 2 Stängel Zitronengras
200 ml Kokoscreme · 1 EL Butter · 1 TL Wasabipaste

1 | Den Blumenkohl putzen, waschen und in kleine Röschen zerteilen. In kochendem Salzwasser 15 bis 20 Minuten weich garen. In ein Sieb abgießen und abtropfen lassen.

2 | Vom Zitronengras die obere trockene Hälfte und die äußeren Blätter entfernen. Die Stängel flach klopfen und mit der Kokoscreme in einem Topf aufkochen.

3 | Das Zitronengras aus der Kokoscreme wieder entfernen. Blumenkohl, Butter und die Wasabipaste zur Kokoscreme geben und alles fein pürieren. Das Püree mit Salz würzen.

Passt zu: gebratenem Fischfilet (z.B. Zanderfilet, siehe S. 156) und gebratenen Garnelen.

Süßkartoffelcurry
mit Mango und Mohn

Für 4 Personen

600 g Süßkartoffeln
400 g vorwiegend festkochende Kartoffeln
1 Zwiebel
2 Knoblauchzehen
3–4 cm Ingwer
2 rote Chilischoten
2 EL Butter
1 EL Currypulver
je ½ TL gemahlene Kurkuma und gemahlener Kreuzkümmel
300 ml Gemüsebrühe
200 ml Kokosmilch
30 g gemahlener Mohn
1 reife Mango
150 g Sahnejoghurt
1 Bund Koriander

1 | Die Süßkartoffeln und Kartoffeln schälen, waschen und in 2 cm große Stücke schneiden. Zwiebel, Knoblauch und Ingwer schälen und in feine Würfel schneiden. Die Chilischoten längs halbieren, entkernen und waschen. Eine Chilischote in feine Würfel, die andere in feine Streifen schneiden.

2 | Die Butter in einem großen Topf erhitzen. Zwiebel, Knoblauch und Ingwer darin 1 bis 2 Minuten andünsten. Currypulver, Kurkuma und Kreuzkümmel darüberstäuben und kurz anrösten. Mit der Brühe und der Kokosmilch ablöschen. Die Süßkartoffeln und Kartoffeln dazugeben und bei schwacher Hitze 20 bis 25 Minuten weich garen.

3 | Inzwischen den Mohn in einer Pfanne ohne Fett rösten, bis er duftet. Die Mango schälen und das Fruchtfleisch vom Stein schneiden. Zwei Drittel des Fruchtfleisches in 1 cm große Stücke, den Rest in dünne Spalten schneiden.

4 | Die Mangostücke und die Chiliwürfel mit dem Joghurt verrühren und unter das Curry rühren. Achtung, das Curry darf jetzt nicht mehr kochen, sonst gerinnt der Joghurt.

5 | Koriander waschen und trocken schütteln, die Blätter abzupfen und – bis auf einige für die Deko – unter das Curry rühren. Das Süßkartoffelcurry mit Mangospalten, restlichem Koriander, Chilistreifen und Mohn garnieren. Dazu passt Naan-Brot oder Basmatireis.

Peperonata
mit Mascarponepolenta

Für 4 Personen

½ l Gemüsebrühe · 180 g Instant-Polenta · 2 EL Mascarpone
40 g geriebener Parmesan · 1 Eigelb · Salz · Pfeffer aus der Mühle · Öl für das Blech · je 2 rote und gelbe Paprikaschoten
1 Fleischtomate · 2 Zwiebeln · 2 Knoblauchzehen · 4 EL Olivenöl
400 g stückige Tomaten (aus der Dose) · 2 EL Rotweinessig
1 Lorbeerblatt · Zucker · 2 EL gehacktes Basilikum

1 | Die Brühe aufkochen und die Polenta einrühren. Kurz aufkochen und dann bei schwacher Hitze 5 Minuten quellen lassen. Mascarpone, Parmesan und Eigelb unterrühren. Die Polenta mit Salz und Pfeffer würzen und 1 cm dick auf ein geöltes Backblech streichen. Die Polenta abkühlen lassen.

2 | Die Paprikaschoten, wie auf S. 22 beschrieben, grillen und häuten. Dann in mundgerechte Stücke schneiden. Die Tomate kreuzweise einritzen, überbrühen, kalt abschrecken, häuten, vierteln und entkernen. Die Tomatenviertel in 1 cm große Würfel schneiden.

3 | Zwiebeln und Knoblauch schälen, in feine Würfel schneiden und in einem Topf in 2 EL Olivenöl 2 bis 3 Minuten andünsten. Paprika und Tomate dazugeben und 2 Minuten mitdünsten. Dosentomaten, Essig und Lorbeer hinzufügen und zugedeckt 20 Minuten schmoren lassen. Mit Salz, Pfeffer und Zucker würzen, das Basilikum unterheben.

4 | Polentamasse nach Belieben ausstechen oder in Rechtecke und Quadrate schneiden. Restliches Olivenöl in einer (Grill-)Pfanne erhitzen und die Polentaschnitten darin auf beiden Seiten je 2 Minuten braten. Mit der Peperonata servieren.

Spinat-Ricotta-Knödel
mit Salbeibutter

Für 4 Personen

200 g junger Spinat · Salz · 250 g Ricotta · 100 g Spätzlemehl (oder Mehl Type 405) · 60 g geriebener Parmesan · 1 Ei (Größe M) · Pfeffer aus der Mühle · frisch geriebene Muskatnuss
½ TL abgeriebene unbehandelte Zitronenschale
milde Chiliflocken · 1½ l Gemüsebrühe · 4 Scheiben Toastbrot
4 Stiele Salbei · 120 g Butter

1 | Den Spinat verlesen und waschen. In kochendem Salzwasser blanchieren, abgießen und kalt abschrecken. Gut ausdrücken und fein hacken. In einer Schüssel mit Ricotta, Mehl, Parmesan und Ei gut mischen. Die Masse mit Salz, Pfeffer, Muskatnuss, Zitronenschale und Chiliflocken würzen.

2 | Die Brühe in einem großen Topf aufkochen lassen. Aus der Spinat-Ricotta-Masse mit angefeuchteten Händen 16 kleine Knödel formen und in der Brühe bei schwacher Hitze 10 bis 15 Minuten gar ziehen lassen, bis sie nach oben steigen.

3 | Das Toastbrot entrinden und in kleine Würfel schneiden. Den Salbei waschen und trocken tupfen, die Blätter abzupfen. In einer Pfanne 80 g Butter erhitzen und die Salbeiblätter darin 1 Minute braten. Die Knödel mit dem Schaumlöffel aus der Brühe heben, abtropfen lassen und in der Salbeibutter wenden. Mit Salz und Pfeffer würzen.

4 | Die restliche Butter in einer Pfanne erhitzen und die Brotwürfel darin goldbraun braten. Auf Küchenpapier abtropfen lassen und über den Knödeln verteilen. Nach Belieben mit Parmesan bestreuen. Dazu passt ein Wildkräutersalat oder gemischter Blattsalat.

Fisch & Meeresfrüchte

Delikatessen aus Meer & Co.

Ob schnelle Alltagsküche oder edles Festessen – die riesige Auswahl an Fisch und Meeresfrüchten ist die ideale Voraussetzung für eine abwechslungsreiche und gesunde Küche.

Der Schatz der Ozeane Drei Viertel der Erdoberfläche sind mit Wasser bedeckt, über 20 000 Fischarten leben darin. Bis vor nicht allzu langer Zeit waren fangfrischer Meeresfisch und Meeresfrüchte jedoch ein Privileg der Menschen, die in der Nähe der Küste zu Hause waren, der Rest begnügte sich mit dem, was Bäche, Flüsse und Seen in der Nachbarschaft hergaben. Durch moderne Transport- und Lagermethoden kommen heute alle in den Genuss von frischem Meeresfisch. Und der Appetit auf das gesunde Lebensmittel wächst stetig – nicht ohne Folgen: Die Ressourcen werden knapper, Fangquoten und zunehmende Fischzucht in Aquakulturen sind die Konsequenz. Damit wir uns auch in Zukunft noch daraus bedienen können, sollten wir mit dem Schatz aus den Ozeanen umsichtig umgehen.

Salzwasserfische Etwa zwei Drittel der kommerziell genutzten Fischarten leben im Meer. Die Favoriten: Mittelmeerfische wie Dorade (Goldbrasse), Seeteufel, Rotbarbe oder Wolfsbarsch (Loup de mer) werden oft im Ganzen angeboten und eignen sich gut zur Zubereitung auf dem Grill oder im Ofen. Durch den Siegeszug von Sushi hat der Thunfisch einen wahren Boom erfahren. Roh oder nur kurz rosa angebraten schmeckt sein saftiges dunkelrotes Fleisch am besten. Gut zum Grillen eignet sich das feste Fleisch des Schwertfischs, der meist in »Koteletts« geschnitten vekauft wird. Plattfische wie Scholle, Seezunge oder Steinbutt haben besonders delikates zartes Fleisch, je nach Größe werden sie im Ganzen in Butter gebraten oder im Ofen gegart. Die grätenfreien Filets von Kabeljau, Rotbarsch, Lengfisch, Schellfisch und Seelachs sind schnell und unkompliziert in der Zubereitung und eignen sich für alle Garmethoden. Traditionell groß ist der Appetit der Verbraucher auf Hering und Sardine. Der größte Teil davon wird allerdings nicht frisch, sondern in Form von Matjes, Ölsardine, Bismarckhering & Co. verspeist.

Süßwasserfische Eine frisch geangelte Bachforelle ist eine Delikatesse. Meist stammen Forellen, Lachsforellen und Saiblinge, die alle zur Familie der Lachsfische gehören, heute aber aus Aquakulturen. Sie werden überwiegend im Ganzen zubereitet, geräuchert, auf »Müllerin-Art« in der Pfanne gebraten oder »blau« gekocht. So wird auch der Feiertagsfisch Karpfen gerne gegessen. Seit einigen Jahren steht der festfleischige Zander bei Fischliebhabern hoch im Kurs – man schätzt sein Filet vor allem auf der Haut gebraten. Wegen seiner vielen feinen Gräten ist der Hecht etwas in Vergessenheit geraten, er wird hauptsächlich für Fischklößchen oder Farcen verwendet. Grätenarm und fest ist das Fleisch des größten europäischen Süßwasserfisches: Der Wels oder Waller ist vor allem im Donauraum ausgesprochen beliebt. Liebling vieler Fischfans ist der Lachs. Obwohl der stattliche Fisch mit dem zartrosa Fleisch die meiste Zeit seines Lebens im Meer verbringt, gehört er zu den Süßwasserfischen, denn er wird in Flussläufen geboren. Kleine Lachse lassen sich gut im Ganzen garen. Lachsfilet ist unglaublich vielseitig, man kann es beizen, räuchern, dämpfen, grillen und vieles mehr.

Meeresfrüchte Zu den Meeresfrüchten zählen alle essbaren Meerestiere, die keine Wirbeltiere sind, wie Muscheln, Garnelen, Krabben, Schnecken, Tintenfische, Hummer und Langusten. Aufsteiger der letzten Jahre ist die Jakobsmuschel: Das elfenbeinfarbene Fleisch veredelt vor allem Vorspeisen. In der schnellen und feinen Küche ebenfalls ein Star sind die Garnelen – von der kleinen Nordseekrabbe über Eismeershrimps bis zur 20 cm langen Riesengarnele. Je internationaler wir kochen, umso größer wird unsere Lust auf Meeresfrüchte, sie spielen nämlich vor allem in den Küchen der Mittelmeerländer und Asiens eine große Rolle. Auch die Tatsache, dass man sie gut einfrieren kann, macht die kleinen Tiere sehr begehrt.

Fisch tut gut Wer Fisch isst, lebt gesund. Denn Fisch versorgt uns mit viel Eiweiß, enthält aber kaum bis mäßig Fett. Besonders fettarm sind beispielsweise Seelachs, Kabeljau, Scholle, Forelle und Meeresfrüchte. Etwas fetter sind Lachs, Makrele oder Hering, sie verwöhnen den Organismus jedoch mit Omega-3-Fettsäuren, die wohltuend auf das Herz-Kreislauf-System wirken und vor Schlaganfällen und Demenz schützen sollen. In Seefisch und Meeresfrüchten ist zudem Jod enthalten, ein Spurenelement, das die Funktion der Schilddrüse steuert.

Vom Wasser in die Küche Frische ist beim Fisch das A und O. Ein sicheres Zeichen dafür sind klare, pralle Augen, intakte Flossen, leuchtend rote Kiemen und eine klare, unbeschädigte Schleimschicht auf der Fischhaut. Fischfilets sollen glasig und saftig aussehen und keine trockenen Ränder oder Verfärbungen aufweisen. Das Fleisch frischer Fische ist fest und elastisch – bei leichtem Fingerdruck sollten die »Dellen« schnell wieder verschwinden. Und: Frischer Fisch riecht fein und neutral. Ein fischiger oder unangenehmer Geruch ist ein Zeichen dafür, dass der Fisch schon etwas älter ist. Frischen Fisch sollte man nach dem Einkauf aus der Verpackung nehmen und in eine Schale legen. Dann mit Folie abdecken, eventuell einen Kühlakku darauflegen und in den Kühlschrank stellen. So bleibt er bis zu einem Tag frisch. Die alte Regel, Fisch vor der Zubereitung zu säuern, also mit Zitronensaft zu beträufeln, hat ausgedient. Sie stammt aus einer Zeit, in der Fisch nicht immer frisch auf den Tisch kam – die Zitrone sollte diese Tatsache überdecken.

Dorade
Forelle
Zander
Wolfsbarsch
Scholle
Kalmar
Garnele
Rotbarschfilet
Jakobsmuschel
Miesmuschel
Thunfischfilet
Lachsfilet

Fisch & Meeresfrüchte – sanft gegart

1 AUS DER PFANNE

Genuss im Handumdrehen – zartes Fischfilet ist in Minutenschnelle gar und begeistert alle. Hauptsache, der Fisch ist absolut frisch und wird nicht zu lange gebraten, sonst trocknet er aus. Einen Schutz bietet dabei die Haut. Wer sie nicht so gerne mag, kann sie nach dem Braten problemlos abziehen. Tipp: Wölbt sich das Fischfilet beim Braten, legen Sie Backpapier darauf und beschweren das Ganze mit einem kleinen Teller.

1. Das Zanderfilet waschen, trocken tupfen und in 4 gleich große Stücke schneiden. Die Hautseite mit einem scharfen Messer mehrmals einritzen, damit sie sich beim Braten nicht wölben. Die Fischstücke mit Pfeffer würzen.

2. Das Öl in einer Pfanne erhitzen. Den Fisch darin auf der Hautseite bei mittlerer Hitze 3 bis 4 Minuten braten.

2 AUS DEM OFEN

Keine Angst vor ganzen Fischen – im Ofen kann eigentlich nichts schiefgehen. Es reicht schon, den Fisch mit frischen Kräutern, Knoblauch und Zitrone zu füllen und ihn mit Olivenöl beträufelt auf dem Blech zu braten. Noch aromatischer und besonders saftig wird er aber, wenn Sie ihn in Papier oder Alufolie wickeln. Am besten wählen Sie dafür Portionsfische, denn so bekommt jeder sein eigenes Überraschungspäckchen.

1. Den Backofen auf 180°C vorheizen. Die Doraden innen und außen waschen und trocken tupfen. Auf beiden Seiten mit einem scharfen Messer zwei- bis dreimal einschneiden. Vier Bögen Pergament- oder Backpapier mit etwas Öl beträufeln.

2. Ein Backblech auf die mittlere Schiene schieben. Je 1 Fisch auf das Papier legen, innen und außen mit Salz und Pfeffer würzen. Mit Zitronenscheiben, Kräutern und Knoblauch füllen und mit dem restlichen Öl beträufeln.

3 AUS DEM TOPF

Fische und Meeresfrüchte mögen es sanft – deshalb kommt ihnen das Garen bei niedrigeren Temperaturen besonders entgegen. Im Wasserdampf oder in einem würzigen Sud knapp unterhalb des Siedepunkts gart das feine Fleisch, ohne auszutrocknen. Dabei lässt sich wunderbar mit verschiedenen Kräutern und Gewürzen experimentieren, die unter das wertvolle Gargut oder in den Kochsud gelegt werden.

1. Den Siebeinsatz eines Dämpftopfs mit Kaffir-Limettenblättern auslegen. Die Garnelen waschen, trocken tupfen und darauf verteilen. Das Zitronengras putzen und längs halbieren.

2. Den Ingwer in Scheiben schneiden und mit dem Zitronengras in einen Dämpftopf geben. Etwa 5 cm hoch Wasser einfüllen und aufkochen. So können die Garnelen später über den Dampf das Aroma der Gewürze aufnehmen.

1 GEBRATENER ZANDER

600 g Zanderfilet (mit Haut)
Pfeffer aus der Mühle
2 EL Olivenöl
1 angedrückte Knoblauchzehe
einige Zweige Thymian (gewaschen)
1 TL Butter
Fleur de Sel

zum Online-Video
www.kochen-digital.de/zander

3. Sobald das Fleisch am Rand weiß wird, die Fischfilets vorsichtig wenden. Knoblauch, Thymian und Butter dazugeben. Die Pfanne vom Herd nehmen und die Filets 1 bis 2 Minuten gar ziehen lassen.

4. Den Fisch aus der Pfanne nehmen, mit Fleur de Sel würzen und nach Belieben mit Zitronenspalten anrichten. Dazu passen Weißwein-Butter-Sauce (siehe S. 242), Kartoffelpüree (siehe S. 120) und geschmorte Rote Bete (siehe S. 138).

2 DORADE IN PERGAMENT

4 Doraden (oder Wolfsbarsche; à ca. 400 g)
4 EL Olivenöl
Salz · Pfeffer aus der Mühle
2 unbehandelte Zitronen
(in dünnen Scheiben)
4 Handvoll gemischte Kräuter
(z.B. Kerbel, Dill, Petersilie,
Basilikum, Estragon)
4 angedrückte Knoblauchzehen

zum Online-Video
www.kochen-digital.de/dorade

3. Das Papier über dem Fisch mehrmals falten, an den Seiten einschlagen und nach unten umknicken, eventuell mit Holzklammern verschließen. Das Päckchen sollte sorgfältig verschlossen sein, damit der Fisch alle Aromen gut aufnimmt.

4. Die Fischpäckchen nebeneinander auf das Backblech legen und im Ofen 20 bis 30 Minuten garen. Herausnehmen, auf Teller legen und vorsichtig öffnen. Dazu passen Safranrisotto (siehe S. 102) und Kopfsalat mit Vinaigrette (siehe S. 40).

3 GEDÄMPFTE GARNELEN

6–8 Kaffir-Limettenblätter
500 g Riesengarnelen (ohne Kopf)
2 Stängel Zitronengras
30 g Ingwer
1 rote Chilischote
1 Handvoll Thaibasilikumblätter
(gewaschen)
einige Spritzer Limettensaft
Fleur de Sel (oder Salz)

zum Online-Video
www.kochen-digital.de/garnelen

3. Den Dämpfeinsatz in den Topf setzen und die Garnelen zugedeckt bei schwacher Hitze 2 bis 3 Minuten gar dämpfen. Vom Herd nehmen und weitere 2 bis 3 Minuten ziehen lassen, damit die Garnelen nicht trocken werden.

4. Chilischote putzen, entkernen und fein hacken, Basilikum grob hacken. Garnelen mit Limettensaft und Fleur de Sel würzen, mit Chili und Basilikum bestreuen. Dazu passt Möhren-Koriander-Püree (siehe S. 138) oder Mayonnaise (siehe S. 242).

Thunfisch-Saltimbocca
mit Oliven und weißen Bohnen

Für 4 Personen

600 g Thunfischfilet · Pfeffer aus der Mühle · 20 Salbeiblätter
8 Scheiben San-Daniele-Schinken · 2 EL Öl · 1 große Dose weiße Bohnen (450 g Abtropfgewicht) · 60 g Kalamata-Oliven (ohne Stein) · 100 g Cocktailtomaten · 8 EL Olivenöl · Salz
½ TL abgeriebene unbehandelte Zitronenschale · Chiliflocken
200 ml Weißwein · 10 schwarze Pfefferkörner · 1 Lorbeerblatt
150 g kalte Butter (in Würfeln)

1 | Den Thunfisch waschen und trocken tupfen. In 4 längliche Stücke schneiden und mit Pfeffer würzen. Mit je 2 Salbeiblättern belegen und mit je 2 Scheiben Schinken fest umwickeln. Das Öl in einer Pfanne erhitzen und die restlichen Salbeiblätter darin kross anbraten. Herausnehmen und auf Küchenpapier abtropfen lassen.

2 | Die Bohnen in ein Sieb abgießen, kalt abbrausen und abtropfen lassen. Die Oliven grob hacken, die Tomaten waschen und halbieren. In einer Pfanne 2 EL Olivenöl erhitzen und Bohnen, Oliven und Tomaten darin andünsten. Mit Salz, Pfeffer, Zitronenschale und Chiliflocken würzen.

3 | Den Wein mit den Pfefferkörnern und dem Lorbeerblatt in einem Topf erhitzen und auf die Hälfte einköcheln lassen. Durch ein Sieb gießen, zuerst die kalte Butter und dann 4 EL Olivenöl mit dem Stabmixer untermixen.

4 | Das restliche Olivenöl in einer Pfanne erhitzen und den Fisch darin rundum 1 bis 2 Minuten knusprig braten. Mit dem Gemüse, den gebratenen Salbeiblättern und der Sauce anrichten und nach Belieben mit Fleur de Sel bestreuen.

Panzanella-Lachsspieße
mit Basilikumdip

Für 4 Personen

500 g Lachsfilet (ohne Haut) · 300 g Ciabatta-Brot (vom Vortag)
8 Zweige Rosmarin (je ca. 18 cm lang) · 16 Scheiben Pancetta (ital. Bauchspeck) · 1 Knoblauchzehe (geschält) · 4 EL Olivenöl
Salz · Pfeffer aus der Mühle · 300 g Cocktailtomaten
1 rote Zwiebel · Zucker · 1–2 EL Aceto balsamico · 1 großes Bund Basilikum · 2–3 EL Salatmayonnaise · Saft von ½ Zitrone

1 | Lachs waschen und trocken tupfen. In 2 ½ cm große Würfel schneiden. Das Ciabatta-Brot entrinden und in etwa gleich große Stücke zupfen. Rosmarin waschen und trocken schütteln, die Nadeln bis auf die Spitzen abzupfen. Fisch und Brot abwechselnd auf die Rosmarinzweige stecken. Mit je 2 Pancettascheiben locker umwickeln. Ein Viertel der Rosmarinnadeln mit dem Knoblauch und 2 EL Olivenöl zerreiben (den übrigen Rosmarin anderweitig verwenden, z.B. für Rosmarinkartoffeln). Die Spieße mit wenig Salz und Pfeffer würzen.

2 | Die Tomaten waschen und halbieren. Die Zwiebel schälen und in feine Streifen schneiden. Beides in einer Schüssel mit Salz, Pfeffer, Zucker und Essig würzen. Das Basilikum waschen und trocken schütteln. Die Blätter abzupfen, kleinere beiseitelegen, die anderen mit der Mayonnaise fein pürieren. Mit Zitronensaft, Salz und Pfeffer würzen.

3 | Das restliche Olivenöl in einer Pfanne erhitzen und die Spieße darin bei mittlerer Hitze rundum 6 bis 8 Minuten knusprig braten. Würzöl dazugeben und kurz ziehen lassen. Die Spieße mit Zitronensaft, Salz und Pfeffer würzen. Mit Salat und Dip anrichten, mit dem übrigen Basilikum garnieren.

Lachsforelle

mit Weißweinsauce und Knusperkartoffeln

Für 4 Personen
800 g festkochende Kartoffeln
Salz
50 g Mandelblättchen
2 Schalotten
2 EL Butter
100 ml trockener Weißwein
300 ml Fischfond
200 g Sahne
1 TL Speisestärke
3–4 EL Öl
2 EL gehackte Petersilie
Pfeffer aus der Mühle
600 g Lachsforellenfilet (mit Haut)
80 g kalte Butter (in Würfeln)
1 TL abgeriebene unbehandelte Zitronenschale
1 EL Zitronensaft
1–2 TL Worcestershiresauce
einige Brunnenkresseblätter

1 | Die Kartoffeln schälen, waschen und in 1 cm große Würfel schneiden. Die Kartoffelwürfel in kochendem Salzwasser 10 bis 15 Minuten weich garen. In ein Sieb abgießen und beiseitestellen. Die Mandelblättchen in einer Pfanne ohne Fett goldbraun rösten. Die Schalotten schälen und in feine Würfel schneiden. Die Butter in einem kleinen Topf erhitzen und die Schalotten darin 1 Minute andünsten. Mit dem Wein ablöschen und fast vollständig einköcheln lassen. Den Fond und die Hälfte der Sahne dazugeben und weitere 3 Minuten köcheln lassen. Die Speisestärke mit 2 EL kaltem Wasser glatt rühren und die Sauce damit binden. Weitere 2 bis 3 Minuten köcheln lassen. Die restliche Sahne halbsteif schlagen.

2 | In einer Pfanne 2 EL Öl erhitzen und die Kartoffelwürfel darin 5 bis 6 Minuten goldbraun braten. Die Mandelblättchen und die Petersilie unterrühren. Mit Salz und Pfeffer würzen.

3 | Das Lachsforellenfilet waschen und trocken tupfen. In 8 gleich große Stücke teilen und auf der Fleischseite mit Pfeffer würzen. Das restliche Öl in einer beschichteten Pfanne erhitzen. Die Fischfilets mit der Haut nach unten in die Pfanne geben und bei mittlerer Hitze 3 bis 4 Minuten kross braten, dabei mit einem Pfannenwender ab und zu etwas andrücken (siehe gebratener Zander; S. 156). Die Filets wenden, ½ EL kalte Butter hinzufügen und die Pfanne vom Herd nehmen. Den Fisch 1 bis 2 Minuten ziehen lassen und mit Salz würzen.

4 | Die Weißweinsauce nochmals aufkochen. Die restliche Butter, Zitronenschale und -saft sowie die steif geschlagene Sahne hinzufügen. Mit Salz und Worcestershiresauce würzen und mit dem Stabmixer schaumig mixen. Fischfilets und Knusperkartoffeln auf Tellern anrichten und die Sauce darum herumträufeln. Mit der Brunnenkresse garniert servieren.

Fish 'n' Chips
mit Kabeljaufilet

Für 4 Personen

800 g mehligkochende Kartoffeln
2–3 l Erdnussöl
3 Zweige Rosmarin
½ TL abgeriebene unbehandelte Zitronenschale
1 EL grobes Meersalz
1 Ei (Größe L)
180 g Mehl
¼ l Altbier
2 EL flüssige Butter
1 TL Paprikapulver (edelsüß)
Tabasco
Salz
500 g Kabeljaufilet (oder Schellfisch oder Rotbarsch; ohne Haut)
Saft von ½ Zitrone
Pfeffer aus der Mühle
3–4 EL doppelgriffiges Mehl
Malzessig

1 | Die Kartoffeln schälen und waschen. In 1½ cm dicke Stäbchen schneiden und 15 Minuten in kaltes Wasser legen. Herausnehmen und gut trocken tupfen. Das Öl in einem Topf auf 145 °C erhitzen und die Kartoffelstäbchen darin portionsweise 8 Minuten vorfrittieren. Herausnehmen und auf einem Sieb gut abtropfen lassen.

2 | Den Rosmarin waschen und trocken schütteln, die Nadeln abzupfen und fein hacken. Im Mörser mit der Zitronenschale und dem Meersalz fein zerreiben.

3 | Das Ei trennen. Das Mehl in eine Schüssel sieben und das Bier, die Butter und das Eigelb mit dem Schneebesen unterrühren. Mit Paprikapulver, Tabasco und Salz würzen. Die Kabeljaufilets waschen, trocken tupfen und in 12 gleich große, rechteckige Stücke schneiden. Mit Zitronensaft, Salz und Pfeffer würzen.

4 | Den Backofen auf 80 °C vorheizen. Das Öl auf 175 °C erhitzen und die Kartoffeln darin nochmals portionsweise 3 bis 4 Minuten goldbraun frittieren. Herausnehmen, auf einem Sieb abtropfen lassen, auf ein Backblech geben, mit dem Rosmarin-Zitronen-Salz würzen und im Ofen warm halten.

5 | Das Eiweiß mit 1 Prise Salz steif schlagen und unter den Bierteig heben. Die Fischstücke zuerst im doppelgriffigen Mehl wenden, dabei überschüssiges Mehl abklopfen. Dann durch den Teig ziehen und im Frittieröl portionsweise 4 bis 5 Minuten goldbraun ausbacken. Herausnehmen, auf Küchenpapier abtropfen lassen und mit Kartoffelstäbchen und Malzessig servieren.

Tipp: Wer auf das Frittieren mit viel Öl verzichten möchte, kann den Fisch auch in einer Pfanne in weniger Öl ausbacken und anstatt der »Chips« Kartoffel-Wedges aus dem Ofen zubereiten (siehe Tipp S. 204).

Garnelenbällchen
mit Bulgur und Tomatensauce

Für 4 Personen

270 ml Gemüsebrühe · 110 g Bulgur
1 TL Ras-el-Hanout · Salz · 2 weiße Zwiebeln
6 EL Öl · 2 EL gehackte Petersilie
2 Scheiben Toastbrot · 5–6 EL warme Milch
500 g Garnelen (küchenfertig) · 2 Eier
Pfeffer aus der Mühle · 1 TL gemahlener Kreuzkümmel
½ TL abgeriebene unbehandelte Zitronenschale
1 Knoblauchzehe · 1 EL Tomatenmark
600 g stückige Tomaten (aus der Dose)
Zucker · 4–5 Safranfäden
je 4 Stiele Minze und Dill

1 | Die Brühe aufkochen, den Bulgur dazugeben und zugedeckt 15 bis 20 Minuten quellen lassen. Mit ½ TL Ras-el-Hanout und Salz würzen.

2 | Eine Zwiebel schälen und in feine Würfel schneiden. In einer Pfanne 1 EL Öl erhitzen und die Zwiebel darin 2 bis 3 Minuten andünsten. Die Petersilie hinzufügen und die Pfanne beiseitestellen. Das Toastbrot in kleine Würfel schneiden und mit der warmen Milch mischen. Die Garnelen abbrausen, trocken tupfen und im Blitzhacker fein hacken.

3 | In einer Schüssel Garnelenfleisch, Brotwürfel, Zwiebelmischung, Eier und 40 g gegarten Bulgur gut verkneten. Mit Salz, Pfeffer, ½ TL Kreuzkümmel und Zitronenschale würzen. Aus der Masse mit angefeuchteten Händen etwa 20 kleine Bällchen formen. Übrigen Bulgur warm halten.

4 | Die restliche Zwiebel und den Knoblauch schälen, in feine Würfel schneiden. In einem Topf 2 EL Öl erhitzen, Zwiebel und Knoblauch darin andünsten. Das Tomatenmark hinzufügen und 1 Minute anrösten. Die Tomaten dazugeben, mit Salz, Pfeffer, Zucker, Safran, dem restlichen Kreuzkümmel und Ras-el-Hanout würzen. Die Tomatensauce bei mittlerer Hitze 15 Minuten köcheln lassen.

5 | Das übrige Öl in einer großen Pfanne erhitzen und die Garnelenbällchen darin bei mittlerer Hitze rundum 3 bis 4 Minuten braten. Herausnehmen, auf Küchenpapier abtropfen lassen und in der Tomatensauce 1 bis 2 Minuten ziehen lassen.

6 | Die Minze und den Dill waschen und trocken schütteln, die Blätter bzw. die Spitzen abzupfen. Die Garnelenbällchen mit dem restlichen Bulgur und der Tomatensauce auf Tellern anrichten und mit den Kräutern bestreuen.

Garnelenspieße
im Knusperteig mit Sesammayonnaise

Für 4 Personen

12 Riesengarnelen · 2 EL Sweet-Chili-Sauce
3 EL doppelgriffiges Mehl
150 g Panko (asiat. Paniermehl; siehe Tipp)
2 Eier (Größe L) · 1 l Erdnussöl
2 unbehandelte Limetten · 200 g Mayonnaise (siehe S. 242)
1 EL Sesamöl · Salz · Pfeffer aus der Mühle

1 | Von den Garnelen den Kopf abdrehen, mit einer Schere die Oberseite aufschneiden und die Schale bis auf den Schwanzfächer ablösen. Die Garnelen am Rücken entlang nicht zu tief einschneiden und den Darm vorsichtig herausziehen. Die Garnelen waschen und trocken tupfen, in eine Schüssel geben und mit der Chilisauce marinieren.

2 | Das Mehl und den Panko jeweils in tiefe Teller geben. Die Eier in einem tiefen Teller verquirlen. Die Garnelen vom Schwanzteil her der Länge nach auf Holzspieße stecken. Zuerst im Mehl wenden, dann durch die Eier ziehen und zuletzt mit dem Panko panieren.

3 | Das Erdnussöl in einem hohen Topf auf 180 °C erhitzen. Die Garnelenspieße in den Topf stellen und die Garnelen 2 bis 3 Minuten goldbraun frittieren. Herausnehmen und auf Küchenpapier abtropfen lassen.

4 | Die Limetten heiß waschen und trocken reiben. Die Schale von 1 Limette abreiben und den Saft auspressen. Die zweite Limette vierteln. Die Mayonnaise, das Sesamöl, Limettenschale und -saft verrühren. Die Sesammayonnaise mit Salz und Pfeffer würzen.

5 | Die frittierten Garnelen mit den Limettenvierteln auf Tellern anrichten und die Sesammayonnaise als Dip dazu reichen. Nach Belieben mit einigen Limettenzesten garnieren. Dazu schmeckt ein gemischter Blattsalat.

Tipp: Panko ist asiatisches Paniermehl, das genauso wie herkömmliches Paniermehl verwendet werden kann. Es besteht hauptsächlich aus Weizenmehl, Hefe, Salz und Zucker und macht Frittiertes besonders knusprig. Panko erhalten Sie in gut sortierten Supermärkten oder im Asienladen.

Gefüllte Dorade

mit Kichererbsen-Spinat-Gemüse

Für 4 Personen

4 Doraden (à 350 g; küchenfertig) · 1–2 TL Harissapaste
7 EL Olivenöl · 4 EL Zitronensaft · grobes Meersalz · Pfeffer aus der Mühle · Zucker · 3 Knoblauchzehen · 1 Bund Petersilie
4 Stiele Minze · 1 TL abgeriebene unbehandelte Zitronenschale
3 EL Butter · 2 Dosen Kichererbsen (à 240 g Abtropfgewicht; abgetropft) · 1–2 EL Tahin (Sesampaste) · 5–6 Eiswürfel
Salz · 200 g junger Spinat · 1 TL Ras-el-Hanout

1 | Backofen auf 190 °C vorheizen. Die Doraden innen und außen waschen und trocken tupfen. Auf jeder Seite zweimal schräg einschneiden. Harissapaste, 4 EL Öl und 3 EL Zitronensaft verrühren. Mit Meersalz, Pfeffer und Zucker würzen und die Fische gut damit einreiben.

2 | Knoblauch schälen und in feine Würfel schneiden. Kräuter waschen, trocken schütteln und die Blätter abzupfen. Einige beiseitelegen, den Rest hacken, mit 2 Knoblauchzehen, Zitronenschale und 2 EL Butter mischen. Die Doraden damit füllen und auf einem mit Backpapier belegten Blech im Ofen auf der mittleren Schiene 20 bis 25 Minuten garen.

3 | 220 g Kichererbsen mit Tahin, übrigem Zitronensaft und Knoblauch im Blitzhacker grob mixen. Zerstoßene Eiswürfel dazugeben, fein pürieren. Restliches Olivenöl untermixen, falls nötig, mit kaltem Wasser verdünnen. Mit Salz würzen. Die übrigen Kichererbsen in der übrigen Butter andünsten. Spinat verlesen, waschen, dazugeben, mit Salz und Ras-el-Hanout würzen und kurz dünsten. Die Fische mit Gemüse und Kichererbsenpüree anrichten. Mit Kräuterblättern garnieren.

Ofenforelle

mit Mandeln und Artischocken

Für 4 Personen

4 Forellen (à 300 g; küchenfertig) · Salz · Pfeffer aus der Mühle
Saft von 1 Zitrone · 80 g geschälte ganze Mandeln
1 Bund Minze (gewaschen) · 2 Bund Petersilie (gewaschen)
1 Glas Artischockenherzen (in Öl) · 3 Scheiben Toastbrot
4 Knoblauchzehen (in feinen Würfeln)
1 TL abgeriebene unbehandelte Zitronenschale · 5–6 EL Olivenöl
8 Scheiben Bauchspeck · 1 Eigelb · 1 TL scharfer Senf · 1/8 l Öl

1 | Den Backofen auf 200 °C vorheizen. Die Forellen innen und außen waschen, trocken tupfen, mit Salz, Pfeffer und Zitronensaft (1 TL zurückbehalten) würzen. Die Mandeln in einer Pfanne ohne Fett goldbraun rösten und im Mörser grob zerstoßen. Minze- und Petersilienblätter abzupfen. Die Hälfte der Petersilie beiseitelegen, den Rest mit der Minze grob hacken. Die Artischocken abgießen, abtropfen lassen und in Stücke schneiden. Das Toastbrot in kleine Würfel schneiden.

2 | Die Toastbrotwürfel mit den Mandeln, Kräutern, Artischocken, 3 Knoblauchzehen, Zitronenschale und 4 EL Olivenöl mischen. Die Fische damit füllen und mit je 2 Speckscheiben umwickeln. Auf einem mit Backpapier belegten Backblech im Ofen auf der mittleren Schiene 20 bis 25 Minuten garen.

3 | Den restlichen Knoblauch mit 1/2 TL Salz mischen. Mit dem Eigelb, Senf, übrigem Olivenöl und dem Öl mit dem Stabmixer pürieren (siehe S. 242). Mit Salz und 1 TL Zitronensaft abschmecken. Übrige Petersilienblätter in Salzwasser 20 Sekunden blanchieren, kalt abschrecken und abtropfen. Gut ausdrücken und untermixen. Die Aioli zum Fisch servieren.

Wolfsbarsch
in der Kräutersalzkruste

Für 4 Personen

1 großes Bund Rosmarin
3 Eiweiß (Größe L)
1½ kg grobes Meersalz
1 walnussgroßes Stück Ingwer
2 Knoblauchzehen
je 4 Streifen unbehandelte Zitronen- und Orangenschale
1 Wolfsbarsch (1,2–1,4 kg; küchenfertig)
3–4 EL Olivenöl

1 | Den Rosmarin waschen und trocken schütteln. Die Nadeln abzupfen und grob hacken, 1 EL davon beiseitelegen. Die Eiweiße in einer Schüssel verquirlen. Das Meersalz und den Rosmarin dazugeben und gut mischen.

2 | Den Backofen auf 200 °C vorheizen. Den Ingwer und den Knoblauch schälen und in grobe Würfel schneiden. Beides im Mörser mit der Zitronen- und Orangenschale und dem beiseitegelegten Rosmarin zu einer Paste verrühren. Den Wolfsbarsch innen und außen waschen und gut trocken tupfen. Innen mit der Paste einreiben und außen mit dem Olivenöl bestreichen.

3 | Ein Backblech mit Backpapier belegen und ein Drittel des Salzes in Form des Fisches darauf verteilen. Aus Alufolie einen langen Streifen falten und als Umrandung um das Salz legen, damit die Form erhalten bleibt. Den Wolfsbarsch daraufsetzen und mit dem restlichen Salz gleichmäßig bedecken. Im Ofen auf der mittleren Schiene 35 bis 40 Minuten backen. Zum Servieren den Salzmantel aufbrechen und den Fisch filetieren. Dazu passen Safranrouille (siehe S. 244) und Fenchelgratin (siehe S. 144).

Schwertfisch
mit Oliven-Pinienkern-Kruste

Für 4 Personen

60 g getrocknete schwarze Oliven (ohne Stein)
80 g Pinienkerne · 120 g weiche Butter
1 TL gehackter Rosmarin
1 EL Paniermehl (oder Mie de Pain; siehe Tipp)
Salz · Pfeffer aus der Mühle
400 ml Milch · 80 g Instant-Polenta (Maisgrieß)
50 g geriebener Parmesan · frisch geriebene Muskatnuss
2 Bund Frühlingszwiebeln · 2 EL Olivenöl · Zucker
4 Schwertfischfilets (à 160–180 g; 2–3 cm dick, ohne Haut)

1 | Die Oliven klein hacken. Die Pinienkerne in einer Pfanne ohne Fett goldbraun rösten und ebenfalls klein hacken. In einer Schüssel 100 g Butter schaumig schlagen. Pinienkerne, Oliven, Rosmarin und Semmelbrösel unterrühren. Mit Salz und Pfeffer würzen. Die Mischung in einen Gefrierbeutel geben und mit dem Nudelholz etwa ½ cm dünn ausrollen. Kühl stellen.

2 | Die Milch in einem Topf aufkochen. Die Polenta einrieseln lassen und mit dem Schneebesen unterrühren. Dann mit einem Holzkochlöffel weiterrühren. Nach 3 bis 4 Minuten 1 EL Butter und den Parmesan unterrühren. Mit Salz und Muskatnuss würzen. Die Polenta zugedeckt warm stellen.

3 | Die Frühlingszwiebeln putzen, waschen und in 8 cm lange Stücke schneiden. In einer Pfanne 1 EL Olivenöl erhitzen und die Frühlingszwiebeln darin bei mittlerer Hitze 2 bis 3 Minuten andünsten. Die restliche Butter hinzufügen und mit Salz, Pfeffer und Zucker würzen.

4 | Den Backofengrill einschalten. Die Schwertfischfilets waschen und trocken tupfen. Das restliche Olivenöl in einer großen Pfanne erhitzen und die Filets auf beiden Seiten je 1 Minute anbraten. Mit Salz und Pfeffer würzen.

5 | Aus der Pinienkernmasse Rechtecke in der Größe der Fischfilets schneiden. Die Filets damit belegen und im Ofen auf der obersten Schiene 2 bis 3 Minuten gratinieren. Die Schwertfischfilets mit Polenta und Frühlingszwiebeln auf Tellern anrichten.

Tipp: Verwenden Sie statt Paniermehl frisches Mie de Pain. Dafür je nach benötigter Menge eine bis mehrere Scheiben Toastbrot entrinden und im Blitzhacker fein mahlen.

Kabeljaufilet
mit brauner Butter und Pilzen

Für 4 Personen

150 g Butter · ½ Zitrone
4 Kabeljaufilets (à 150–180 g; ohne Haut)
grobes Meersalz · Pfeffer aus der Mühle
500 g gemischte Pilze (z.B. Steinpilze, Champignons, Pfifferlinge) · 1 Knoblauchzehe
1 TL abgeriebene unbehandelte Zitronenschale
1 TL gehackter Thymian · 5 Scheiben Toastbrot
100 ml Gemüsebrühe · 200 g Sahne
50 g kalte Butter (in Würfeln) · Salz

1 | Für die braune Butter die Butter in einem kleinen Topf bei mittlerer Hitze zerlassen und so lange köcheln lassen, bis sie goldbraun ist. Die Butter durch ein mit einem Küchenpapier ausgelegtes Sieb gießen und in einer Schüssel auffangen.

2 | Den Backofen auf 180 °C vorheizen. Die Zitrone auspressen. Die Kabeljaufilets waschen und trocken tupfen. Ein Backblech mit Backpapier belegen und mit etwas brauner Butter bestreichen. Die Fischfilets daraufsetzen und mit dem Zitronensaft beträufeln. Je 1 bis 2 EL braune Butter über jedes Kabeljaufilet träufeln, mit Meersalz und Pfeffer würzen.

3 | Die Pilze putzen, falls nötig, trocken abreiben, und je nach Größe halbieren oder vierteln. Den Knoblauch schälen und in feine Würfel schneiden. In einer Pfanne 2 EL braune Butter erhitzen und die Pilze darin 1 bis 2 Minuten andünsten. Knoblauch, Zitronenschale und Thymian untermischen. Mit Meersalz und Pfeffer würzen. Etwa ein Fünftel der gebratenen Pilze beiseitestellen. Den Rest gleichmäßig über den Fischfilets verteilen und diese im Ofen auf der mittleren Schiene 10 bis 12 Minuten garen.

4 | Das Toastbrot im Blitzhacker grob hacken. Die restliche braune Butter in einer Pfanne erhitzen und die Toastbrotbrösel darin goldbraun braten.

5 | Die beiseitegestellten Pilze in einem kleinen Topf mit der Brühe und der Sahne erhitzen und etwa 6 Minuten köcheln lassen. Mit dem Stabmixer fein pürieren, dabei die kalte Butter untermixen. Die Sauce nicht mehr kochen lassen und mit Salz und Pfeffer würzen.

6 | Die Kabeljaufilets aus dem Ofen nehmen und auf Teller verteilen. Mit der Sauce und den gerösteten Toastbrotbröseln servieren. Dazu passt Kartoffelpüree (siehe S. 120).

Kokos-Kabeljau
mit Ingwer

Für 4 Personen

700 g Kabeljaufilet (ohne Haut) · Saft von 1 Limette
Salz · Pfeffer aus der Mühle · ½ Bund Koriander
2 Stängel Zitronengras · 1 walnussgroßes Stück Ingwer
1 Knoblauchzehe · 400 ml Kokosmilch · 200 ml Fischfond
60 g Kokosraspel · 1 TL Sambal Oelek · 1 TL Zucker · 150 g kalte Butter (in Würfeln) · 1 unbehandelte Limette (in Spalten)

1 | Das Kabeljaufilet waschen, trocken tupfen und in 4 gleich große Stücke schneiden. Mit dem Limettensaft beträufeln, mit Salz und Pfeffer würzen. Koriander waschen und trocken schütteln, die Blätter abzupfen, die Stiele beiseitelegen. Vom Zitronengras die harten Außenblätter und die obere, trockene Hälfte entfernen, die untere Hälfte flach klopfen. Ingwer und Knoblauch schälen und in dünne Scheiben schneiden.

2 | Die Kokosmilch und den Fond mit den Korianderstielen, Zitronengras, Ingwer und Knoblauch in einem Topf aufkochen. Mit Salz würzen und 10 Minuten ziehen lassen. Die Kokosraspel in einer Pfanne ohne Fett goldbraun rösten. Mit Sambal Oelek und Zucker würzen. Den Kokosfond nochmals aufkochen, die Fischfilets hineinlegen und zugedeckt bei schwacher Hitze 6 bis 8 Minuten ziehen lassen.

3 | Die Filets aus dem Fond nehmen und warm halten. Die Hälfte des Fonds durch ein Sieb in einen Topf passieren und auf etwa 100 ml einkochen lassen. Die kalte Butter untermixen, dabei die Sauce nicht mehr kochen lassen. Den Kabeljau mit der Sauce auf Tellern anrichten und mit Kokosraspeln, Korianderblättern und Limettenspalten garnieren.

Miesmuscheln
mit Martini und Peperoni

Für 4 Personen

3 kg Miesmuscheln · 100 g Lauch (nur das Weiße) · 100 g Staudensellerie · 100 g Zwiebeln · 3 Knoblauchzehen · 4 EL Olivenöl
200 ml trockener Martini · 200 ml trockener Weißwein
2 Lorbeerblätter · 2 Frühlingszwiebeln · 1–2 rote Peperoni
100 g Crème fraîche · 100 g kalte Butter (in Würfeln)
2 EL gehackte Petersilie · Salz · Pfeffer aus der Mühle

1 | Die Muscheln unter fließendem kaltem Wasser abbürsten. Die Bärte entfernen, geöffnete Muscheln aussortieren. Den Lauch und den Sellerie putzen und waschen. Zwiebeln und Knoblauch schälen. Alles in feine Würfel schneiden. Das Olivenöl in einem großen Topf erhitzen und das Gemüse darin 1 bis 2 Minuten andünsten. Mit Martini und Wein ablöschen. Lorbeerblätter und Muscheln dazugeben und zugedeckt 10 bis 12 Minuten garen. Zwischendurch einmal umrühren.

2 | Die Frühlingszwiebeln putzen und waschen, die Peperoni entkernen und waschen. Beides in feine Ringe schneiden. Die Muscheln in ein Sieb abgießen, den Fond in einem Topf auffangen. Geschlossene Muscheln aussortieren. Die übrigen Muscheln auf Teller verteilen. Den Fond mit Crème fraîche aufkochen und vom Herd nehmen. Die Butter und die Petersilie dazugeben und die Sauce mit dem Stabmixer aufschäumen. Mit Salz und Pfeffer würzen, über den Muscheln verteilen und mit Frühlingszwiebeln und Peperoni bestreuen.

Tipp: 200 g Toastbrot im Blitzhacker grob hacken. Mit etwas Olivenöl beträufelt im Ofen goldbraun rösten, mit wenig Salz würzen und über die Muscheln streuen.

Wallerfilet
im Wurzelsud

Für 4 Personen

½ Bund Estragon
600 g Wallerfilet (ca. 1 ½ cm dick)
Salz · Pfeffer aus der Mühle
100 ml Weißwein
280 ml Gemüsebrühe
1 Möhre
1 Petersilienwurzel
200 g Knollensellerie
250 g Lauch
1 EL kalte Butter
einige Spritzer Weißweinessig
Zucker
2–3 TL frisch geraspelter Meerrettich

1 | Den Estragon waschen und trocken schütteln. Das Wallerfilet waschen, trocken tupfen und mit Salz und Pfeffer würzen. Den Wein mit 200 ml Brühe, dem Estragon und etwas Salz aufkochen. Den Fisch in den Sud legen und zugedeckt bei schwacher Hitze etwa 14 Minuten ziehen lassen. Der Sud sollte dabei nicht kochen.

2 | Inzwischen die Möhre, die Petersilienwurzel und den Sellerie putzen und schälen. Den Lauch putzen und waschen. Das Gemüse in feine Streifen von etwa 5 cm Länge schneiden. Die restliche Brühe in einer Pfanne erhitzen und das Gemüse darin bei mittlerer Hitze 2 bis 3 Minuten andünsten. Die kalte Butter hinzufügen und das Gemüse mit Salz, Pfeffer, Essig und 1 Prise Zucker würzen.

3 | Das Fischfilet in 4 Portionen teilen und mit dem Wurzelgemüse in tiefen Tellern anrichten. Mit etwas Garsud begießen und mit dem Meerrettich bestreuen.

Tipp: Dazu schmecken Bouillonkartoffeln. Dafür 800 g festkochende Kartoffeln schälen, waschen und in etwa 1 ½ cm große Würfel schneiden. In ¾ l Gemüsebrühe 15 Minuten garen, abgießen und zum Waller servieren.

Rotbarsch-Krautwickerl

mit Meerrettichschaum und Roter Bete

Für 4 Personen

Für die Rotbarsch-Krautwickerl:
750 g Rotbarschfilet (ohne Haut) · Salz · 1 TL scharfer Meerrettich (aus dem Glas) · 150 g Sahne (eisgekühlt) · Pfeffer aus der Mühle · 1 Msp. abgeriebene unbehandelte Zitronenschale
8 große Spitzkohlblätter

Für den Meerrettichschaum und die Roten Beten:
3 Schalotten · 4 EL Butter · 150 ml Fischfond
150 ml Weißwein · 400 g Rote Beten (vorgegart und vakuumiert) · Salz · Pfeffer aus der Mühle · Zucker
200 g Sahne · 1 TL Zitronensaft · 1 TL scharfer Meerrettich
60 g kalte Butter · 2 EL Schnittlauchröllchen
1 TL frisch geraspelter Meerrettich

1 | Für die Rotbarsch-Krautwickerl das Fischfilet waschen, trocken tupfen und 8 Stücke (à etwa 75 g) davon abschneiden. Das restliche Filet in kleine Würfel schneiden, mit Salz würzen und 20 Minuten ins Tiefkühlfach stellen. Dann mit dem Meerrettich und der Sahne im Blitzhacker fein pürieren. Die Farce mit Salz, Pfeffer und der Zitronenschale abschmecken.

2 | Die Kohlblätter in kochendem Salzwasser 10 bis 20 Sekunden blanchieren, kalt abschrecken und trocken tupfen. Die Blätter mit einer Pfanne etwas flach klopfen. Die Fischstücke mit Salz würzen und je mit etwas Farce bestreichen. Je 1 Fischstück in 1 Kohlblatt einwickeln, dabei die Blattenden mit der restlichen Farce bestreichen, sodass die Päckchen zusammenhalten.

3 | Für den Meerrettichschaum die Schalotten schälen, in feine Würfel schneiden und in einem großen Topf in 2 EL Butter andünsten. Mit Fond und Wein ablöschen und aufkochen. Einen Dämpfeinsatz hineinstellen und die Fischpäckchen darin zugedeckt bei mittlerer Hitze 8 bis 10 Minuten dämpfen.

4 | Die Roten Beten in 1½ cm große Stücke schneiden. Die restliche Butter in einem großen Topf erhitzen und die Roten Beten darin andünsten. Mit Salz, Pfeffer und Zucker würzen.

5 | Die Krautwickerl aus dem Dämpfeinsatz nehmen und warm halten. Die Sahne zum Fond gießen und 3 bis 4 Minuten köcheln lassen. Mit Salz, Pfeffer, Zitronensaft und Meerrettich würzen. Die kalte Butter mit dem Stabmixer untermixen und die Sauce aufschäumen. Die Rotbarsch-Krautwickerl mit Roter Bete, Meerrettichschaum und Schnittlauchröllchen anrichten. Mit frischem Meerrettich bestreut servieren.

Tipp: Sie haben Spitzkohl übrig? Einfach die Blätter in kleine Rauten schneiden und in 1 EL Butter 6 bis 8 Minuten weich dünsten. Mit Salz, Pfeffer, Zitronenschale und gemahlenem Kümmel würzen und zu den Wickerln servieren.

Jakobsmuscheln
mit Safranhollandaise

Für 4 Personen

1 Schalotte · 120 ml Gemüsebrühe
½ TL schwarze Pfefferkörner · 150 ml Weißwein
2 Döschen Safranfäden (0,2 g) · 150 g Butter
3 Eigelb (Größe L) · Salz
1 Spritzer Limettensaft · 1 EL grobes Meersalz
½ TL abgeriebene unbehandelte Limettenschale
5–6 Basilikumblätter · 200 ml Fischfond
2 Stängel Zitronengras · 12 Jakobsmuscheln (küchenfertig)

1 | Die Schalotte schälen und in feine Würfel schneiden. In einem Topf die Brühe, die Schalotte, die Pfefferkörner und 50 ml Wein erhitzen und auf die Hälfte einkochen lassen. Durch ein Sieb in eine Metallschüssel passieren. Den Safran zwischen den Händen zerreiben und dazugeben. Die Butter in einem Topf bei schwacher Hitze zerlassen.

2 | Die Eigelbe zur Weinreduktion in die Metallschüssel geben und im heißen Wasserbad 4 bis 5 Minuten schaumig aufschlagen. Die Schüssel vom Wasserbad nehmen und die Butter nach und nach unterschlagen. Die Safranhollandaise mit Salz und etwas Limettensaft würzen und warm halten.

3 | Das Meersalz mit der Limettenschale und den Basilikumblättern im Mörser fein zerstoßen.

4 | Den restlichen Wein in einem großen Topf aufkochen. Den Fond dazugeben. Vom Zitronengras die harten Außenblätter und die obere, trockene Hälfte entfernen, die untere Hälfte fein schneiden und ebenfalls hinzufügen. Alles 1 bis 2 Minuten köcheln lassen.

5 | Die Jakobsmuscheln in einen passenden Dämpfeinsatz geben und diesen in den Topf mit der Weißwein-Fond-Mischung stellen. Die Jakobsmuscheln zugedeckt bei mittlerer Hitze 2 bis 3 Minuten dämpfen.

6 | Die Jakobsmuscheln auf Teller verteilen, mit dem Basilikumsalz bestreuen und mit der Safranhollandaise servieren.

Tipp: Lassen Sie die Muschelschalen vom Fischhändler putzen. Nachdem sie im Ofen vorgewärmt wurden, kann man das Muschelfleisch dekorativ darauf anrichten.
Dazu schmecken Vanille-Frühlingszwiebeln: Dafür 2 Bund Frühlingszwiebeln putzen, waschen und in etwa 6 cm lange Stücke schneiden. In einer Pfanne 1 EL Öl erhitzen, das Mark von ½ Vanilleschote und 1 Knoblauchzehe (in feinen Würfeln) dazugeben. Die Frühlingszwiebeln darin bei schwacher Hitze 4 bis 5 Minuten dünsten. Mit Salz, Pfeffer und frisch geriebener Muskatnuss würzen.

Lachsfilet

mit Tikka-Masala-Würze und Süßkartoffeln

Für 4 Personen

Für die Gewürzpaste:

2 Knoblauchzehen
1 TL Korianderkörner
1 TL Kreuzkümmelsamen
1 TL Paprikapulver (edelsüß)
½ TL Chilipulver
1 Msp. Nelkenpulver
½ TL frisch geriebene Muskatnuss
½ TL Salz
je 1 TL abgeriebene unbehandelte Zitronen- und Orangenschale
1 EL geriebener Ingwer
2 EL Naturjoghurt
1 EL Tomatenmark

Für Lachs und Süßkartoffeln:

4 Lachsfilets (à 200 g; ohne Haut)
800 g Süßkartoffeln
Salz · Pfeffer aus der Mühle
Zucker
2 EL Olivenöl
400 g junger Spinat
4 EL Butter
½ Granatapfel

1 | Für die Gewürzpaste den Knoblauch schälen und in feine Würfel schneiden. Die Korianderkörner und die Kreuzkümmelsamen im Mörser zerreiben. Mit dem Knoblauch, Paprika-, Chili- und Nelkenpulver, Muskatnuss, Salz, Zitronen- und Orangenschale sowie dem Ingwer mischen. Zum Schluss den Joghurt und das Tomatenmark unterrühren.

2 | Die Lachsfilets waschen und trocken tupfen. Mit der Gewürzpaste einreiben und zugedeckt im Kühlschrank etwa 1 Stunde ziehen lassen.

3 | Inzwischen den Backofen auf 200 °C vorheizen. Die Süßkartoffeln schälen und in 2 cm große Würfel schneiden. Mit Salz, Pfeffer und Zucker würzen. Die Süßkartoffelwürfel mit dem Olivenöl mischen und auf ein mit Backpapier belegtes Backblech legen. Im Ofen auf der mittleren Schiene 25 bis 30 Minuten backen.

4 | Die marinierten Lachsfilets in einen Dämpfeinsatz geben. In einem großen Topf wenig Salzwasser zum Kochen bringen, den Dämpfeinsatz hineinstellen und den Fisch zugedeckt bei mittlerer Hitze 8 bis 10 Minuten dämpfen.

5 | Den Spinat verlesen und waschen. Die Butter in einer großen Pfanne erhitzen und den Spinat darin tropfnass bei schwacher Hitze 1 bis 2 Minuten zusammenfallen lassen. Die Granatapfelkerne auslösen und dazugeben. Mit Salz und Pfeffer würzen.

6 | Den Spinat auf Teller verteilen, die Süßkartoffelwürfel darum herumgeben und die Lachsfilets auf dem Spinat anrichten. Nach Belieben mit getrockneten unbehandelten Orangenschalenstreifen dekorieren.

Tipp: Tikka Masala ist eine indische Gewürzpaste. Alternativ können Sie auch fertige Tikka-Masala-Paste verwenden. Sie ist im Asienladen oder in großen Supermärkten in der entsprechenden Fachabteilung erhältlich.

Geflügel & Wild

Perfekt für jeden Anlass

Ob zarte Brust oder krosse Keule, großer Braten oder schnelles Pfannengericht, Gourmethappen oder Fast Food – bei Geflügel und Wild bleiben kulinarisch keine Wünsche offen.

Ein Überflieger macht Karriere Kein Fleisch hat solche Zuwachsraten zu verzeichnen wie Geflügel. Vor allem das helle und zarte Fleisch von Huhn und Pute bzw. Truthahn legt in der Gunst der Verbraucher immer weiter zu. Der Grund dafür: Das Fleisch ist in der Regel fettarm, es hat eine sehr günstige Nährstoffzusammensetzung und ist ideal für die schnelle Küche. Das trifft vor allem auf die Teilstücke wie Brust, Flügel oder Keulen zu, die besonders beliebt sind. Auch bei Ente und Gans werden immer öfter Teilstücke gekauft, denn die Zahl der kleinen Haushalte wächst. So bleibt der »große Vogel« – Gans, Ente oder Pute – immer mehr der Festtagsküche vorbehalten. Die wachsende Nachfrage und der Preisdruck des Einzelhandels haben bei der Geflügelaufzucht mittlerweile zu industrieller Massenproduktion geführt. Die negativen Begleiterscheinungen und Folgen davon bewirken jedoch bei vielen Verbrauchern ein Umdenken. Ihr Wunsch nach besserer Fleischqualität und artgerechter Aufzucht bescheren Biogeflügel einen immer größeren Marktanteil.

Everybody's darling: Huhn und Pute Die beiden beliebtesten Hausgeflügel werden in verschiedenen Größen und Altersstufen angeboten. Als Stubenküken bezeichnet man bis zu 650 g schwere Junghühner. 800 bis 1200 g schwer sind Hähnchen, auch Broiler genannt, Poularden wiegen über 1200 g. Hühner, die mit Mais gefüttert werden, entwickeln ein aromatisches, leicht gelbliches Fleisch und heißen Maishähnchen bzw. Maispoularden. Ein Suppenhuhn ist eine ehemalige Legehenne mit bis zu 2 kg Gewicht. Ihr Fleisch ist eher zäh, dafür aber sehr aromatisch. Es ist ideal, um Brühen daraus zu kochen, das Fleisch eignet sich dann gut für Frikassees oder Ragouts. Babyputen wiegen bis zu 3 kg und besitzen zarteres Fleisch, sind allerdings auch etwas trockener als die bis zu 4 kg schweren Jungputen. Wer einen ausgewachsenen Puter braten will, sollte sich vergewissern, dass sein Ofen auch groß genug ist – solche Exemplare können mehr als 12 kg schwer werden. Groß sollten dann auch der Appetit und die Runde der geladenen Gäste sein.

Festtagsbraten: Ente und Gans Hauptsache knusprig – was viele an Gans und Ente besonders lieben, ist die knusprig gebratene Haut. Diese wird so wunderbar kross wegen der darunterliegenden Fettschicht, die beim Braten schmilzt. Besonders fett sind Hausenten, zu denen auch die Pekingente gehört (nicht zu verwechseln mit der gleichnamigen chinesischen Spezialität). Muskulöser und fettärmer sind Flugenten, zu denen die Barbarieenten zählen, die je nach Geschlecht 2 kg (Weibchen) bis 4 kg (Männchen) schwer werden. Dementsprechend variiert auch die Größe der beliebten Brustfilets sehr stark. Im Einzelhandel werden meist die etwa 300 g schweren männlichen Brüste angeboten, die zarteren weiblichen Brüste mit einem Gewicht von etwa 180 g sind vor allem bei Spitzenköchen begehrt. Bei den Gänsen haben wir die Wahl zwischen der fetteren Mastgans und der fleischigeren Weide- oder Freilandgans, beide werden mit einem Gewicht von 4 bis 6 kg vor allem im Herbst und zur Weihnachtszeit frisch angeboten.

Hauptsache Hygiene: Geflügel in der Küche Frische beim Kauf und Hygiene bei der Zubereitung sind bei Geflügel oberstes Gebot, denn das Fleisch ist anfällig für Bakterien und daher leicht verderblich. Frisches Geflügel erkennt man an der trockenen Haut und einem angenehmen Geruch. Sofort nach dem Einkauf sollte man Geflügel aus der Verpackung nehmen, mit Frischhaltefolie abdecken und in den Kühlschrank stellen. Dann innerhalb von ein bis zwei Tagen zubereiten. Vor der Zubereitung unter fließendem Wasser waschen – ganze Vögel auch in der Bauchhöhle – und mit Küchenpapier gut trocken tupfen. Ganz wichtig: Geflügel sollte man grundsätzlich durchgaren. Ob zur Vorbereitung von Geflügel Schneidebretter aus Holz oder aus Kunststoff verwendet werden sollten, ist umstritten. Verschiedene Untersuchungen weisen aber darauf hin, dass Holz bestimmte Stoffe enthält, die Bakterien abtöten, während sich in Rillen von Kunststoffbrettern Bakterien länger halten und sich vermehren können. Sicherheitshalber sollte man alle verwendeten Arbeitsbretter und Küchenutensilien gründlich reinigen. Besondere Sorgfalt ist beim Auftauen von tiefgekühltem Geflügel gefragt, denn im Auftauwasser könnten sich gesundheitsgefährdende Keime befinden. Geflügel deshalb immer langsam im Kühlschrank auftauen, dabei am besten auf einen umgedrehten Teller geben, um zu verhindern, dass das Fleisch im Auftauwasser liegt. Vorsicht: Das Auftauwasser sollte nicht mit anderen Speisen in Berührung kommen.

Das besondere Fleisch: Wild und Wildgeflügel Das Fleisch von wild lebenden Tieren ist ebenfalls ausgesprochen fettarm und zudem sehr eiweißreich. Von Haarwild spricht man bei Tieren, die ein Fell besitzen, wie z.B. Reh, Hirsch, Wildschwein oder Hase. Gefiederte Tiere, wie Fasan, Rebhuhn, Perlhuhn oder Wachtel, gehören dagegen zum Federwild und werden auch Wildgeflügel genannt. Wildfleisch hat einen sehr kräftigen Geschmack und ist dunkler und fester als das Fleisch von Hausschwein und Co. Da Wild Krankheitserreger enthalten kann, sollte man auch hier bei der Zubereitung unbedingt auf Hygiene achten. Zum Rohessen eignet sich Wild ebenso wenig wie Geflügelfleisch.

Rehrücken
Wildschweingulasch
Hirschmedaillons
Wachtel
Fasan
Gänsekeule
Entenbrust
Gänsebrust
Hähnchenkeule
Poulardenbrust
Ente
Maispoularde
Poularde
Truthahnbrust

Geflügel & Wild – besonders zart

1 AUS DER PFANNE

Da Geflügel und Wild oft mager sind, besteht beim Braten die Gefahr, dass es zu trocken gerät. Eine Entenbrust ist jedoch der perfekte Minibraten und schmeckt als Vorspeise mit Salat ebenso köstlich wie als Hauptgericht mit einer fruchtig-pikanten Sauce. Das Geheimnis des guten Gelingens: Das Filet wird erst in der Pfanne knusprig gebraten, danach zieht es im nicht zu heißen Ofen sanft gar und wird dadurch wunderbar zart.

1. Ofen auf 100 °C vorheizen. Auf die mittlere Schiene ein Gitter und darunter ein Abtropfblech schieben. Entenbrüste waschen, trocken tupfen. Die Haut rautenförmig einschneiden – so tritt das Fett aus, und die Entenbrust bleibt in Form.

2. Die Entenbrüste salzen. Öl in eine kalte Pfanne geben und die Filets mit der Hautseite nach unten hineinlegen. Bei mittlerer Hitze heiß werden lassen und 5 bis 6 Minuten goldbraun braten. Fleisch wenden, 1 Minute weiterbraten.

2 AUS DEM OFEN

Geflügel im Ofen zu garen ist besonders an Festtagen beliebt. Meist müssen dann Gans, Ente oder Pute in die Röhre gucken. Etwas alltagstauglicher ist ein saftiges Brathähnchen, rundherum goldbraun gebraten und nach aromatischen Kräutern duftend. Dafür wird es mit Gewürzen und Öl eingerieben und mit guten Dingen gefüllt. Bei der Wahl der Zutaten lässt sich prima experimentieren und das Aroma immer wieder verändern.

1. Backofen auf 160 °C vorheizen. Die Poularde innen und außen waschen, trocken tupfen und mit Salz und Paprikapulver einreiben.

2. Zwiebel und Knoblauch schälen, grob hacken. Zitrone heiß waschen, trocken reiben und achteln. Petersilie und Majoran waschen, trocken schütteln und die Blätter abzupfen. Alles in einer Schüssel mit 2 EL Olivenöl mischen.

3 AUS DEM TOPF

Wer ein Huhn im Topf hat, kann sich doppelt freuen, denn er hat nicht nur ein feines Süppchen, sondern auch noch Fleisch und Brühe für ein Frikassee am nächsten Tag. Für die cremige Sauce sorgt eine klassische Mehlschwitze, für Knackigkeit viel frisches Gemüse und fürs Aroma ein Schuss Wein und ein Spritzer Zitronensaft. Wer mag, gibt noch eine paar frische Kräuter wie Estragon, Kerbel oder Basilikum dazu.

1. Die gekochte Poularde aus der Brühe nehmen, die Haut entfernen und das Fleisch in mundgerechte Stücke zupfen. Das Fleisch beiseitestellen. 1 l Brühe abmessen, den Rest anderweitig verwenden.

2. Butter in einem Topf zerlassen, Mehl unterrühren und goldgelb anschwitzen. Wein und Brühe unter Rühren mit dem Schneebesen nach und nach dazugießen. Aufkochen und 15 Minuten köcheln lassen.

1 ROSA GEBRATENE ENTENBRUST

2 Entenbrustfilets (à 350 g)
Salz
2 EL Öl
2 EL Butter
2 Streifen unbehandelte Orangenschale
1 Knoblauchzehe (geschält)
4 Zweige Thymian
3 Scheiben Ingwer
Pfeffer aus der Mühle

zum Online-Video
www.kochen-digital.de/entenbrust

3. Die Entenbrüste mit der Hautseite nach oben auf das Ofengitter legen und im Ofen 40 bis 50 Minuten – je nach gewünschtem Gargrad – gar ziehen lassen.

4. Butter in einer Pfanne aufschäumen. Orangenschale, Knoblauch, Thymian und Ingwer dazugeben. Die Entenbrüste aus dem Ofen nehmen, in der Gewürzbutter wenden und mit Pfeffer bestreuen. Dazu passt eine Gemüsepfanne (siehe S. 138).

2 BRATHÄHNCHEN

1 Poularde (ca. 1,6 kg; küchenfertig)
Salz
½ TL Paprikapulver (edelsüß)
1 große Zwiebel
2 Knoblauchzehen
1 unbehandelte Zitrone
1 Bund Petersilie
4 Zweige Majoran
4 EL Olivenöl
Pfeffer aus der Mühle

zum Online-Video
www.kochen-digital.de/brathaehnchen

3. Die Poularde mit der Zwiebel-Kräuter-Mischung füllen und die Öffnung mit kleinen Holzspießen zustecken. Die Poularde rundum mit dem restlichen Olivenöl bestreichen und mit der Brust nach oben auf ein Backblech setzen.

4. Im Ofen auf der untersten Schiene 1 Stunde braten. Die Temperatur auf 200 °C erhöhen und weitere 25 bis 30 Minuten goldbraun braten. Das Hähnchen mit Pfeffer würzen und tranchieren. Dazu passt Gemüse- oder Kopfsalat (siehe S. 40).

3 HÜHNERFRIKASSEE

1 gekochte Poularde mit Brühe (siehe S. 62)
60–80 g Butter · 60–80 g Mehl
100 ml trockener Weißwein
800 g grüner Spargel · Salz
400 g kleine weiße Champignons
250 g Sahne
150 g Erbsen (tiefgekühlt)
Pfeffer aus der Mühle
abgeriebene Schale und Saft von 1 unbehandelten Zitrone

zum Online-Video
www.kochen-digital.de/frikassee

3. Spargel waschen, unteres Drittel schälen, holzige Enden entfernen. Spargel schräg in 3 cm große Stücke schneiden. In kochendem Salzwasser 2 Minuten blanchieren, kalt abschrecken. Pilze putzen, trocken reiben und halbieren.

4. Sahne, Spargel, Pilze und Erbsen zur Sauce geben und 3 bis 4 Minuten köcheln lassen. Hühnerfleisch dazugeben und mit Salz, Pfeffer, Zitronenschale und Zitronensaft würzen. Dazu passen Duftreis (siehe S. 102) und Kopfsalat (siehe S. 40).

Poulardenbrust
im Speckmantel mit Rahmkraut

Für 4 Personen

Für das Rahmkraut:
1 Zwiebel
500 g Sauerkraut
1 EL Butter
1 EL Zucker
400 ml Hühnerbrühe
½ TL gemahlener Kümmel
4 Wacholderbeeren
250 g Sahne
1–2 TL Speisestärke
Salz · Pfeffer aus der Mühle

Für die Poulardenbrust:
4 Maispoulardenbrustfilets (à 180 g; ohne Haut)
2 Zweige Rosmarin
1 Knoblauchzehe (geschält)
grobes Meersalz
Pfeffer aus der Mühle
120 g Frühstücksspeck (in Scheiben)
2 EL Öl

1 | Für das Rahmkraut die Zwiebel schälen und in feine Streifen schneiden. Das Sauerkraut auf einem Sieb unter fließendem Wasser abspülen und gut abtropfen lassen. Die Butter in einem Topf erhitzen und die Zwiebelstreifen darin andünsten. Das Kraut, den Zucker, die Brühe, den Kümmel und die Wacholderbeeren dazugeben und alles bei schwacher Hitze 30 Minuten köcheln lassen.

2 | Für die Poulardenbrust das Fleisch waschen und trocken tupfen. Die Rosmarinzweige waschen und trocken schütteln, die Nadeln von den Zweigen abzupfen und mit Knoblauch und ½ TL grobem Meersalz im Mörser zu einer Paste zerreiben. Die Poulardenbrustfilets damit einreiben, mit Pfeffer würzen und mit den Speckscheiben umwickeln.

3 | Den Backofen auf 120 °C vorheizen. Ein Ofengitter auf die mittlere Schiene und darunter ein Abtropfblech schieben. In einer Pfanne das Öl erhitzen und die Poulardenbrüste darin bei mittlerer Hitze rundum 4 bis 5 Minuten anbraten. Auf das Ofengitter legen und im Ofen 20 bis 25 Minuten fertig garen.

4 | Inzwischen die Sahne zum Sauerkraut geben und weitere 10 Minuten köcheln lassen. Die Speisestärke mit 2 bis 3 EL kaltem Wasser glatt rühren und das Rahmkraut damit binden. Mit Salz und Pfeffer würzen.

5 | Die Poulardenbrustfilets mit Rahmkraut und nach Belieben mit Rotweinschalotten (siehe S. 202) auf Tellern anrichten.

Tipp: Anstelle des Rahmkrauts können Sie zu den Poulardenbrustfilets im Speckmantel auch die Peperonata von S. 151 oder das Kräuter-Kartoffel-Püree von S. 130 servieren.

Fleisch
aus Pfanne & Wok

In die Pfanne, fertig, los!

Hochgenuss für eilige Gourmets: ob Rind oder Kalb, Schwein oder Lamm – artgerecht gehaltene Tiere liefern feine Stücke für die fixe Zubereitung in Pfanne oder Wok.

Die schnelle Nummer: Schnitzel, Steak & Co. Ein knuspriges Wiener Schnitzel, ein saftiges Filetsteak oder ein sahniges Geschnetzeltes sind ein Fest für Fleischfans. Nicht nur, weil sie köstlich schmecken, sondern auch, weil sie schnell fertig sind. Schnell ist das Zauberwort der modernen Küche, denn Zeit ist knapp. Stundenlang in der Küche stehen, das können und wollen viele nur noch an den Wochenenden oder an Feiertagen. Und da meist nur zwei, drei oder vier Esser am Tisch sitzen, lohnen sich große Braten in der Regel erst, wenn Gäste eingeladen sind. Zum Glück gibt es für alle anderen Fälle Schnitzel, Steak & Co. Die sind nicht nur in Rekordzeit fertig, sondern bei richtiger Zubereitung und mit den passenden Beilagen ein absoluter Hochgenuss.

In bester Lage: das Richtige zum Kurzbraten Wenn von Steaks die Rede ist, ist meist Rindfleisch gemeint, denn das Rind liefert eine Vielzahl von Stücken, die sich zum Kurzbraten eignen. Meist stammen sie aus der Rückenpartie des Tieres: Der von einer Fettschicht bedeckte lange Rückenmuskel links und rechts des Rückgrats ist das Roastbeef. Aus seinem vorderen Teil wird das Entrecôte geschnitten, aus dem hinteren Teil Rumpsteaks und Sirloin-Steaks. Auch Steaks mit Knochen wie das Porterhouse Steak und das T-Bone-Steak stammen aus dem Rücken. Unterhalb des Roastbeefs sitzt das Filet, ein spitz zulaufender Muskelstrang, der besonders feinfaserig und zart ist. Neben dem Rücken eignen sich auch Teile der Rinderkeule und -schulter zum Kurzbraten, z.B. das falsche Filet im Bug oder die Blume, ein Stück aus der Hüfte. Zarter, feinfaseriger und besonders fettarm ist das Fleisch junger Rinder, die bis zum Alter von acht Monaten Kälber heißen. Aus der Kalbskeule schneidet man dünne Schnitzel für Klassiker wie Saltimbocca oder Wiener Schnitzel. Auch Scheiben aus Kalbsrücken und Kalbsfilet sind in Windeseile fertig. Sehr beliebt bei Feinschmeckern ist das besonders saftige Kalbskotelett. Bei Schweinefleisch stehen ebenfalls Rücken, Filet, Kotelett und Schnitzel hoch im Kurs, aber auch die durchwachsenen Scheiben aus dem Schweinenacken, Nackenkarbonade genannt, und vom Schweinebauch sind gerade in der Grillsaison sehr gefragt. Ein Liebling der Spitzenköche, in der Alltagsküche aber eher selten anzutreffen, ist Lammfleisch. Doch das aromatische dunkelrote Fleisch hat eine Menge zu bieten, das beweisen viele köstliche Gerichte aus der mediterranen und arabischen Küche, in der Lamm traditionell eine große Rolle spielt. Perfekt zum Kurzbraten ist der Lammrücken. In Scheiben geschnitten, werden Stiel- oder Doppelkoteletts daraus, die – gebraten oder gegrillt – in Minutenschnelle gar sind. Ebenso wie die flachen ausgelösten Rückenfilets, Lammlachse genannt, und die nur daumendicken Lammfilets.

»Wie hätten Sie Ihr Fleisch denn gern?«, fragt der Kellner im Restaurant – und meint damit den Gargrad des Rindersteaks. Denn während kurz gebratenes Lamm- und Kalbfleisch zartrosa und Schweinefleisch gerade eben durchgebraten am besten schmecken, stehen bei Rindfleisch verschiedene Garstufen zur Wahl, die über Biss und Geschmack entscheiden. Die Kunst besteht darin, das Fleisch exakt so lange zu braten, dass die gewünschte Garstufe erreicht wird. Dabei spielen nicht nur Dicke und Ausgangstemperatur des Fleisches eine Rolle, sondern auch Pfanne, Herdtemperatur und die Tatsache, dass Fleisch auch nach dem Braten noch durchzieht. Eine Wissenschaft für sich, die man aber mit ein wenig Übung durchaus erlernen kann, am besten mit Unterstützung eines Bratenthermometers. Soll das Fleisch blutig (engl.: medium rare, franz.: saignant) sein, muss es noch einen leicht blutigen Kern haben. Die Kerntemperatur sollte zwischen 50 und 55 °C liegen. Bei der Garstufe rosa bzw. mittel (engl.: medium, franz.: à point) ist das Fleisch im Inneren gleichmäßig rosa, die Kerntemperatur beträgt 55 bis 65 °C. Durchgebraten (engl.: well done, franz.: bien cuit) ist das Fleisch bei einer Kerntemperatur von 70 bis 85 °C.

Alle lieben Hackfleisch Frikadellen, Fleischpflanzerl, Bifteki oder Polpette – die saftigen Küchlein aus durchgedrehtem Fleisch sind auf der ganzen Welt ein Hit. Wir können Hackfleisch würzen, wie es uns beliebt, gute deutsche Hausmannskost oder exotische Köstlichkeiten daraus zaubern, es zwischen zwei Brötchenhälften klemmen oder in Sauce legen, zu Rollen, Fladen oder Kugeln formen. Früher gab es in vielen Haushalten einen Fleischwolf, in dem Fleisch durchgedreht werden konnte, heute übernimmt der Metzger diese Aufgabe. Kleine Mengen Fleisch können aber auch in einem leistungsstarken Mixer fein zerhackt oder mit einem guten Messer in winzige Würfel geschnitten werden. Wichtig ist nur eins: absolute Frische. Denn das stark zerkleinerte Fleisch ist besonders anfällig für Bakterien. Deshalb: Hackfleisch frisch durchgedreht kaufen, am selben Tag zubereiten und grundsätzlich durchgaren.

Wieder im Kommen: Innereien Leber, Nierchen, Lunge, Herz – Innereien sind in den letzten Jahren etwas aus der Mode gekommen. Ihr spezielles Aroma und ihre besondere Konsistenz fordern entsprechende Sorgfalt bei der Zubereitung und sind nicht jedermanns Geschmack. Die Rückbesinnung auf Tradition hat aber auch der Innereienküche wieder zu mehr Aufmerksamkeit verholfen, vor allem in der gehobenen Gastronomie. Und die Erfahrung zeigt: Von den Speisekarten der Spitzenköche ist es meist kein langer Weg bis in die Küchen von Feinschmeckern und Genießern.

Schweinefilet
Schweinekotelett
Kalbsleber
Rinderhüftsteak
Rinderfiletstück
Entrecôte
Rinderhackfleisch
Kalbsschnitzel
Lammkoteletts
Kalbsfilet
Kalbsrückensteak

Fleisch – schnelle Köstlichkeiten

1 KURZBRATEN

Fix ein Steak zaubern und eine feine Sauce gleich dazu – mit der richtigen Pfanne kein Problem. Wer Fleisch in einer Edelstahlpfanne anbrät, erhält nämlich auch eine Menge aromatische Röststoffe. Denn hier setzt das Fleisch beim Anbraten etwas an und löst sich dann von selbst wieder ab. Und die Röststoffe machen die Sauce extra kräftig. Tipp: Das Fleisch etwa 1 Stunde vor dem Braten aus dem Kühlschrank nehmen.

1. Den Backofen auf 60 °C vorheizen. Die Steaks rundum mit grobem Pfeffer würzen und diesen etwas andrücken. Das Öl in einer unbeschichteten Pfanne erhitzen und das Fleisch darin auf beiden Seiten bei mittlerer Hitze etwa 2 Minuten anbraten.

2. Knoblauch, Rosmarin und Zitronenschale hinzufügen, kurz mitdünsten. Die Pfanne vom Herd nehmen und die Fleischstücke ruhen lassen, bis sie sich vom Pfannenboden lösen. Das Fleisch in Alufolie einschlagen und im Ofen warm stellen.

2 AUSBACKEN

Die knusprige Hülle macht's – und damit diese optimal gelingt, darf an Fett nicht gespart werden. Aber auch die richtigen Brösel, selbst gemacht aus Toast oder alten Brötchen, sind wichtig. Tipp: Mit »Wiener Griessler« (doppelgriffiges Mehl) wird die Panade besonders locker. Stilecht serviert wird das Schnitzel übrigens mit Zitronenspalten, in Österreich ist auch eine Portion Preiselbeeren ein absolutes Muss dazu.

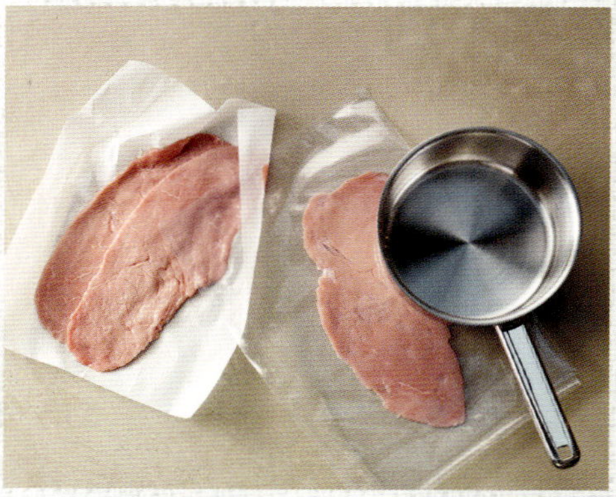

1. Die Schnitzel zwischen zwei Lagen Frischhaltefolie legen und mit dem Plattiereisen oder einem Stieltopf flach klopfen, damit sich die Oberfläche vergrößert. Die Schnitzel mit Salz, Pfeffer und der Zitronenschale würzen.

2. Mehl und Brösel je in einen tiefen Teller geben. Eier in einem weiteren tiefen Teller mit dem Mineralwasser verquirlen. Schnitzel im Mehl wenden, durch die Eier ziehen und zuletzt in den Bröseln wenden, diese nur leicht andrücken.

3 PFANNENRÜHREN

Der Allrounder aus Asien – im Wok kann man dünsten, dämpfen, kochen und sogar frittieren. Perfekt aber ist der halbkugelige Topf fürs Pfannenrühren, so nennt man das schnelle Braten von klein geschnittenen Zutaten bei hoher Temperatur und unter häufigem Wenden mit einer langstieligen Wokschaufel. Tipp: Alle Zutaten schon vorher und möglichst gleichmäßig schneiden, dann geht das Braten im Handumdrehen.

1. Rumpsteak oder Filet in ½ cm dicke Scheiben und diese in etwa 2 cm breite Streifen schneiden. Die Fleischstreifen in eine Schüssel geben und mit 2 EL Öl mischen. Die Fisch- und Austernsauce mit dem Fond und dem Zucker verrühren.

2. Den Wok oder eine große Pfanne erhitzen und das Fleisch darin in zwei Portionen unter Rühren rundum etwa 2 Minuten anbraten. Nicht auf einmal hineingeben, sonst bräunt das Fleisch nicht gleichmäßig.

3. Den Bratensatz mit Fond, Portwein und Rotwein ablöschen und rühren, bis sich der Bratensatz löst. Die Flüssigkeit bei starker Hitze auf etwa ein Drittel einkochen lassen. Die Pfanne vom Herd nehmen.

4. Die kalte Butter unterrühren. Die Sauce mit Fleur de Sel und Pfeffer abschmecken. Die Steaks mit dem Fleischsaft zur Sauce geben und mit Fleur de Sel bestreuen. Dazu passen Rosmarinkartoffeln (siehe S. 120) und Guacamole (siehe S. 242).

1 MINUTENSTEAKS

4 Rinderfiletsteaks (à ca. 120 g; 2–3 cm dick)
grob zerstoßener Pfeffer · 2 EL Öl
1 angedrückte Knoblauchzehe
1 Zweig Rosmarin
1 Streifen unbehandelte Zitronenschale
100 ml Bratenfond (aus dem Glas)
100 ml roter Portwein
100 ml Rotwein
80 g kalte Butter
(in Würfeln)
Fleur de Sel
Pfeffer aus der Mühle

zum Online-Video
www.kochen-digital.de/minutensteaks

3. Das Öl in einer großen Pfanne erhitzen. Die Schnitzel darin auf beiden Seiten je 2 bis 3 Minuten goldbraun ausbacken, dabei die Pfanne leicht hin und her schwenken, sodass das Fett über die Schnitzel schwappt.

4. Bratfett entfernen und die Butter in die Pfanne geben. Die Schnitzel damit beträufeln und auf Küchenpapier abtropfen lassen. Nach Belieben mit Zitronenspalten anrichten. Dazu passen Bratkartoffeln (siehe S. 120) und Kopfsalat (siehe S. 40).

2 WIENER SCHNITZEL

4 Kalbsschnitzel (à 100 g; Oberschale, Rücken oder Nuss)
Salz · Pfeffer aus der Mühle
½ TL abgeriebene unbehandelte Zitronenschale
80 g Mehl · 200 g Weißbrotbrösel
(aus entrindetem Toastbrot)
2 Eier (Größe L)
2 EL Mineralwasser
200 ml Öl
2 EL Butter

zum Online-Video
www.kochen-digital.de/schnitzel

3. Das Basilikum dazugeben und 1 Minute mitdünsten. Das Fleisch aus dem Wok nehmen. Das übrige Öl im Wok erhitzen, Knoblauch, Chili, Zwiebel und Paprika darin unter Rühren 5 bis 6 Minuten dünsten.

4. Nach 4 Minuten die anderen Gemüse dazugeben. Dann die Sauce zum Gemüse gießen und kurz aufkochen. Die Fleischstreifen und das Basilikum hinzufügen und kurz mit den anderen Zutaten erwärmen. Dazu passt Duftreis (siehe S. 102).

3 PFANNENGERÜHRTES RINDFLEISCH

400 g Rumpsteak (oder Rinderfilet) · 3 EL Öl
1 EL Fischsauce · 3 EL Austernsauce
4 EL Geflügelfond · 1 TL brauner Zucker
2 Handvoll gehacktes Thaibasilikum
2 Knoblauchzehen (in feinen Würfeln)
2 kleine rote Chilischoten (entkernt, gehackt)
1 Gemüsezwiebel (in Streifen)
400 g gemischtes Gemüse
(z.B. Paprikaschote, Chinakohl, Frühlingszwiebeln, Sprossen; in Streifen)

zum Online-Video
www.kochen-digital.de/rindfleisch

Kalbsleber
mit Rotweinschalotten

Für 4 Personen

500 g kleine Schalotten · 3 EL Öl
150 ml trockener Rotwein · 200 ml roter Traubensaft
2 Zweige Rosmarin
Salz · Pfeffer aus der Mühle
600 g Kalbsleber (küchenfertig; in Scheiben)
2 EL Mehl · 100 ml Bratenfond
1 EL kalte Butter · Fleur de Sel (oder Salz)

1 | Die Schalotten schälen. In einem Topf 1 EL Öl erhitzen und die Schalotten darin 1 bis 2 Minuten andünsten. Den Wein und den Traubensaft dazugießen und sirupartig einkochen lassen. Den Rosmarin waschen und trocken tupfen, 1 Rosmarinzweig zu den Schalotten geben und kurz ziehen lassen. Mit Salz und Pfeffer würzen.

2 | Die Kalbsleber waschen und trocken tupfen, in 12 gleich große Stücke schneiden. Im Mehl wenden, überschüssiges Mehl gut abklopfen. Das restliche Öl in einer großen Pfanne erhitzen und die Leberstücke darin bei mittlerer Hitze auf beiden Seiten 1 bis 2 Minuten braten. Mit dem Fond ablöschen, die kalte Butter einrühren und den übrigen Rosmarinzweig dazugeben.

3 | Die Leberscheiben mit den Rotweinschalotten anrichten. Mit Fleur de Sel und Pfeffer würzen. Dazu passt Kartoffel-Apfel-Stampf (siehe S. 130).

Zwiebelrostbraten
mit gebackenen Zwiebelringen

Für 4 Personen

4 Scheiben Rinderlende oder -filet (à 150 g; 1–1 1/2 cm dick)
Salz · Pfeffer aus der Mühle · 320 ml Öl · 4 große weiße Zwiebeln
1 TL Puderzucker · 1 TL Tomatenmark · 150 ml Rotwein
600 ml Bratenfond · 2 Zweige Rosmarin
1 angedrückte Knoblauchzehe · 230 ml helles Bier
125 g Mehl · 1/2 TL Paprikapulver (edelsüß) · 2 TL Speisestärke
1 EL gehackte Petersilie · 1 TL grobes Meersalz

1 | Die Rinderlende mit Salz und Pfeffer würzen. In einer Pfanne in 1 EL Öl auf beiden Seiten bei starker Hitze je 1 Minute anbraten und wieder herausnehmen. Zwei Zwiebeln schälen, in feine Würfel schneiden und in 1 EL Öl andünsten. Puderzucker darüberstäuben und leicht karamellisieren. Das Tomatenmark dazugeben und anrösten. Mit Wein ablöschen und fast vollständig einkochen lassen. Fond, Rosmarin und Knoblauch dazugeben und 4 bis 5 Minuten köcheln lassen.

2 | Die restlichen Zwiebeln schälen und in etwa 1/2 cm dicke Ringe schneiden. Bier, Mehl und Paprikapulver verrühren und 10 Minuten quellen lassen. Mit Salz und Pfeffer würzen. Das restliche Öl in einem Topf auf 180 °C erhitzen. Die Zwiebelringe in den Teig tauchen und im Öl 3 bis 4 Minuten goldbraun ausbacken. Auf Küchenpapier abtropfen lassen.

3 | Die Sauce mit der angerührten Speisestärke binden. Rosmarin und Knoblauch entfernen. Das Fleisch in der Sauce 4 bis 5 Minuten ziehen lassen. Petersilie und Meersalz im Mörser zerreiben. Den Rostbraten mit Zwiebeln und Petersiliensalz servieren. Dazu passen Rosmarinkartoffeln (siehe S. 120).

Lammkoteletts in Gewürzbutter
mit Bulgur und Minzejoghurt

Für 4 Personen

Salz · 100 g Bulgur
2 Tomaten
2 Frühlingszwiebeln
½ Bund Minze
1 Bund Petersilie
3 EL Zitronensaft
4 EL Olivenöl
1 TL Ras-el-Hanout
150 g Naturjoghurt
800 g Lammkarree (küchenfertig)
1 EL Öl · 2 EL Butter
1 angedrückte Knoblauchzehe
1 Stück Zimtstange (ca. 2 cm)
¼ TL Chiliflocken
3 Scheiben Ingwer
½ TL Fenchelsamen
grobes Meersalz
Pfeffer aus der Mühle

1 | Für den Bulgur ¼ l Salzwasser in einem Topf zum Kochen bringen. Den Bulgur unterrühren und zugedeckt bei schwacher Hitze 15 bis 20 Minuten garen. Die Tomaten kreuzweise einritzen, überbrühen, kalt abschrecken, häuten, vierteln und entkernen. Das Fruchtfleisch in kleine Würfel schneiden.

2 | Die Frühlingszwiebeln putzen, waschen und schräg in feine Ringe schneiden. Die Minze und die Petersilie waschen und trocken schütteln. Die Blätter abzupfen und grob hacken. Den Bulgur auf einem Sieb abtropfen lassen. Mit einer Gabel auflockern und mit Tomaten, Frühlingszwiebeln, Petersilie und der Hälfte der Minze in einer Schüssel mischen. Mit Zitronensaft, Olivenöl, Ras-el-Hanout und Salz würzen. Die restliche Minze mit dem Joghurt verrühren und mit Salz würzen.

3 | Das Lammkarree waschen, trocken tupfen und zwischen den Knochen in 2 cm dicke Koteletts schneiden. Das Öl in einer Pfanne erhitzen und die Koteletts darin portionsweise auf beiden Seiten 2 Minuten anbraten. Die Pfanne vom Herd nehmen. Butter, Knoblauch, Zimt, Chiliflocken, Ingwer und Fenchelsamen hinzufügen und die Koteletts darin wenden. Das Fleisch mit Salz und Pfeffer würzen und 4 bis 5 Minuten in der Pfanne ziehen lassen. Mit Bulgur und Minzejoghurt servieren.

Pfeffer-Rumpsteak
mit Morchelrahmsauce

Für 4 Personen

4 Rumpsteaks (à 220 g; 3 cm dick)
Salz · Pfeffer aus der Mühle
2 EL Olivenöl
4 Zweige Thymian
1 Knoblauchzehe
10 g getrocknete Morcheln
2 Schalotten
1 EL Butter
100 ml Madeira (port. Likörwein)
300 ml Bratenfond
200 g Sahne
1–2 TL Speisestärke
40 g kalte Butter (in Würfeln)
1 TL eingelegter grüner Pfeffer

1 | Den Backofen auf 85 °C vorheizen. Ein Ofengitter auf die mittlere Schiene und darunter ein Abtropfblech schieben. Den Fettrand der Steaks mehrmals einschneiden. Mit Salz und Pfeffer würzen. Das Olivenöl in einer Pfanne erhitzen und die Steaks darin auf beiden Seiten je 1 bis 2 Minuten anbraten.

2 | Den Thymian waschen und trocken schütteln. Den Knoblauch ungeschält andrücken und mit dem Thymian in die Pfanne geben. Die Steaks kurz im aromatisierten Bratfett wenden, aus der Pfanne nehmen und im Ofen auf dem Ofengitter 40 bis 50 Minuten garen.

3 | Die Morcheln in einer Schüssel mit 100 ml heißem Wasser übergießen und etwa 10 Minuten quellen lassen. Die Schalotten schälen und in feine Würfel schneiden. Die Butter in der Pfanne mit dem Steak-Bratensatz erhitzen und die Schalotten darin andünsten. Mit dem Madeira ablöschen und fast vollständig einkochen lassen.

4 | Die Morcheln in ein feines Sieb abgießen, das Einweichwasser auffangen und zur Madeirareduktion geben. Die Pilze unter fließendem Wasser gründlich abbrausen, grob hacken und hinzufügen. Den Fond und die Hälfte der Sahne angießen. Alles bei mittlerer Hitze 6 bis 8 Minuten köcheln lassen. Die Speisestärke mit 2 bis 3 EL kaltem Wasser glatt rühren und die Sauce damit binden.

5 | Die restliche Sahne halbsteif schlagen. Die Sauce vom Herd nehmen und die Sahne sowie die kalte Butter mit dem Schneebesen unterschlagen. Den grünen Pfeffer fein hacken und unterrühren. Die Sauce mit Salz würzen.

6 | Die Rumpsteaks aus dem Ofen nehmen und mit der Morchelrahmsauce servieren. Dazu passen Kartoffel-Wedges (siehe Tipp) und ein gemischter Salat.

Tipp: Für Kartoffel-Wedges aus der Pfanne 800 g kleine festkochende Kartoffeln gründlich waschen und mit der Schale in kochendem Salzwasser 10 bis 15 Minuten garen. Abgießen, abkühlen lassen und vierteln. In einer Pfanne 2 EL Olivenöl erhitzen und die Kartoffelviertel darin rundum 15 bis 20 Minuten goldbraun braten. Mit Salz, Pfeffer und nach Belieben Chiliflocken würzen.
Für Kartoffel-Wedges aus dem Ofen die Kartoffeln gründlich waschen, mit Küchenpapier trocken reiben, vierteln und mit 2 EL Olivenöl in einer Schüssel mischen. Mit Salz, Pfeffer und nach Belieben Chiliflocken würzen und auf einem Backblech oder in einer Bratreine verteilen. Die Kartoffelviertel im auf 190 °C vorgeheizten Backofen auf der mittleren Schiene 30 bis 40 Minuten backen, dabei ein- bis zweimal wenden.

Frikadellen
auf klassische Art

Für 4 Personen

100 g Toastbrot · 100 ml warme Milch
1 kleine Zwiebel · 1 EL Butter
1 EL gehackte Petersilie · 2 Eier (Größe L)
500 g gemischtes Hackfleisch (oder Kalbshackfleisch)
1 EL mittelscharfer Senf · 1 TL gehackter Majoran
½ TL abgeriebene unbehandelte Zitronenschale
Salz · Pfeffer aus der Mühle
frisch geriebene Muskatnuss · 2 EL Butterschmalz
Radieschen (nach Belieben)

1 | Das Toastbrot entrinden und in einer Schüssel in der Milch einweichen. Die Zwiebel schälen und in feine Würfel schneiden. Die Butter in einer kleinen Pfanne erhitzen und die Zwiebel darin andünsten. Die Petersilie kurz mitdünsten und die Pfanne vom Herd nehmen.

2 | Das Toastbrot ausdrücken und mit den Eiern, dem Hackfleisch und der Zwiebelmischung in eine Schüssel geben. Mit Senf, Majoran, Zitronenschale, Salz, Pfeffer und Muskatnuss würzen. Alles gründlich mischen. Aus der Masse mit angefeuchteten Händen kleine Frikadellen formen.

3 | Das Butterschmalz in einer Pfanne erhitzen und die Frikadellen darin bei mittlerer Hitze auf beiden Seiten je 4 bis 5 Minuten braten. Herausnehmen, auf Küchenpapier abtropfen lassen und mit Kartoffel-Gurken-Salat (siehe S. 132) und nach Belieben Radieschen servieren.

Tipp: Wenn Sie die Frikadellen vor dem Braten in Paniermehl wenden, werden sie noch knuspriger.
Sie wollen auf Nummer sicher gehen, dass die Hackfleischmasse auch ausreichend gewürzt ist? Dann braten Sie vorab eine kleine Probefrikadelle. So können Sie die Masse, falls nötig, noch nachwürzen.

Kalbfleisch-Burger
mit San-Daniele-Schinken und Mozzarella

Für 4 Personen

500 g Kalbshackfleisch (am besten vom Nacken)
Salz · Pfeffer aus der Mühle
4 Scheiben San-Daniele-Schinken
1 Bund Basilikum · 100 g Mayonnaise (siehe S. 242)
1 TL Limettensaft · 2 EL Olivenöl
1 Kugel Mozzarella (125 g)
4 Hamburgerbrötchen mit Sesam
½ EL Butter · 1 große Fleischtomate
60 g Rucola · 1 TL Weißweinessig

1 | Das Hackfleisch mit Salz und Pfeffer würzen und in 4 gleich große Portionen teilen. Diese zu 2 cm hohen Frikadellen formen. Den Schinken in einer Pfanne ohne Fett auf beiden Seiten knusprig braten. Auf Küchenpapier abtropfen lassen, auf einen Teller geben und beiseitestellen.

2 | Das Basilikum waschen und trocken schütteln. Die Blätter abzupfen und in kochendem Salzwasser 5 Sekunden blanchieren, kalt abschrecken und gut ausdrücken. Das Basilikum mit der Mayonnaise pürieren. Mit Salz, Pfeffer und dem Limettensaft würzen.

3 | Den Backofen auf 80 °C vorheizen. In einer Pfanne oder Grillpfanne 1 EL Olivenöl erhitzen und die Frikadellen darin bei mittlerer Hitze auf beiden Seiten 4 bis 5 Minuten braten. Den Mozzarella in 4 Scheiben schneiden. Die Frikadellen mit je 1 Scheibe Mozzarella belegen und im Ofen warm halten.

4 | Die Brötchen halbieren. Die Butter in einer Pfanne erhitzen und die Brötchen darin auf den Schnittflächen anrösten.

5 | Die Tomate waschen und in 4 gleich dicke Scheiben schneiden, dabei den Stielansatz entfernen. Den Rucola verlesen, waschen und trocken schütteln, grobe Stiele entfernen. Mit dem restlichen Olivenöl und Essig mischen.

6 | Die Brötchenunterseiten jeweils mit Rucola und 1 Tomatenscheibe belegen. Etwas Basilikummayonnaise auf die Tomatenscheibe geben, dann 1 Frikadelle und 1 Schinkenscheibe darauflegen. Die oberen Brötchenhälften daraufsetzen. Die Burger nach Belieben mit Rosmarinkartoffeln (siehe S. 120) und einem Rucolasalat (siehe S. 42) servieren.

Kalbsschnitzel
im Panko-Mantel

Für 4 Personen

8 Kalbsschnitzel (à 50 g; aus Oberschale, Rücken oder Nuss)
2 Eier (Größe L) · 2–3 EL Sahne · Salz · Pfeffer aus der Mühle
1 TL gehackter Thymian · 80 g doppelgriffiges Mehl
150 g Panko (asiat. Paniermehl; siehe Tipp S. 163)
200 ml Öl · 2 EL Butter

1 | Die Schnitzel zwischen zwei Lagen Frischhaltefolie vorsichtig flach klopfen. Die Eier und die Sahne in einem tiefen Teller verquirlen. Mit Salz, Pfeffer und Thymian würzen.

2 | Das Mehl und den Panko jeweils in einen tiefen Teller geben. Die Schnitzel zuerst im Mehl wenden, dann durch die Eiermischung ziehen und zuletzt locker im Panko wenden, dabei die Brösel nur leicht andrücken.

3 | Das Öl in einer Pfanne erhitzen. Die Schnitzel darin portionsweise auf beiden Seiten je 2 bis 3 Minuten goldbraun ausbacken, dabei die Pfanne leicht hin und her schwenken, sodass das Fett über die Schnitzel schwappt (siehe S. 200/201).

4 | Die Pfanne vom Herd nehmen, das Öl abgießen und die Butter dazugeben. Die Schnitzel mit der Butter beträufeln, auf Küchenpapier abtropfen lassen und mit wenig Salz würzen. Dazu passt ein gemischer Salat, Asia-Mayonnaise (siehe S. 244) oder BBQ-Sauce (siehe S. 251).

Lammkoteletts
in Couscous-Panade

Für 4 Personen

50 g getrocknete Aprikosen · 125 g Instant-Couscous · Salz
1 EL Öl · 600 g junger Spinat · 8 Lammstielkoteletts (1 ½ cm dick)
1 EL Harissapaste · 2 Eier (Größe L) · 1 EL Sahne · Pfeffer aus der Mühle · 50 g doppelgriffiges Mehl · 2 EL Butterschmalz
1 EL Butter · 2 EL Granatapfelkerne · ½ TL Ras-el-Hanout

1 | Die Aprikosen mit 100 ml kochendem Wasser übergießen. Den Couscous mit 150 ml kochendem Salzwasser übergießen, 5 Minuten quellen lassen und das Öl unterrühren. Mit einer Gabel auflockern und auf einem Backblech ausbreiten. Die Aprikosen in kleine Würfel schneiden. Den Spinat verlesen, waschen und trocken schleudern.

2 | Die Koteletts waschen, trocken tupfen und mit Harissapaste bestreichen. Die Eier mit Sahne verquirlen und mit Salz und Pfeffer würzen. Die Koteletts im Mehl wenden, durch die Eiermischung ziehen und zuletzt mit dem Couscous panieren.

3 | Die Koteletts in einer Pfanne im Butterschmalz bei mittlerer Hitze 3 bis 4 Minuten braten. Herausnehmen und abtropfen lassen. Den Spinat in der Butter 1 bis 2 Minuten dünsten. Aprikosen, Granatapfelkerne und Ras-el-Hanout unterrühren. Mit Salz und Pfeffer würzen. Die Koteletts mit dem Spinat servieren. Dazu passt Mangosalsa (siehe S. 252).

Kalbsfilet
in Parmesan-Ei-Hülle mit Gremolata

Für 4 Personen

400 g Kalbsfilet · 3 Eier (Größe L) · 120 g geriebener Parmesan
1 ½ TL abgeriebene unbehandelte Zitronenschale
Salz · Pfeffer aus der Mühle · 80 g doppelgriffiges Mehl
3 Tomaten · 2 EL Olivenöl · 1 Knoblauchzehe (in feinen Würfeln)
1 EL gehackte Petersilie · 100 ml Öl · 1 EL Butter

1 | Das Kalbsfilet in 8 gleich große Scheiben schneiden. Zwischen zwei Lagen Frischhaltefolie etwa ½ cm flach klopfen. Eier, Parmesan und ½ TL Zitronenschale verquirlen. Mit Salz und Pfeffer würzen. Die Filets zuerst im Mehl und dann in der Eier-Parmesan-Mischung wenden.

2 | Für die Gremolata die Tomaten kreuzweise einritzen, überbrühen, kalt abschrecken, häuten, vierteln, entkernen und in Würfel schneiden. Das Olivenöl in einer Pfanne erhitzen, Tomaten, Knoblauch, Petersilie und restliche Zitronenschale darin 1 Minute dünsten. Mit Salz und Pfeffer würzen.

3 | Öl in einer Pfanne erhitzen. Filets auf beiden Seiten je 2 bis 3 Minuten goldbraun ausbacken, dabei die Pfanne hin und her schwenken, sodass das Fett über das Fleisch schwappt. Pfanne vom Herd nehmen, Öl abgießen. Butter dazugeben und das Fleisch damit beträufeln. Auf Küchenpapier abtropfen lassen und mit Salz würzen. Mit der Gremolata servieren.

Schweinefilet
im Nacho-Mantel

Für 4 Personen

8 Schweineschnitzel oder -medaillons (à 60 g) · 200 g Nachos
2 Eier (Größe L) · 1 EL Sahne · Salz · Pfeffer aus der Mühle
50 g doppelgriffiges Mehl · 200 ml Öl · 2 EL Butter

1 | Die Schweineschnitzel zwischen zwei Lagen Frischhaltefolie vorsichtig flach klopfen. Die Nachos im Blitzhacker fein hacken. Die Eier und die Sahne in einem tiefen Teller verquirlen. Mit Salz und Pfeffer würzen.

2 | Das Mehl und die Nacho-Brösel jeweils in einen tiefen Teller geben. Die Schnitzel zuerst im Mehl wenden, dann durch die Eiermischung ziehen und zuletzt mit den Nachos panieren, dabei die Brösel nur leicht andrücken.

3 | Das Öl in einer Pfanne erhitzen. Die Schnitzel darin portionsweise auf beiden Seiten je 2 bis 3 Minuten goldbraun ausbacken, dabei die Pfanne leicht hin und her schwenken, sodass das Fett über die Schnitzel schwappt (siehe S. 200/201).

4 | Die Pfanne vom Herd nehmen und das Öl abgießen. Die Butter dazugeben und das Fleisch damit beträufeln. Auf Küchenpapier abtropfen lassen und mit wenig Salz würzen. Mit einer Guacamole (siehe S. 242) oder einer Tomatensalsa (siehe S. 252) servieren.

Gebackenes Kotelett

mit Sauerkraut-Graupen

Für 4 Personen

2 Bund Petersilie · ½ Bund Majoran · 50 g Pinienkerne
50 g geriebener Bergkäse · 100 ml Olivenöl · Salz · Pfeffer aus der Mühle · 4 magere Schweinekoteletts (à 180–200 g; ca. 1½ cm dick) · 200 g Toastbrot · 2 Eier (Größe L)
1 EL Sahne · 50 g doppelgriffiges Mehl · 120 g Perlgraupen
300 g Sauerkraut · 110 ml Öl · 2 EL Butter · 1 TL Paprikapulver (edelsüß) · 1 TL Honig · frisch geriebene Muskatnuss

1 | Petersilie und Majoran waschen und trocken schütteln, die Blätter abzupfen. Pinienkerne in einer Pfanne ohne Fett goldbraun rösten. Kräuterblätter mit Pinienkernen, Bergkäse und Olivenöl fein pürieren. Pesto mit Salz und Pfeffer würzen.

2 | Koteletts waschen und trocken tupfen. Jeweils waagerecht eine Tasche in das Fleisch schneiden und diese mit etwas Pesto füllen. Das Toastbrot entrinden und im Blitzhacker fein mahlen. Koteletts, wie auf S. 200 beschrieben, panieren.

3 | Graupen unter kaltem Wasser abbrausen und nach Packungsanweisung garen. Das Sauerkraut in 1 EL Öl 4 bis 5 Minuten andünsten. Kalt abschrecken und beiseitestellen. In einer Pfanne 1 EL Butter erhitzen und das Paprikapulver darin kurz rösten. Honig, Sauerkraut und Graupen dazugeben und 5 Minuten dünsten. Mit Salz, Pfeffer und Muskatnuss würzen.

4 | Die Koteletts im restlichen Öl bei mittlerer Hitze auf beiden Seiten je 3 bis 4 Minuten goldbraun braten. Öl aus der Pfanne gießen, restliche Butter dazugeben. Koteletts damit beträufeln, abtropfen lassen, mit Graupen und Pesto servieren.

Gefülltes Kalbsschnitzel

mit Parmaschinken und Mozzarella

Für 4 Personen

4 Kalbsschnitzel (à 80 g; aus Oberschale, Rücken oder Nuss)
80 g Büffelmozzarella · 8 Basilikumblätter · 4 Scheiben Parmaschinken · 2 Eier (Größe L) · 2–3 EL Mineralwasser
Salz · Pfeffer aus der Mühle · ½ TL abgeriebene unbehandelte Zitronenschale · 80 g doppelgriffiges Mehl · 200 g Paniermehl
200 ml Öl · 2 EL Butter · 1 unbehandelte Zitrone (in Spalten)

1 | Die Schnitzel zwischen zwei Lagen Frischhaltefolie etwas flach klopfen. Den Mozzarella in 4 Scheiben schneiden. Jeweils 1 Scheibe Käse und 2 Basilikumblätter auf 1 Schinkenscheibe legen und einwickeln. Je 1 Päckchen auf 1 Schnitzel legen und das Schnitzel darüber zusammenklappen.

2 | Die Eier in einem tiefen Teller mit dem Mineralwasser verquirlen. Mit Salz, Pfeffer und Zitronenschale kräftig würzen. Das Mehl und das Paniermehl jeweils in einen tiefen Teller geben. Die Schnitzel zuerst im Mehl wenden, dann durch die Eier ziehen und zuletzt mit dem Paniermehl panieren, dabei die Brösel nur leicht andrücken.

3 | Das Öl in einer Pfanne erhitzen. Die Schnitzel darin portionsweise auf beiden Seiten 2 bis 3 Minuten goldbraun ausbacken, dabei die Pfanne leicht hin und her schwenken, sodass das Fett über die Schnitzel schwappt. Die Pfanne vom Herd nehmen, das Öl abgießen und die Butter dazugeben. Die Schnitzel rundum mit der Butter beträufeln, auf Küchenpapier abtropfen lassen und leicht mit Salz würzen. Mit Zitronenspalten und nach Belieben Basilikumöl (aus dem Feinkostladen oder selbst gemacht) servieren.

Kalbskotelett

mit Taleggio-Bresaola-Füllung und Mascarpone-Risotto

Für 4 Personen

4 magere Kalbskoteletts (à 180–200 g; ca. 1 ½ cm dick)
120 g Taleggio (ital. Weichkäse; am Stück) · 8 Scheiben Bresaola (ital. Rinderschinken)
200 g Toastbrot · 2 Eier · 1 EL Sahne
Salz · Pfeffer aus der Mühle
je 1 TL gehackter Rosmarin und Thymian · 50 g doppelgriffiges Mehl · 2 Schalotten · 120 ml Öl
120 g Risottoreis · 80 ml Weißwein
½ l heißer Geflügelfond
50 g Mascarpone · 50 g geriebener Parmesan · Saft von ½ Zitrone
600 g grüner Spargel · 1 EL Butter

1 | Die Koteletts waschen, trocken tupfen und jeweils waagerecht eine Tasche einschneiden. Den Taleggio in 4 Stücke schneiden und diese in je 2 Schinkenscheiben wickeln. Die Koteletts damit füllen. Das Toastbrot entrinden und im Blitzhacker fein mahlen. Eier und Sahne in einem tiefen Teller verquirlen, mit Salz, Pfeffer, Rosmarin und Thymian würzen. Mehl und Toastbrösel ebenfalls in je einen tiefen Teller geben. Die Koteletts zuerst im Mehl wenden, dann durch die Eiermischung ziehen und zuletzt mit den Bröseln panieren.

2 | Schalotten schälen, in feine Würfel schneiden und in einem Topf in 1 EL Öl 1 bis 2 Minuten andünsten. Den Reis hinzufügen und glasig dünsten. Mit dem Wein ablöschen und einköcheln lassen. Nach und nach so viel Fond angießen, dass der Reis stets bedeckt ist, und den Reis unter häufigem Rühren bei schwacher Hitze 20 bis 25 Minuten bissfest garen. Mascarpone, Parmesan und Zitronensaft unterrühren. Den Risotto mit Salz und Pfeffer würzen.

3 | Den Spargel waschen und im unteren Drittel schälen, die holzigen Enden abschneiden. Mit 1 EL Öl beträufeln, mit Salz und Pfeffer würzen und in einer Grillpfanne 6 bis 8 Minuten braten. Das restliche Öl in einer großen Pfanne erhitzen und die Koteletts darin bei mittlerer Hitze auf beiden Seiten je 3 bis 4 Minuten goldbraun braten. Das Öl abgießen und die Butter dazugeben. Die Koteletts mit der Butter beträufeln und auf Küchenpapier abtropfen lassen. Mit Spargel und Risotto anrichten. Nach Belieben mit Kräuterzweigen garnieren.

Schweinefleisch
mit Frühlingszwiebeln und Koriander

Für 4 Personen

2–3 getrocknete Shiitake-Pilze · 4 EL Geflügelfond
1 EL Fischsauce · 1 ½ EL Austernsauce · 1 TL Zucker
500 g Schweinefilet · 3 EL Öl · 1 Knoblauchzehe
40 g Ingwer · 1 weiße Zwiebel · 4 Frühlingszwiebeln
½ Bund Koriander · Pfeffer aus der Mühle

1 | Die Pilze 5 Minuten in heißem Wasser einweichen, abgießen und in Streifen schneiden. Fond, Fisch- und Austernsauce sowie den Zucker in einer Schüssel verrühren. Das Filet in ½ cm dicke Scheiben schneiden und mit 2 EL Öl in einer Schüssel mischen.

2 | Den Knoblauch und den Ingwer schälen. Knoblauch in feine Würfel, Ingwer in feine Streifen schneiden. Die Zwiebel schälen und in dünne Spalten schneiden. Die Frühlingszwiebeln putzen, waschen und schräg in dünne Ringe schneiden. Den Koriander waschen und trocken tupfen, die Blätter abzupfen und grob hacken.

3 | Den Wok erhitzen und das Fleisch darin in zwei Portionen auf beiden Seiten je 1 bis 2 Minuten anbraten. Herausnehmen und beiseitestellen.

4 | Das restliche Öl im Wok erhitzen. Knoblauch, Ingwer, Zwiebel und das Weiße der Frühlingszwiebeln darin unter Rühren 2 bis 3 Minuten dünsten. Die Pilze, den Würzfond und das Fleisch hinzufügen und leicht erwärmen. Mit Pfeffer würzen. Das pfannengerührte Schweinefleisch mit Koriander und Frühlingszwiebelgrün bestreut servieren. Dazu schmecken chinesische Eiernudeln oder Duftreis (siehe S. 102).

Rumpsteak
mit Zuckerschoten und gebratenem Reis

Für 4 Personen

600 g Rumpsteak · 2 ½ EL Öl · 1 walnussgroßes Stück Ingwer
2 Knoblauchzehen · 2 kleine rote Chilischoten
250 g Zuckerschoten · 80 g Erbsen (tiefgekühlt) · Salz
1 EL Palmzucker · 50 ml Austernsauce · 50 ml Geflügelfond
300 g gegarter Duftreis (vom Vortag; siehe S. 102)
2 EL helle Sojasauce · 1 Bund Koriander (gewaschen)

1 | Das Steak zuerst in ½ cm dicke Scheiben, dann in 2 x 4 cm große Stücke schneiden, in eine Schüssel geben und mit 1 ½ EL Öl mischen.

2 | Ingwer und Knoblauch schälen. Ingwer in dünne Streifen, Knoblauch in feine Würfel schneiden. Die Chilischoten längs halbieren, entkernen, waschen und in dünne Ringe schneiden. Die Zuckerschoten putzen und mit den Erbsen in kochendem Salzwasser 1 bis 2 Minuten blanchieren. In ein Sieb abgießen, kalt abschrecken und abtropfen lassen. Die Zuckerschoten nach Belieben in feine Streifen schneiden.

3 | Den Wok erhitzen und das Fleisch darin in zwei Portionen rundum 1 bis 2 Minuten bei starker Hitze anbraten. Palmzucker, Austernsauce und Fond unterrühren. Alles aus dem Wok in eine Schüssel geben und warm halten.

4 | Das restliche Öl im Wok erhitzen, Ingwer, Knoblauch und Chili darin 1 bis 2 Minuten dünsten. Reis hinzufügen und 3 bis 4 Minuten braten. Zuckerschoten und Erbsen dazugeben, 1 bis 2 Minuten braten. Mit Sojasauce würzen. Korianderblätter abzupfen. Das Fleisch auf dem Reis anrichten, mit Koriander und nach Belieben Röstzwiebeln servieren.

Grünes Curry
mit Kalbfleisch und Zitronengras

Für 4 Personen

600 g Kalbfleisch (aus Oberschale oder Nuss) · 2½ EL Öl
1–2 TL grüne Currypaste
1 EL Palmzucker
800 ml Kokosmilch
3 Stängel Zitronengras
1 walnussgroßes Stück Ingwer
300 g kleine Thaiauberginen (oder 1 große Aubergine; in 2 cm großen Würfeln)
½ Bund Thaibasilikum (gewaschen)
2 Limetten (davon 1 unbehandelt)

1 | Das Kalbfleisch zuerst in ½ cm dicke Scheiben, dann in 2 x 4 cm große Stücke schneiden und in einer Schüssel mit 1½ EL Öl mischen. Das Fleisch im Wok in zwei Portionen rundum 1 bis 2 Minuten bei starker Hitze anbraten. In eine Schüssel geben und warm halten.

2 | Das restliche Öl im Wok erhitzen. Die Currypaste darin mit dem Palmzucker 1 bis 2 Minuten dünsten. Mit der Kokosmilch ablöschen und aufkochen lassen. Das Zitronengras putzen und die untere Hälfte mit einem Topfboden flach klopfen. Ingwer schälen und in feine Scheiben schneiden. Auberginen putzen, waschen und längs halbieren oder vierteln. Zitronengras, Ingwer und Auberginen in das Curry geben und 5 bis 6 Minuten köcheln lassen.

3 | Basilikumblätter abzupfen. Die unbehandelte Limette heiß waschen, trocken reiben und in Spalten schneiden, die andere auspressen. Das Fleisch mit dem Limettensaft und den Basilikumblättern zum Curry geben, nicht mehr kochen lassen. Mit den Limettenspalten und nach Belieben eingelegten Chiliringen servieren. Dazu schmeckt Duftreis (siehe S. 102).

Rinderfilet Stroganoff
mit Roter Bete und Schmand

Für 4 Personen

2 Schalotten
200 g Champignons
120 g Rote Bete (vorgegart und vakuumiert)
1 Gewürzgurke
600 g Rinderfilet
2 EL Öl
2 EL Butter
400 ml Bratenfond
1 TL Speisestärke
1 TL scharfer Senf
2 EL Schmand
2 EL gehackte Petersilie
½ TL abgeriebene unbehandelte Zitronenschale
Salz · Pfeffer aus der Mühle

1 | Die Schalotten schälen und in feine Würfel schneiden. Die Champignons putzen, mit Küchenpapier trocken abreiben und je nach Größe halbieren oder vierteln. Die Rote Bete und die Gewürzgurke in Streifen schneiden. Das Rinderfilet in mundgerechte Stücke schneiden und mit dem Öl in einer Schüssel mischen.

2 | Eine große Pfanne erhitzen und das Fleisch darin in zwei Portionen bei starker Hitze rundum 1 bis 2 Minuten anbraten. In eine Schüssel geben und warm halten.

3 | Im Bratensatz 1 EL Butter erhitzen und die Schalotten darin 1 Minute andünsten. Die Champignons dazugeben und 2 Minuten mitdünsten. Mit dem Fond und dem entstandenen Fleischsaft aus der Schüssel ablöschen. Die Speisestärke mit 2 EL kaltem Wasser glatt rühren. Die Sauce damit binden und 3 Minuten köcheln lassen. Senf, Schmand, Rote Bete und Gewürzgurke dazugeben. Alles kurz aufkochen lassen.

4 | Die restliche Butter, 1 EL gehackte Petersilie, die Zitronenschale und das Fleisch unter die Sauce rühren. Kurz erwärmen, aber nicht mehr kochen lassen. Mit der restlichen Petersilie, Salz und Pfeffer bestreuen und servieren. Nach Belieben 1 Klecks frischen Schmand daraufsetzen. Dazu passen Bandnudeln oder Bratkartoffeln (siehe S. 120).

Zürcher Geschnetzeltes
mit Champignons

Für 4 Personen

600 g Kalbsfilet oder -schnitzel · 1 1/2 EL Öl · 2 Schalotten
300 g kleine weiße Champignons · 1 EL Butter · 100 ml trockener Weißwein · 300 ml Kalbsfond · 200 g Sahne · 1 TL Speisestärke · 1/2 TL abgeriebene unbehandelte Zitronenschale · Saft von 1/2 Zitrone · 1 TL Dijon-Senf · 1 EL gehackter Schnittlauch
Salz · Pfeffer aus der Mühle · frisch geriebene Muskatnuss

1 | Das Kalbsfilet in 1 cm dicke Scheiben schneiden, diese halbieren und mit dem Öl in einer Schüssel mischen Die Schalotten schälen und in feine Würfel schneiden. Die Pilze putzen, falls nötig, trocken abreiben und große Exemplare halbieren.

2 | Eine große Pfanne erhitzen und das Fleisch darin in zwei Portionen bei starker Hitze auf beiden Seiten je 1 bis 2 Minuten anbraten. In einer Schüssel warm halten. Die Butter im Bratensatz erhitzen und Schalotten darin 1 bis 2 Minuten andünsten. Champignons dazugeben und 1 bis 2 Minuten mitdünsten. Mit Wein ablöschen und 2 Minuten köcheln lassen. Fond, 100 g Sahne und den entstandenen Fleischsaft aus der Schüssel dazugeben und 3 bis 4 Minuten köcheln lassen.

3 | Die Speisestärke mit 2 EL kaltem Wasser glatt rühren, die Sauce damit binden und 1 Minute köcheln lassen. Die restliche Sahne halbsteif schlagen. Sahne, Zitronenschale und -saft, Senf und Schnittlauch mit dem Fleisch unter die Sauce heben. Kurz erwärmen, aber nicht mehr kochen lassen. Das Zürcher Geschnetzelte mit Salz, Pfeffer und Muskatnuss würzen. Dazu passen Berner Rösti (siehe S. 125).

Schweinegeschnetzeltes
mit Pfifferlingen und Speck

Für 4 Personen

600 g Schweinefilet · 1 1/2 EL Öl · 2 Schalotten
300 g Pfifferlinge · 1 EL Butter · 100 ml trockener Weißwein
300 ml Kalbsfond · 200 g Sahne · 50 g durchwachsener Räucherspeck (in feinen Würfeln) · 1 EL gehackte Petersilie · Salz
Pfeffer aus der Mühle · 1 TL Speisestärke · 1/2 TL abgeriebene unbehandelte Zitronenschale · 1 TL grobkörniger Senf

1 | Das Schweinefilet in 1 cm dicke Scheiben schneiden und mit dem Öl mischen. Die Schalotten schälen und in feine Würfel schneiden. Die Pilze putzen, große Exemplare halbieren.

2 | Eine große Pfanne erhitzen und das Fleisch darin in zwei Portionen bei starker Hitze auf beiden Seiten je 1 bis 2 Minuten anbraten. In einer Schüssel warm halten. Die Butter im Bratensatz erhitzen und die Schalotten darin kurz andünsten. Mit Wein ablöschen und 2 Minuten köcheln lassen. Den Fond, 100 g Sahne und den entstandenen Fleischsaft aus der Schüssel dazugeben, weitere 3 bis 4 Minuten köcheln lassen.

3 | In einer zweiten Pfanne die Speckwürfel goldbraun auslassen. Die Pfifferlinge hinzufügen und 2 bis 3 Minuten dünsten. Zuletzt die Petersilie unterrühren und die Pilze mit Salz und Pfeffer würzen.

4 | Die Stärke mit 2 EL kaltem Wasser glatt rühren, die Sauce damit binden und 1 Minute köcheln lassen. Die restliche Sahne halbsteif schlagen. Zitronenschale, Senf, Sahne und Fleisch unter die Sauce heben. Kurz erwärmen, aber nicht mehr kochen lassen. Das Geschnetzelte mit Salz und Pfeffer würzen, die Pilze dazugeben. Dazu passen Spätzle (siehe S. 195).

Fleisch
aus Ofen & Topf

Für geduldige Genießer

Früher versammelte sich die Familie sonntags zum großen Braten. Heute laden wir gerne auch mal Freunde zu knuspriger Haxe, zartem Tafelspitz oder saftigem Gulasch ein.

Was lange schmort, wird endlich gut Es muss nicht immer Schnitzel sein: Wer Zeit hat und Gäste bewirten will, kann mit einem knusprigen Schweinebraten, einem saftigen Schmorbraten oder einem herzhaften Lammragout oft mehr Lob einheimsen als mit einem Ruck-zuck-Pfannengericht. Die Voraussetzung dafür ist eine gute Fleischqualität. In Rekordzeit auf viel Muskelmasse gezüchtete Tiere mögen einen billigen Braten liefern, gut ist der deswegen noch lange nicht. Ein guter Braten zeichnet sich durch langsam gewachsenes, von feinen Fettadern duchzogenes Fleisch aus, er darf ruhig eine schöne Fettschicht besitzen, die das magere Fleisch darunter saftig hält. Auch Sehnen, Knorpel und Bindegewebe im und am Fleisch mögen auf den ersten Blick nicht begehrenswert sein, sie geben der Sauce aber eine schöne Sämigkeit - wegschneiden kann man sie später immer noch. Knochen halten Fleisch ebenfalls saftig und geben nebenbei Saucen und Fonds Kraft und Aroma.

Qualität hat ihren Preis Seit Urzeiten gehört Fleisch zu unseren Grundnahrungsmitteln, doch bis vor nicht allzu langer Zeit war Fleisch teuer und kam daher nicht alle Tage auf den Tisch. Das hat sich geändert: Viele Menschen essen täglich Fleisch, denn die Massentierhaltung hat es erschwinglicher gemacht. Die Weltbevölkerung wächst stetig, und mit ihr der Fleischkonsum – zum Nachteil der Umwelt, denn Viehzucht ist teuer und verbraucht viele Ressourcen. Umstrittene Haltungsmethoden und Lebensmittelskandale haben den Ruf des Lebensmittels Fleisch stark beschädigt. Deshalb ist es heute wichtiger denn je, beim Fleischkauf mehr auf Klasse als auf Masse zu setzen. Und der wachsende Erfolg von Bioqualitäten sowie die steigende Nachfrage nach hochwertigem Fleisch traditioneller Tierrassen zeigt, dass immer mehr Verbraucher bereit sind, für gutes Fleisch auch einen angemessenen Preis zu zahlen.

Volle Fleischeslust: das Richtige zum Braten und Schmoren Rindfleisch wird vor allem wegen seines kräftigen Geschmacks und seines kernigen Bisses geliebt. Für die Zubereitung im geschlossenen Topf - für Gulasch, Rouladen oder Schmorbraten – eignet sich das muskulöse Fleisch aus Hüfte und Keule besonders gut: Oberschale, Unterschale, Blume und Nuss. Es ist recht fettarm und wird durch langsames Schmoren zart und saftig. Mit der Rückbesinnung auf traditionelle Rezepte kommen auch die Stücke vom Rind wieder zu Ehren, die lange Zeit ein Schattendasein führten: die bindegewebsreichen und durchwachsenen Stücke aus Schulter (Bug) und Bein (Wade), der Schwanz und die Bäckchen. Diese Teile sind preiswerter, aber nicht weniger schmackhaft, denn sie zergehen nach dem langsamen Schmoren förmlich auf der Zunge und ergeben nebenbei eine besonders gute Sauce. Große Rückenstücke wie Roastbeef oder hohe Rippe kann man auch ohne schützenden Topfdeckel braten – ihre natürliche Fettschicht schützt sie vor dem Austrocknen. Für eine aromatische Rindfleischbrühe eignen sich durchwachsene Teile wie die Rinderbrust, ein besonders edles Stück zum Kochen ist aber auch der Tafelspitz, der oberhalb des Schwanzansatzes liegt. Auch aus Kalbfleisch lassen sich gute Braten und Schmorgerichte zubereiten. Aus der Kalbskeule schneidet man schöne Stücke für große Braten, aus der durchwachsenen Schulter oder Brust kocht man herzhafte Ragouts, die fetteren Haxen werden im Ganzen knusprig gebraten oder wie beim Ossobuco in dicken Scheiben geschmort. Wer an einem herzhaften Braten vor allem die knusprige Kruste liebt, greift am liebsten zu Schweinefleisch. Denn Schweineschulter (Schäufele), Schweinebauch, Haxen oder Kotelettbraten besitzen eine üppige Fettschicht, die in der Hitze schmilzt. Dadurch wird nicht nur das darunterliegende Fleisch saftig gehalten, es entsteht auch noch die begehrte krosse Kruste. Damit die Sauce nicht allzu fett wird, sollte der Bratensud am Ende entfettet werden. Soll Schweinefleisch geschmort werden, sind Schweineschulter, -nacken oder -keule die erste Wahl, auch hier darf das Fleisch ruhig etwas durchwachsen sein. Einen aromatischen Lammbraten ergeben Lammkeule, -schulter oder der Lammrücken. Wie beim Schwein sorgt auch hier das Fett für Aroma und Saftigkeit und sollte erst nach dem Braten entfernt werden.

Fleisch in der Küche – Einkauf und Lagerung Fleischkauf ist Vertrauenssache. Ein guter Metzger weiß, wo das Fleisch herkommt, und kann den Kunden auch in Rezeptfragen bestens beraten. Er weiß, für welches Gericht das Fleisch abgehangen sein muss und welches Stück sich für welche Zubereitungsart eignet. Immer mehr Metzger bieten auch Fleisch in Bioqualität und aus der Region an. Zu Hause sollte das Fleisch schnell aus der Verpackung genommen, auf eine Lage Küchenpapier in eine Schale gelegt und zugedeckt im Kühlschrank gelagert werden, wo es etwa zwei Tage frisch bleibt. Fleisch, das länger gelagert werden soll, kann der Metzger luftdicht verpacken (vakuumieren), dadurch hält es noch einige Tage länger. Vor der Zubereitung wird das Fleisch ringsherum mit Küchenpapier trocken getupft, Fleisch mit Knochen sollte man kurz kalt abspülen, um etwaige Splitter und Knochenreste zu entfernen. Tiefgefrorenes Fleisch sollte möglichst schonend aufgetaut werden. Dazu das Fleisch am besten einen Tag vor Zubereitung aus der Verpackung nehmen, auf einen umgedrehten Teller in eine Schale legen, damit die Auftauflüssigkeit ablaufen kann, und zugedeckt im Kühlschrank auftauen lassen.

Schweineschulter
Lammkarree
Lammschulter
Lammkeule
Schweinebauch
Kalbshaxenscheiben
Roastbeef
Rinderroulade
Rindergulasch
Tafelspitz
Kalbsnuss

Fleisch – gut Ding braucht Weile

1 AUS DEM OFEN

Schön »krachen« muss es beim Draufbeißen, dann erst ist die Kruste perfekt. Damit sie garantiert gelingt, wird die Fettschicht des Fleischstücks zunächst kopfüber in Flüssigkeit vorgegart und anschließend im Ofen knusprig gebraten. Das Einschneiden der Schwarte – kreuzweise oder in parallelen Schnitten – sorgt dafür, dass die Hitze von allen Seiten eindringen und möglichst viel Fett ausbraten kann.

1. Den Backofen auf 130 °C vorheizen. Die Brühe in einen Bräter geben und das Fleisch mit der Schwarte nach unten hineinlegen. Auf der mittleren Schiene im Ofen 1 Stunde garen.

2. Zwiebeln und Gemüse im Öl anbraten. Tomatenmark unterrühren und 1 Minute anrösten. Mit Bier ablöschen, fast vollständig einkochen lassen. Fond dazugießen. Fleisch aus dem Ofen nehmen, Ofentemperatur auf 160 °C erhöhen.

2 AUS DEM SCHMORTOPF

Fleisch, das auf der Zunge zergeht, und viel köstliche Sauce – ein Schmorbraten garantiert beides. Und er lässt reichlich Zeit für anderes. Denn wenn das gute Stück erst einmal im Ofen oder auf dem Herd steht, kocht es fast von alleine vor sich hin. Zum Schmoren besonders gut geeignet sind bindegewebsreiche Stücke aus Hüfte, Wade oder Schulter, die ruhig auch etwas durchwachsen sein dürfen. Fragen Sie Ihren Metzger.

1. Den Backofen auf 160 °C vorheizen. Das Fleisch mit Salz würzen. In einem Schmortopf oder einem Bräter 2 EL Öl erhitzen und das Fleisch darin rundum 10 Minuten braun anbraten. Herausnehmen und beiseitestellen.

2. Puderzucker und Tomatenmark im Bratensatz anrösten. Wein auf zweimal angießen und jeweils einköcheln lassen. Brühe, Fond und Fleisch dazugeben. Zugedeckt auf der untersten Schiene im Ofen 2 Stunden garen. Nach 1 Stunde wenden.

3 AUS DEM KOCHTOPF

Wenig Arbeit und am Ende ein Essen, das Fleisch- und Suppenfans gleichermaßen begeistert – was will man mehr? Tafelspitz ist der Wiener Klassiker aus dem Kochtopf. Weil das dreieckige Schwanzstück vom Rind schön langsam in Wasser gar zieht, hat man hinterher nicht nur superzartes Fleisch, sondern auch eine intensiv-aromatische Brühe. Ein absolutes Muss dazu ist Meerrettich, am besten frisch gerieben.

1. Die Zwiebel halbieren und in einer Pfanne ohne Fett auf den Schnittflächen dunkelbraun rösten. Die Gewürze in einen Einwegteebeutel füllen und mit Küchengarn zubinden. Alles in einem Topf mit 2 bis 3 l kaltem Wasser aufkochen.

2. Den Tafelspitz dazugeben und bei schwacher Hitze etwa 2 Stunden garen. Dabei ab und zu mit dem Schaumlöffel den aufsteigenden trüben Schaum abschöpfen – so bleibt die Brühe klar.

3. Die Schwarte in Rauten einschneiden. Gemüse samt Sud in den Bräter geben. Fleisch mit der Schwarte nach oben darauflegen, im Ofen auf der mittleren Schiene 2 Stunden garen. Herausnehmen, Temperatur auf 220 °C Oberhitze erhöhen.

4. Den Braten salzen. Auf einem Backblech auf der untersten Schiene 30 Minuten braten. Sauce durch ein Sieb gießen und entfetten (siehe S. 224). Mit den Gewürzen 5 Minuten köcheln. Salzen und pfeffern. Dazu passen Bratkartoffeln (siehe S. 120).

1 SCHWEINEKRUSTENBRATEN

1 l heiße Hühnerbrühe
1½ kg Schweinschulter (ohne Knochen; mit Schwarte) · 300 g Zwiebeln (in Würfeln)
je 150 g Möhren und Knollensellerie (in Würfeln) · 2 EL Öl
1 EL Tomatenmark · ¼ l Malzbier
400 ml Bratenfond (aus dem Glas)
Salz · 1 Lorbeerblatt
½ TL ganzer Kümmel
3 Zweige Majoran
Pfeffer aus der Mühle

zum Online-Video
www.kochen-digital.de/krustenbraten

3. Schalotten schälen, Sellerie putzen, schälen und in 1½ cm große Würfel schneiden. In einer Pfanne im übrigen Öl 3 bis 4 Minuten andünsten. Zum Fleisch geben und noch 1 weitere Stunde garen. Fleisch herausnehmen und warm stellen.

4. Sauce durch ein Sieb gießen. Mit Knoblauch und Gewürzen 5 Minuten köcheln lassen. Durch ein Sieb gießen, mit Stärke binden. Fleisch in Scheiben schneiden, mit Gemüse dazugeben, salzen und pfeffern. Dazu passt Kartoffelpüree (siehe S. 120).

2 SCHMORBRATEN

1½ kg flache Rinderschulter · Salz · 4 EL Öl
1 EL Puderzucker · 1 EL Tomatenmark
½ l Rotwein · 1 l Hühnerbrühe
400 ml Rinderfond · 500 g Schalotten
300 g Knollensellerie
1 angedrückte Knoblauchzehe
8 Wacholderbeeren · ½ Zimtstange
½ TL Pimentkörner
1 Lorbeerblatt
2–3 TL Speisestärke
Pfeffer aus der Mühle

zum Online-Video
www.kochen-digital.de/schmorbraten

3. Möhren, Petersilienwurzeln und Sellerie putzen, schälen und in 1½ cm große Würfel schneiden. Die Kartoffeln schälen, waschen und halbieren. Mit dem Gemüse und 1 EL Salz zum Tafelspitz geben und weitere 30 Minuten garen.

4. Gewürze und Zwiebel entfernen, Brühe mit Salz abschmecken. Fleisch herausnehmen, in Scheiben schneiden. Mit Gemüse und etwas Brühe in tiefen Tellern anrichten. Meerrettich darüberreiben. Als Nachspeise passen Crêpes Suzette (siehe S. 258).

3 TAFELSPITZ

1 große Zwiebel
1 TL schwarze Pfefferkörner
½ TL Pimentkörner
6 Wacholderbeeren
1 Lorbeerblatt
1,2 kg Tafelspitz
je 200 g Möhren, Petersilienwurzeln und Knollensellerie
600 g kleine vorwiegend festkochende Kartoffeln · Salz
1 Stück Meerrettich (geschält)

zum Online-Video
www.kochen-digital.de/tafelspitz

Roastbeef
mit Bröselkartoffeln

Für 4–6 Personen

1 kg Roastbeef · Salz · Pfeffer aus der Mühle
4 EL Öl · 1 EL scharfer Senf · 1 EL gehackter Rosmarin
800 g festkochende Kartoffeln · 3 EL Butter · 60 g Weißbrotbrösel · ½ TL abgeriebene unbehandelte Zitronenschale
1 EL gehackte Petersilie · 1 Knoblauchzehe · Fleur de Sel

1 | Den Backofen auf 90 °C vorheizen. Ein Ofengitter auf die mittlere Schiene und darunter ein Abtropfblech schieben. Das Roastbeef mit Salz und Pfeffer würzen. In einer Pfanne 2 EL Öl erhitzen und das Fleisch darin bei mittlerer Hitze 5 bis 6 Minuten rundum anbraten. Aus der Pfanne nehmen und mit Senf und Rosmarin einreiben. Das Fleisch auf das Ofengitter legen und im Ofen etwa 2 ½ Stunden rosa garen.

2 | Die Kartoffeln schälen und waschen. In 1 ½ cm große Würfel schneiden und in Salzwasser 20 Minuten weich garen. Die Kartoffeln in ein Sieb abgießen, abtropfen lassen und mit Küchenpapier trocken tupfen. Das restliche Öl in einer Pfanne erhitzen und die Kartoffelwürfel darin rundum anbraten. Dann 1 EL Butter und die Weißbrotbrösel untermischen und mit den Kartoffeln goldbraun rösten. Mit Salz, Pfeffer und Zitronenschale würzen und die Petersilie untermischen.

3 | Den Knoblauch schälen und in feine Würfel schneiden. Die restliche Butter in einer Pfanne erhitzen. Knoblauch dazugeben, das Roastbeef bei schwacher Hitze kurz darin wenden. Das Fleisch in dünne Scheiben schneiden, auf Teller verteilen und mit Fleur de Sel bestreuen. Die Bröselkartoffeln danebengeben. Dazu passt eine Remoulade (siehe S. 242).

Lammkeule
mit karamellisiertem Knoblauch

Für 4–6 Personen

1 Lammkeule (mit Knochen; ca. 2,4 kg) · Salz · Pfeffer aus der Mühle · 2 Zwiebeln · 200 g Möhren · 200 g Knollensellerie
3 EL Öl · 2 Knollen junger Knoblauch · 1 ½ EL Puderzucker
1 EL Tomatenmark · ½ l Rotwein · 1 l Hühnerbrühe
1 EL Butter · 1 Lorbeerblatt · 2 Streifen unbehandelte Zitronenschale · 2 Zweige Rosmarin · 2 TL Speisestärke

1 | Den Backofen auf 130 °C vorheizen. Die Lammkeule waschen, trocken tupfen, salzen und pfeffern. Zwiebeln schälen, Möhren und Sellerie putzen und schälen. Alles in 2 cm große Würfel schneiden. Die Keule in einer Pfanne im Öl bei mittlerer Hitze 6 bis 8 Minuten rundum anbraten. In einen Bräter geben.

2 | Zwiebeln, Möhren, Sellerie und Knoblauchknollen im Bratensatz 3 bis 4 Minuten anrösten, 1 EL Puderzucker dazugeben und karamellisieren. Tomatenmark unterrühren, kurz mitrösten. Mit der Hälfte des Weins ablöschen, einköcheln lassen, restlichen Wein dazugießen und einköcheln lassen. Brühe hinzufügen und alles zum Fleisch in den Bräter geben. Im Ofen auf der untersten Schiene 2 ½ bis 3 Stunden garen. Nach 1 Stunde Knoblauch herausnehmen, Zehen auslösen. Restlichen Puderzucker in einer Pfanne schmelzen, Butter dazugeben und den Knoblauch darin karamellisieren.

3 | Fleisch herausnehmen, warm halten. Sauce durch ein Sieb passieren, Lorbeer, Zitronenschale und Rosmarin dazugeben, 5 Minuten ziehen lassen. Mit Stärke binden, durch ein Sieb gießen und abschmecken. Lamm mit Knoblauch, Gemüse und Sauce anrichten. Dazu passt Selleriepüree (siehe S. 148).

Kalbsrollbraten
mit geschmorten Cocktailtomaten

Für 4–6 Personen

1 ½ kg Kalbsbraten (vom Metzger als Rollbraten zugeschnitten)
Meersalz
Pfeffer aus der Mühle
100 g Pinienkerne
1 Bund Basilikum
2 Knoblauchzehen
80 g Kapern
120 g Pancetta (oder Bacon; in Scheiben)
5 EL Olivenöl
400–500 g Cocktailtomaten

1 | Den Backofen auf 180 °C vorheizen. Den Kalbsrollbraten etwas flach klopfen und mit Meersalz und grob gemahlenem Pfeffer würzen. Die Pinienkerne in einer Pfanne ohne Fett goldbraun rösten. Das Basilikum waschen, trocken schütteln und die Blätter abzupfen. Einige Blätter für die Deko beiseitelegen, die restlichen mit Pinienkernen, Knoblauch und Kapern grob hacken und auf dem Fleisch verteilen.

2 | Das Fleisch der Länge nach fest aufrollen und mit den Pancettascheiben umwickeln. Ein langes Stück Küchengarn abschneiden. Den Anfang vom Küchengarn um ein Ende des Rollbratens schlingen und an der Oberseite verknoten. Das Küchengarn in gleichmäßigen Abständen um das Fleisch schlingen, dabei jeweils auf der Oberseite unter der Schlinge durchfädeln, am Ende verknoten. Den Rollbraten mit Pfeffer würzen.

3 | In einer Pfanne 3 EL Olivenöl erhitzen und den Braten darin rundum 3 bis 4 Minuten anbraten. Den Rollbraten auf ein Backblech setzen und im Ofen auf der mittleren Schiene 1 bis 1 ¼ Stunden braten. Die Cocktailtomaten waschen, mit Salz, Pfeffer und dem restlichen Olivenöl mischen und 15 bis 20 Minuten vor Ende der Garzeit des Bratens auf dem Backblech verteilen.

4 | Den Kalbsrollbraten in Scheiben schneiden, mit den Cocktailtomaten auf Tellern anrichten und mit den Basilikumblättern garnieren. Dazu passen Ciabatta oder Gnocchi.

Krosser Schweinebauch
mit Zimt, Sternanis und Frühlingszwiebeln

Für 4–6 Personen

1 ½ kg Schweinebauch (ohne Knochen; mit Schwarte)
600 ml heiße Hühnerbrühe · 2 Zwiebeln · 3 Knoblauchzehen
60 g Ingwer · 3 EL Öl · 100 g Zucker
200 ml Reiswein · 120 ml helle Sojasauce
2 Zimtstangen · 2 Sternanis · 1–2 TL Speisestärke
2 Bund Frühlingszwiebeln · ½ Bund Koriander

1 | Den Backofen auf 130 °C vorheizen. Das Fleisch mit der Schwarte nach unten in einen Bräter setzen. Die Brühe angießen und das Fleisch im Ofen auf der mittleren Schiene 1 Stunde garen. Herausnehmen und die Schwarte mit einem scharfen Messer rautenförmig einschneiden.

2 | Die Backofentemperatur auf 160 °C erhöhen. Die Zwiebeln, den Knoblauch und den Ingwer schälen und in feine Würfel schneiden. In einer Pfanne 2 EL Öl erhitzen, Zwiebeln, Knoblauch und Ingwer darin andünsten. Den Zucker dazugeben und karamellisieren. Mit dem Bratenfond ablöschen. Wein, Sojasauce, Zimt und Anis dazugeben. Alles zurück in den Bräter geben und den Schweinebauch mit der Schwarte nach oben daraufsetzen. Im Ofen auf der mittleren Schiene 2 Stunden garen.

3 | Den Bräter aus dem Ofen nehmen. Die Backofentemperatur auf 220 °C Oberhitze (240 °C Ober- und Unterhitze) erhöhen. Das Fleisch auf ein Backblech setzen und auf der untersten Schiene 30 Minuten knusprig braten.

4 | Die Sauce durch ein Sieb passieren, in einen Topf geben und mit Küchenpapier entfetten. Dafür ein Blatt Küchenpapier auf die Oberfläche der Sauce legen und vorsichtig abnehmen. Den Vorgang so oft mit einem neuen Küchenpapier wiederholen, bis kein Fett mehr auf der Sauce schwimmt. Die Sauce aufkochen, die Speisestärke mit 2 bis 4 EL kaltem Wasser glatt rühren und die Sauce damit binden. Nach Belieben nochmals mit Sojasauce abschmecken.

5 | Die Frühlingszwiebeln putzen, waschen und in etwa 6 cm lange Stücke schneiden. Das restliche Öl im Wok oder einer großen Pfanne erhitzen und die Frühlingszwiebeln darin bei schwacher Hitze 3 bis 4 Minuten dünsten. Mit 1 bis 2 EL Bratensauce beträufeln.

6 | Den Koriander waschen, trocken schütteln und die Blätter abzupfen. Den Schweinebauch in mundgerechte Würfel schneiden und mit der Sauce und den Frühlingszwiebeln auf Tellern anrichten. Mit Korianderblättern bestreut servieren. Dazu passt Duftreis (siehe S. 102).

Glasierte Kalbshaxe
mit Graupen-Spinat-Risotto

Für 4–6 Personen

1 Kalbshaxe (mit Knochen; ca. 2,2 kg)
Salz · Pfeffer aus der Mühle
2 Zwiebeln · 150 g Möhren · 150 g Knollensellerie
3 EL Öl · 1 EL Puderzucker · 1 EL Tomatenmark
400 ml Rotwein · 150 ml roter Portwein · 850 ml Hühnerbrühe
200 g Perlgraupen · 2 Schalotten · 2 Knoblauchzehen
300 g junger Spinat · 2 EL Butter · 150 g Mascarpone
1 Lorbeerblatt · 1 TL schwarze Pfefferkörner
1 Streifen unbehandelte Zitronenschale
6 Zweige Thymian (gewaschen) · 1–2 TL Speisestärke

1 | Den Backofen auf 160 °C vorheizen. Die Kalbshaxe waschen, trocken tupfen und mit Salz und Pfeffer einreiben. Die Zwiebeln schälen, die Möhren und den Sellerie putzen und schälen und alles in 2 cm große Stücke schneiden. Das Öl in einer großen Pfanne erhitzen und die Haxe darin rundum goldbraun anbraten. Herausnehmen und in einen Bräter geben.

2 | Die Zwiebeln, die Möhren und den Sellerie im Bratensatz 3 bis 4 Minuten anrösten. Den Puderzucker darüberstäuben und kurz karamellisieren. Das Tomatenmark unterrühren und 1 Minute mitrösten. Mit der Hälfte des Weins ablöschen und sirupartig einköcheln lassen. Den restlichen Wein dazugießen und nochmals einköcheln lassen. Portwein und 800 ml Brühe dazugeben und alles zum Fleisch in den Bräter gießen. Die Haxe im Ofen auf der untersten Schiene 3 bis 3 ½ Stunden garen. Das Fleisch dabei alle 45 Minuten wenden und mit Bratensaft begießen.

3 | Inzwischen die Graupen nach Packungsanweisung garen. In ein Sieb abgießen, kalt abschrecken und abtropfen lassen. Die Schalotten und 1 Knoblauchzehe schälen und in feine Würfel schneiden. Den Spinat verlesen, waschen und trocken schleudern. Die Butter in einer Pfanne erhitzen, die Schalotten und den Knoblauch darin andünsten. Den Spinat und die Graupen dazugeben und 3 bis 4 Minuten mitdünsten. Den Mascarpone und die restliche Brühe dazugeben, kurz erwärmen und mit Salz und Pfeffer würzen.

4 | Die Haxe aus dem Bräter nehmen und warm halten. Die Sauce mit dem Gemüse in einen Topf geben. Lorbeerblatt, Pfefferkörner, Zitronenschale und Thymian dazugeben und 5 Minuten köcheln lassen. Die Speisestärke mit 2 bis 4 EL kaltem Wasser glatt rühren und die Sauce damit binden. Durch ein Sieb passieren und mit Salz und Pfeffer würzen.

5 | Die Kalbshaxe in Scheiben schneiden, mit der Sauce und dem Graupen-Spinat-Risotto auf Tellern anrichten.

Lammkarree

mit Olivenkruste und Balsamico-Gemüse

Für 4–6 Personen

Für das Lammkarree:
2 Lammkarrees (à 650 g; küchenfertig, mit Knochen)
Salz · Pfeffer aus der Mühle
2 EL Olivenöl
80 g Pinienkerne
60 g getrocknete schwarze Oliven (ohne Stein)
100 g weiche Butter
1 TL gehackter Rosmarin
1 EL Paniermehl

Für das Gemüse:
1 weiße Zwiebel
1 rote Paprikaschote
1 Aubergine
1 mittelgroßer Zucchino
2 EL Olivenöl
1 Knoblauchzehe
2 Zweige Rosmarin (gewaschen)
Salz · Pfeffer aus der Mühle
100 ml Aceto balsamico
100 ml roter Traubensaft (oder roter Portwein)
50 g Zucker

Außerdem:
Fett für das Blech

1 | Für das Lammkarree den Backofen auf 90 °C vorheizen. Ein Ofengitter auf die mittlere Schiene und darunter ein Abtropfblech schieben. Die Lammkarrees waschen und trocken tupfen. Mit Salz und Pfeffer würzen. Das Olivenöl in einer Pfanne erhitzen und die Karrees darin rundum 2 bis 3 Minuten anbraten. Das Fleisch auf das Ofengitter legen und im Ofen etwa 50 Minuten rosa garen.

2 | Ein Backblech einfetten. Die Pinienkerne und die Oliven klein hacken. Die Butter mit den Quirlen des Handrührgeräts schaumig schlagen. Die Pinienkerne, die Oliven, den Rosmarin und das Paniermehl unterrühren. Mit Salz und Pfeffer würzen. Die Masse in einen Gefrierbeutel geben, mit dem Nudelholz etwa ½ cm dick ausrollen und kühl stellen.

3 | Für das Gemüse die Zwiebel schälen. Die Paprika längs halbieren, entkernen und waschen. Die Aubergine und den Zucchino putzen und waschen. Zwiebel, Paprika und Aubergine in 2 cm große Würfel, den Zucchino in 1 cm dicke Scheiben schneiden.

4 | Das Olivenöl in einer Pfanne erhitzen, Zwiebel, Paprika und Aubergine darin anbraten. Dann bei schwacher Hitze 10 Minuten weiterbraten. Den Knoblauch ungeschält andrücken und mit den Zucchinischeiben und den Rosmarinzweigen dazugeben. Alles weitere 5 Minuten dünsten. Mit Salz und Pfeffer abschmecken. Den Knoblauch und den Rosmarin aus der Pfanne nehmen und das Gemüse warm halten.

5 | Den Essig mit dem Saft und dem Zucker in einem Topf aufkochen und sirupartig einköcheln lassen. Kurz vor dem Servieren das Gemüse damit marinieren.

6 | Aus der Olivenmasse Rechtecke in der Größe der Lammkarrees zuschneiden. Die Lammkarrees aus dem Ofen nehmen und damit belegen. Den Backofengrill einschalten und die Karrees im Ofen auf der obersten Schiene 2 bis 3 Minuten gratinieren.

7 | Die Lammkarrees in Scheiben schneiden und mit dem Gemüse auf Tellern anrichten. Dazu passt Kräuter-Kartoffel-Püree (siehe S. 130), Parmesanpolenta (siehe S. 228) oder Safranrisotto (siehe S. 102).

Geschmorte Kalbsbäckchen

mit Parmesanpolenta

Für 4–6 Personen

Für die Kalbsbäckchen:
2 Zwiebeln · 100 g Möhren
150 g Knollensellerie
12 Kalbsbäckchen (ca. 1,4 kg; küchenfertig)
Salz · Pfeffer aus der Mühle
2 EL Olivenöl · 1 EL Tomatenmark
400 ml Rotwein · 1 EL Rübensirup
800 ml Hühner- oder Rinderbrühe
1 Lorbeerblatt · 8 Pimentkörner
2 Zweige Rosmarin · 2 Streifen unbehandelte Zitronenschale
2 angedrückte Knoblauchzehen
1–2 TL Speisestärke

Für die Polenta:
800 ml Hühnerbrühe
150 g grober Polentagrieß
2 EL Butter
3 EL geriebener Parmesan
1 EL gehackter Rosmarin
Salz · Pfeffer aus der Mühle

1 | Für die Kalbsbäckchen den Backofen auf 160 °C vorheizen. Die Zwiebeln schälen, die Möhren und den Sellerie putzen und schälen. Alles in grobe Würfel schneiden. Die Kalbsbäckchen waschen und trocken tupfen. Mit Salz und Pfeffer würzen. Das Olivenöl in einem Schmortopf oder Bräter erhitzen und die Kalbsbäckchen darin rundum bei starker Hitze anbraten. Herausnehmen und beiseitestellen.

2 | Die Zwiebeln, die Möhren und den Sellerie im Bratensatz anrösten. Das Tomatenmark unterrühren und 1 Minute mitrösten. Mit dem Wein und dem Sirup ablöschen und fast vollständig einköcheln lassen. Die Brühe angießen, die Kalbsbäckchen dazugeben und zugedeckt im Ofen auf der mittleren Schiene etwa 3 Stunden weich schmoren.

3 | Inzwischen für die Polenta die Brühe in einem Topf zum Kochen bringen. Den Polentagrieß unter Rühren einrieseln lassen und nach Packungsanweisung bei schwacher Hitze köcheln lassen, dabei ab und zu umrühren. Die Butter, den Parmesan und den Rosmarin unterheben und die Polenta mit Salz und Pfeffer abschmecken.

4 | Die Kalbsbäckchen aus dem Ofen nehmen und warm halten. Lorbeerblatt, Pimentkörner, gewaschenen Rosmarin, Zitronenschale und Knoblauch in die Sauce geben und 5 Minuten köcheln lassen. Die Speisestärke mit 2 bis 3 EL kaltem Wasser glatt rühren, die Sauce damit binden und durch ein Sieb passieren. Mit Salz und Pfeffer würzen. Die Kalbsbäckchen mit Sauce und Parmesanpolenta anrichten.

Ossobuco
mit Gremolata

Für 4 Personen

2 große Zwiebeln · 100 g Möhren · 100 g Staudensellerie
4 Kalbsbeinscheiben (à 300–350 g) · Salz
Pfeffer aus der Mühle · 1–2 EL Mehl · 5 EL Olivenöl
1 TL Puderzucker · 1 EL Tomatenmark · 200 ml Rotwein
400 g stückige Tomaten (aus der Dose) · 600 ml Rinderfond
1 EL gehackter Zitronenthymian · 200 g Weißbrot (vom Vortag)
1 Knoblauchzehe · 1 EL Butter · 2 EL gehackte Petersilie
1 TL abgeriebene unbehandelte Zitronenschale

1 | Den Backofen auf 160 °C vorheizen. Zwiebeln schälen, Möhren und Sellerie putzen und schälen. Alles in Würfel schneiden. Beinscheiben waschen, trocken tupfen, am Rand mehrmals einschneiden, salzen, pfeffern und in Mehl wenden. In einem Schmortopf 3 EL Olivenöl erhitzen, die Beinscheiben darin auf beiden Seiten goldbraun anbraten. Herausnehmen.

2 | Zwiebeln, Möhren und Sellerie im Bratensatz anrösten. Den Puderzucker darüberstäuben, Tomatenmark unterrühren und 1 Minute mitrösten. Mit Wein ablöschen und fast vollständig einköcheln lassen. Tomaten, Fond und Fleisch dazugeben und zugedeckt im Ofen auf der mittleren Schiene 2 1/2 bis 3 Stunden schmoren. Mit Salz, Pfeffer und Thymian würzen.

3 | Das Weißbrot in Würfel schneiden und in einer Pfanne im restlichen Olivenöl goldbraun rösten. Für die Gremolata den Knoblauch schälen und in feine Würfel schneiden. Butter in einer Pfanne aufschäumen, Knoblauch, Petersilie und Zitronenschale darin kurz andünsten. Ossobuco mit Gremolata, Brotwürfeln und Safranrisotto (siehe S. 102) servieren.

Rinderrouladen
mit Speck und Perlzwiebeln

Für 4 Personen

2 weiße Zwiebeln · 4 EL Öl · 4 Rinderrouladen (à 200 g) · Salz
Pfeffer aus der Mühle · 4 TL mittelscharfer Senf · 12 Scheiben
Frühstücksspeck · 4 Gewürzgurkenviertel · 2 EL Mehl
je 100 g Zwiebeln, Möhren und Knollensellerie (in Würfeln)
1 TL Puderzucker · 1 EL Tomatenmark · 400 ml Rotwein · 800 ml
Rinderbrühe · 1 Lorbeerblatt · 1/2 TL schwarze Pfefferkörner
300 g Perlzwiebeln · 2 TL Speisestärke · 2 EL gehackte Petersilie

1 | Die weißen Zwiebeln schälen, in Streifen schneiden und in 1 EL Öl anbraten. Die Rouladen mit Salz und Pfeffer würzen und mit Senf bestreichen. Mit Speck, Zwiebeln und Gurke belegen, einrollen, zusammenbinden und in Mehl wenden.

2 | Rouladen in einem Schmortopf in 2 EL Öl anbraten. Herausnehmen und die Gemüsewürfel im Bratensatz anrösten. Den Puderzucker darüberstäuben, Tomatenmark unterrühren und kurz mitrösten. Den Wein auf zweimal angießen und jeweils einköcheln lassen. Brühe angießen, Lorbeerblatt und Pfefferkörner dazugeben. Rouladen hineinlegen und zugedeckt bei schwacher Hitze 1 1/2 bis 2 Stunden schmoren.

3 | Die Perlzwiebeln schälen und im restlichen Öl anbraten. Mit etwas Schmorfond ablöschen und zugedeckt bei schwacher Hitze 10 bis 15 Minuten schmoren. Die Rouladen aus dem Topf nehmen. Die Sauce durch ein Sieb gießen und 5 Minuten einköcheln lassen, mit Stärke binden. Mit Salz und Pfeffer würzen. Küchengarn entfernen. Die Rouladen kurz in der Sauce erwärmen. Mit Perlzwiebeln auf Tellern anrichten und mit Petersilie bestreuen. Dazu passt Kartoffelpüree (siehe S. 120).

Szegediner Gulasch
mit Kümmel-Zitronen-Kartoffeln und Schmand

Für 4–6 Personen

1 kg Schweineschulter (ohne Schwarte und Knochen)
Salz · Pfeffer aus der Mühle
300 g Zwiebeln · 2 Knoblauchzehen
2 EL Öl · 1 EL Tomatenmark · 1 EL Paprikapulver (edelsüß)
200 ml Malzbier · 800 ml Hühnerbrühe
400 g Sauerkraut (aus der Dose) · 20 g getrocknete Steinpilze
1 TL ganzer Kümmel · 1 EL gehackter Majoran
1 kg vorwiegend festkochende Kartoffeln · 1 EL Butter
1 TL abgeriebene unbehandelte Zitronenschale
150 g Schmand

1 | Das Schweinefleisch in 3 cm große Würfel schneiden und mit Salz und Pfeffer würzen. Die Zwiebeln und den Knoblauch schälen. Die Zwiebeln in feine Streifen, den Knoblauch in feine Würfel schneiden.

2 | Das Öl in einem Schmortopf erhitzen und das Fleisch darin portionsweise rundum hellbraun anbraten. Herausnehmen und beiseitestellen.

3 | Die Zwiebeln im Bratensatz anrösten. Das Tomatenmark und das Paprikapulver dazugeben und 1 Minute mitrösten. Mit dem Bier ablöschen und einkochen lassen. Die Brühe angießen und das Fleisch wieder dazugeben. Zugedeckt bei schwacher Hitze etwa 2 Stunden schmoren.

4 | Das Sauerkraut, die Steinpilze, den Knoblauch, ½ TL Kümmel und den Majoran dazugeben und weitere 30 Minuten garen. Das Gulasch mit Salz und Pfeffer würzen.

5 | Die Kartoffeln schälen, waschen und in 2 cm große Stücke schneiden. In Salzwasser etwa 20 Minuten weich garen, in ein Sieb abgießen und abtropfen lassen.

6 | Die Butter in einer Pfanne erhitzen. Die Kartoffeln mit dem restlichen Kümmel dazugeben und 2 bis 3 Minuten goldbraun braten. Mit Salz, Pfeffer und Zitronenschale würzen.

7 | Das Szegediner Gulasch mit den Kümmel-Zitronen-Kartoffeln und je 1 Klecks Schmand auf Tellern anrichten.

Bœuf bourguignon
mit Waldpilzen und Speck

Für 4–6 Personen
300 g Schalotten · 100 g Möhren · 150 g Knollensellerie
1 kg Rinderschulter · 1 l Rotwein (z. B. Burgunder)
Salz · Pfeffer aus der Mühle · 3 EL Öl
1 EL Puderzucker · 1 EL Tomatenmark · ½ l Rinderfond
je 4 Zweige Thymian und Majoran
1 TL schwarze Pfefferkörner · 8 Pimentkörner · 1 Lorbeerblatt
2 angedrückte Knoblauchzehen · 2 TL Speisestärke
120 g durchwachsener Bauchspeck (am Stück)
400 g gemischte Pilze (z. B. Champignons, Steinpilze, Pfifferlinge) · 1 Bund Petersilie

1 | Am Vortag die Schalotten schälen. Möhren und Sellerie putzen, schälen und in 1 cm große Würfel schneiden. Die Rinderschulter in mundgerechte Würfel schneiden, mit Schalotten, Möhren und Sellerie in eine Schüssel geben und mit dem Wein bedecken. Im Kühlschrank 24 Stunden marinieren.

2 | Am nächsten Tag alles vorsichtig in ein Sieb gießen, den Wein auffangen. Den Backofen auf 160 °C vorheizen. Das Fleisch mit Salz und Pfeffer würzen. In einem Schmortopf oder Bräter 2 EL Öl erhitzen, das Fleisch darin portionsweise rundum goldbraun anbraten und herausnehmen.

3 | Das Gemüse im Bratensatz 3 bis 4 Minuten andünsten. Den Puderzucker darüberstäuben, Tomatenmark unterrühren und kurz mitrösten. Mit der Hälfte des Weins ablöschen und einköcheln lassen. Den restlichen Wein und den Fond angießen. Das Fleisch wieder dazugeben und zugedeckt im Ofen auf der mittleren Schiene 2 ½ Stunden weich schmoren. Das Bœuf bourguignon in ein Sieb gießen, dabei die Sauce in einem Topf auffangen. Fleisch und Gemüse wieder in den Schmortopf bzw. Bräter geben.

4 | Die Kräuter waschen und trocken schütteln, mit den Gewürzen und dem Knoblauch zur Sauce geben und 10 Minuten köcheln lassen. Die Speisestärke mit 4 EL kaltem Wasser glatt rühren, die Sauce damit binden und durch ein Sieb wieder zurück zum Fleisch gießen. Das Bœuf bourguignon mit Salz und Pfeffer würzen und nur noch kurz erwärmen.

5 | Den Speck in Streifen schneiden. Pilze putzen, falls nötig, trocken abreiben und je nach Größe halbieren oder vierteln. Restliches Öl in einer Pfanne erhitzen und den Speck darin anbraten. Die Pilze dazugeben und 4 bis 5 Minuten mitbraten. Mit Salz und Pfeffer würzen. Petersilie waschen und trocken schütteln, Blätter abzupfen und fein hacken. Speck-Pilz-Mischung und Petersilie zum Bœuf bourguignon geben. Dazu passen Bandnudeln (z. B. Pappardelle) oder Baguette.

Lammschulter

mit Rosmarin und Tomaten

Für 4–6 Personen

2,2 kg Lammschulter (mit Knochen)
6 Knoblauchzehen
6 Zweige Rosmarin
grobes Meersalz
8 EL Olivenöl
Pfeffer aus der Mühle
200 ml trockener Weißwein
800 g Tomaten (aus der Dose)
2 rote Zwiebeln
3 Möhren
3 Stangen Staudensellerie
1 Bund Frühlingszwiebeln
200 g rote und gelbe Cocktailtomaten
Salz
1 TL abgeriebene unbehandelte Zitronenschale
2 EL gehackte Petersilie

1 | Den Backofen auf 160 °C vorheizen. Die Lammschulter waschen, trocken tupfen und mit einem Messer rautenförmig einschneiden. Vier Knoblauchzehen schälen und in den Mörser geben. Den Rosmarin waschen und trocken schütteln. Von 4 Zweigen die Nadeln abstreifen und mit 1 TL grobem Meersalz zum Knoblauch geben. Alles zu einer Paste mörsern, dann 4 EL Olivenöl untermischen. Die Lammschulter mit der Marinade gut einreiben und rundum mit Pfeffer würzen.

2 | In einer großen Pfanne 3 EL Olivenöl erhitzen, die Schulter darin rundum bei mittlerer Hitze 5 bis 6 Minuten goldbraun anbraten und in einen Schmortopf oder Bräter geben. Den Bratensatz mit dem Wein ablöschen. Mit den Dosentomaten zum Fleisch geben und zugedeckt im Ofen auf der mittleren Schiene 2 ½ Stunden schmoren lassen.

3 | Inzwischen die Zwiebeln schälen und in Spalten schneiden. Die Möhren und den Sellerie putzen und schälen bzw. waschen und in 1½ cm große Stücke schneiden. Das restliche Olivenöl in einer Pfanne erhitzen, Zwiebeln, Möhren und Sellerie darin 3 bis 4 Minuten anbraten. Zur Lammschulter geben und alles offen 1 weitere Stunde schmoren.

4 | Die Frühlingszwiebeln putzen, waschen und in 6 cm lange Stücke schneiden. Die Cocktailtomaten waschen und halbieren. Den restlichen Knoblauch schälen, in feine Würfel schneiden und mit den Frühlingszwiebeln und den Tomaten 10 Minuten vor Ende der Garzeit zum Fleisch geben.

5 | Die Lammschulter aus dem Topf oder dem Bräter nehmen, auf ein Küchenbrett legen, das Fleisch vom Knochen lösen und in Scheiben schneiden. Das Gemüse mit Salz, Pfeffer und Zitronenschale würzen. Das Lammfleisch mit dem Gemüse und der Sauce anrichten und mit Petersilie bestreut servieren. Dazu passt Parmesanpolenta (siehe S. 228).

Königsberger Klopse
mit Kapern

Für 4 Personen

1 Zwiebel · 3 Scheiben Toastbrot · 4 EL Butter
80 ml Milch · 6 Stiele Petersilie · 3 EL Kapern
500 g Kalbshackfleisch (oder gemischtes Hackfleisch)
1 EL Paniermehl · 1 Ei (Größe L)
1 TL abgeriebene unbehandelte Zitronenschale
Salz · Pfeffer aus der Mühle · frisch geriebene Muskatnuss
200 ml trockener Weißwein · 1½ l Hühner- oder Rinderbrühe
2 Lorbeerblätter · 1 TL schwarze Pfefferkörner
6 Wacholderbeeren · 2 Gewürznelken · 1½ EL Mehl
200 g Sahne · 200 g Rote Beten (vorgegart und vakuumiert)
1 Bund Schnittlauch

1 | Die Zwiebel schälen und in feine Würfel schneiden. Das Toastbrot entrinden, in 1 cm große Würfel schneiden und in eine Schüssel geben. In einer Pfanne 1 EL Butter erhitzen und die Hälfte der Zwiebelwürfel darin bei mittlerer Hitze 2 bis 3 Minuten andünsten. Die Milch angießen, erwärmen und alles über die Toastbrotwürfel geben.

2 | Die Petersilie waschen und trocken schütteln, die Blätter abzupfen und mit 1 EL Kapern fein hacken. Das Hackfleisch mit der Zwiebel-Brot-Mischung, Petersilie, den gehackten Kapern, dem Paniermehl, dem Ei und ½ TL Zitronenschale gut mischen. Die Masse mit Salz, Pfeffer und Muskatnuss würzen und 15 Minuten ruhen lassen.

3 | Wein, Brühe und die Gewürze in einem Topf aufkochen und gut mit Salz würzen. Aus der Hackmasse mit angefeuchteten Händen 16 Klöße formen und diese in der Gewürzbrühe zugedeckt bei schwacher Hitze 15 bis 20 Minuten garen. Dann herausnehmen und warm halten.

4 | Die Gewürzbrühe durch ein Sieb gießen und 600 ml abnehmen. In einem Topf 2 EL Butter erhitzen und die restlichen Zwiebelwürfel darin andünsten. Das Mehl unterrühren und kurz anschwitzen. Mit der heißen Brühe aufgießen, unter gelegentlichem Rühren 10 Minuten köcheln lassen, dann die Sahne dazugeben und weitere 5 Minuten köcheln lassen.

5 | Die Sauce mit dem Stabmixer gut durchmixen. Die restlichen Kapern dazugeben und die Sauce mit Salz, Pfeffer und der übrigen Zitronenschale würzen. Die Hackfleischklöße kurz in der Sauce erwärmen.

6 | Die Rote Beten in 1½ cm große Würfel schneiden und in der restlichen Butter andünsten. Mit Salz und Pfeffer würzen. Den Schnittlauch waschen, trocken schütteln und in feine Röllchen schneiden. Die Königsberger Klopse mit Rote-Bete-Würfeln und Schnittlauch bestreut servieren. Dazu passen Salzkartoffeln oder Reis.

Pochiertes Rinderfilet
in Barolo

Für 4 Personen

800 g Rinderfilet (aus dem Mittelstück)
4 Schalotten · 2 Knoblauchzehen · 4 Zweige Thymian
2 Lorbeerblätter · 1 TL schwarze Pfefferkörner
½ TL Pimentkörner · 1 l Hühner- oder Rinderbrühe
1,4 l Rotwein (z. B. Barolo oder Burgunder)

1 | Das Rinderfilet mit Küchengarn mehrmals zusammenbinden, damit es in Form bleibt. An zwei Stellen Schlaufen binden und einen Kochlöffel hindurchstecken – so wird das Filet beim Garen in den Kochtopf gehängt und berührt dabei nicht den Topfboden.

2 | Die Schalotten und den Knoblauch schälen, in dünne Scheiben schneiden und in einen Kochtopf in der Größe des Filets geben. Den Thymian waschen, trocken schütteln und mit den Lorbeerblättern sowie den Pfeffer- und den Pimentkörnern in den Topf geben. Die Brühe und den Wein angießen und mit Salz würzen. Alles aufkochen und bei schwacher Hitze 10 Minuten ziehen lassen.

3 | Das Fleisch mit dem Kochlöffel so in den Sud hängen, dass es bedeckt ist. Einen Deckel auflegen und bei schwacher Hitze 25 bis 30 Minuten pochieren.

4 | Das Fleisch aus dem Sud nehmen und das Küchengarn entfernen. Das Filet in Alufolie wickeln und 6 bis 8 Minuten ruhen lassen. In Scheiben schneiden, auf Tellern anrichten und mit Selleriepüree (siehe S. 148) und/oder Sauce béarnaise (siehe S. 246) servieren.

Barbecue-Pork
mit Maisbrot

Für 4–6 Personen

Für das Barbecue-Pork:
3 EL brauner Zucker
1 EL Paprikapulver (edelsüß)
1 EL gemahlener Kreuzkümmel
Salz · Pfeffer aus der Mühle
800 g Schweinenacken
2 große Zwiebeln
1–2 EL Öl
1 l Hühnerbrühe
200 g Tomatenketchup
80 ml Apfelessig
4 EL Worcestershiresauce
1 kg geräucherte Schweinshaxe

Für das Maisbrot:
2 grüne Chilischoten
250 g Instant-Polenta
75 g Mehl
1 TL Backpulver
250 g Buttermilch
4 Eier (Größe M)
60 g flüssige Butter
200 g Mais (aus der Dose)
150 g geriebener Cheddarkäse

Außerdem:
2 Bund Frühlingszwiebeln
1 EL Butter
Salz · Pfeffer aus der Mühle

1 | Am Vortag für das Barbecue-Pork braunen Zucker, Paprikapulver, Kreuzkümmel sowie je 1 TL Salz und gemahlenen Pfeffer in einer Schüssel mischen. Den Schweinenacken damit einreiben und zugedeckt im Kühlschrank über Nacht marinieren.

2 | Am nächsten Tag die Zwiebeln schälen und in Streifen schneiden. Das Öl in einem großen Topf erhitzen und die Zwiebeln darin 2 bis 3 Minuten anbraten. Brühe, Ketchup, Essig und Worcestershiresauce dazugeben und aufkochen lassen.

3 | Den Schweinenacken samt Marinade und der Haxe in den Topf geben. Das Fleisch sollte knapp mit Brühe bedeckt sein, falls nötig, noch etwas Wasser angießen. Das Fleisch zugedeckt bei schwacher Hitze etwa 3 Stunden garen.

4 | Inzwischen für das Maisbrot den Backofen auf 200 °C vorheizen. Die Chilischoten längs halbieren, entkernen, waschen und in feine Würfel schneiden. Die Polenta, das Mehl und das Backpulver in einer Schüssel mischen. Die Buttermilch, die Eier und die Butter unterrühren. Den Mais in ein Sieb abgießen, abtropfen lassen und mit Käse und Chilischoten unterheben.

5 | Eine Springform (24 cm Durchmesser) mit Backpapier auslegen, die Polentamasse einfüllen und im Ofen auf der mittleren Schiene 30 bis 35 Minuten goldbraun backen.

6 | Das Fleisch aus dem Topf nehmen, den Sud mit Küchenpapier entfetten (siehe S. 224) und auf die Hälfte einkochen lassen. Von der Haxe Schwarte und Knochen entfernen. Das Fleisch mit zwei Gabeln in mundgerechte Stücke zupfen und zurück in den Sud geben.

7 | Die Frühlingszwiebeln putzen, waschen und 8 cm lange Stücke schneiden. Die Butter in einer Pfanne erhitzen und die Frühlingszwiebeln darin bei mittlerer Hitze 4 bis 5 Minuten braten. Mit Salz und Pfeffer würzen. Das Fleisch mit etwas Sud in tiefen Tellern anrichten. Das Maisbrot in Stücke teilen und mit den Frühlingszwiebeln dazu servieren.

Tipp: Um auf Nummer sicher zu gehen, dass das Maisbrot durchgebacken ist, stecken Sie einen Holzspieß in das Brot. Bleibt kein Teig daran kleben, ist es fertig gebacken.

Saucen & Dips

Krönung der guten Küche

Ob edle Schaumschlägerei oder internationaler Scharfmacher – Saucen & Dips setzen die entscheidenden geschmacklichen Akzente, ohne das Hauptgericht in den Schatten zu stellen.

Saucen machen glücklich Ein saftiges Steak, ein zartes Fischfilet, eine dampfende Pellkartoffel – was wäre das alles ohne eine gute Sauce? Nur der halbe Genuss. Es ist die Sauce, die am Gaumen für das unvergleichliche Geschmackserlebnis sorgt, die den einfachen Bissen zum Leckerbissen macht und die Verbindung der einzelnen Aromen herstellt. Die Erklärung ist einfach: Saucen enthalten Fett, den Geschmacksträger Nummer eins. Der Löffel Öl, das Stück Butter, der Schuss Sahne verwandeln würzige Flüssigkeiten in sämige Köstlichkeiten. Wer ein deftiges Fleischgericht zubereitet, kann bei der Saucenherstellung auf die Röst- und Inhaltsstoffe der Fleischknochen oder den Bratensatz zurückgreifen (siehe Fleischkapitel). Wo dies nicht der Fall ist, liefern andere Zutaten Aroma und Bindung. Für das Aroma sorgen vor allem Weine, Spirituosen, Kräuter und Gewürze, für die Bindung Eier und Butter.

Rührstücke mit Ei Das Ei ist ein Glücksfall für die Kochkunst, es ist ein Verwandlungskünstler und Alleskönner. Als Solist glänzt es gekocht oder gebraten, als Baiser oder als Omelett. Im Zusammenspiel mit anderen Zutaten erfüllt das Ei aber vor allem eine Aufgabe: Es verbindet Zutaten, die sich sonst nicht mischen würden, wie etwa Wasser und Öl. Grund dafür ist das im Eigelb enthaltene Lecithin, ein biologischer Emulgator. Die Bindungsfähigkeit macht Eigelb für zwei Saucenklassiker unersetzlich: Mayonnaise und Sauce hollandaise. Während im ersten Fall die kalten Eigelbe mit Öl eine Emulsion eingehen, werden sie im zweiten Fall erwärmt und verbinden sich mit flüssiger Butter zu einer schaumigen Sauce. Voraussetzung sind bei beiden Zubereitungen ein kräftiges Schlagen der Zutaten und die langsame Zugabe des Fettes. Wird es zu schnell zugefügt, bleiben die Bestandteile getrennt; wird die Masse zu stark erhitzt, beginnt das Ei zu stocken, und die Sauce wird klumpig. Mit einem guten Stabmixer lässt sich Mayonnaise allerdings auch schneller herstellen: Eigelbe, Senf und Essig in einen Rührbecher geben, das Öl daraufgießen, den Stabmixer hineinstellen und langsam von unten nach oben ziehen. Mayonnaise oder Hollandaise sind die richtigen Saucen für alles, was einen Klacks Üppigkeit verträgt, wie mageres Fleisch, gedünsteter Fisch und Gemüse.

Eine sanfte Verbindung: Butter Eine würzige Grundflüssigkeit – stark reduzierter Fond oder mit Kräutern und Gewürzen eingekochter Wein – kann auch mit kalter Butter gebunden werden. Dazu wird eine großzügige Menge Butter stückchenweise in die heiße Flüssigkeit gerührt oder geschwenkt, durch das leichte Abkühlen verbindet sich das Fett mit der Flüssigkeit und macht sie sämig. Wird die Sauce danach erneut gekocht, verliert sie die Bindung allerdings wieder. Die Verwendung von Butter hat einen weiteren erwünschten Effekt: Sie verleiht Saucen das begehrte Butteraroma. Buttersaucen eignen sich besonders für Gerichte, für die man eine kleine Menge intensiv schmeckender Sauce wünscht.

Die Zuverlässigen: Mehl & Stärke Gut zu dosieren und praktisch überall einsetzbar sind stark quellende Bindemittel, allen voran Speisestärke aus Kartoffeln, Reis oder Mais sowie Mehl. Sie werden in geringer Menge in wenig kalter Flüssigkeit angerührt und unter Rühren in die heiße Grundsauce gegeben. Um die volle Bindung zu erreichen, müssen diese Saucen noch einmal aufkochen. Im Falle von Mehl lässt man sie noch einige Minuten köcheln, um einen Mehlgeschmack zu vermeiden. Wichtig: Stärke und Mehl sparsam dosieren, die Saucen geraten schnell zu dick. Verknetet man zu gleichen Teilen Butter und Mehl, erhält man Mehlbutter, einen kleinen Kloß, von dem man nach Bedarf kleine Stückchen abnimmt und in die kochende Flüssigkeit rührt. Mehlbutter vereint die Vorteile von Butter und Mehl: gute Bindung und guten Geschmack.

Die weiße Garde: Sahne, Crème fraîche & Co. Sahne, Crème fraîche, Mascarpone, Frischkäse und andere fettreiche Milchprodukte erhöhen nicht nur die Saucenmenge, sie verbessern in kleinen Mengen auch ihren Geschmack und machen sie cremig. Je länger man sie mitkocht, desto dicker wird die Sauce. Vorsicht bei Joghurt oder saurer Sahne: Sie enthalten relativ viel Säure, durch die Saucen gerinnen können. Man verhindert das, indem man diese Milchprodukte mit etwas Stärke verrührt. Sahnige Saucen schmecken besonders köstlich zu hellem Fleisch, Pilzen und Pasta. Aber auch als Basis von kalten Dips und Saucen sind cremige Milchprodukte wie Joghurt, Quark oder Crème fraîche hervorragend geeignet. Mit frischen Kräutern, wie bei der berühmten Frankfurter Grünen Sauce, schmecken sie vor allem zu Kartoffeln und Gemüse.

Feines Stückwerk: Salsas & Chutneys In Ländern mit einer abwechslungsreichen Gemüseküche, wie Indien, die arabischen oder südamerikanischen Länder, haben Saucen und Dips aus Gemüse und Obst Tradition. Bestehen sie aus fein gewürfelten oder gehackten rohen Zutaten, heißen sie Salsa, werden diese Zutaten mit einer süßen (z.B. Zucker) und einer sauren (z.B. Essig) Komponente etwas eingekocht, handelt es sich meist um Chutneys. Sie sind köstliche, erfrischende und oft mit einer scharfen Note versehene Begleiter zu Fisch und Fleisch sowie perfekt für die vegetarische Küche. Aus pürierten rohen oder gekochten Gemüsen lassen sich cremige Dips herstellen, wie die südamerikanische Guacamole aus Avocado.

Geflügelfond
Peperoni
Olivenöl
Aceto balsamico
Zitrone
saure Sahne
Ei
Sahne
süßer Senf
scharfer Senf
Estragon
Petersilie
Schnittlauch
Rosmarin
Thymian
Wein
Butter

Saucen & Dips – das i-Tüpfelchen

1 MAYONNAISE & CO.

Wer Mayonnaise kann, der kann auch Remoulade – und umgekehrt. Die Herstellung ist leichter, als man denkt; wenn alle Zutaten Zimmertemperatur haben, kann nichts schiefgehen. Das Geheimnis der Bindung ist das im Eigelb enhaltene Lecithin, es geht mit dem Öl eine Emulsion ein. Durch den Senf wird dieser Effekt unterstützt. Verdünnt mit Brühe oder Fond, wird aus Mayonnaise übrigens auch ein feines Salatdressing.

1. Für Mayonnaise die Eigelbe mit Senf, Essig und etwas Salz in einer Schüssel mit dem Schneebesen kräftig verquirlen. Das Öl zunächst tropfenweise, dann in dünnem Strahl unterschlagen.

2. Wenn die Mayonnaise zu dick wird, einige Tropfen Wasser unterrühren. Mayonnaise mit Zitronensaft, Worcestershiresauce, Salz und Cayennepfeffer würzen. Die Mayonnaise passt zu gedämpften Garnelen (siehe S. 156).

2 BUTTER- & SAHNE-SAUCEN

Schaumig-leicht und mit einem herrlichen Butteraroma – diese Saucen sind der Hit zu Fisch, gegrilltem Fleisch, Spargel und mehr. Und sie sind genau das Richtige für Experimentierfreudige: eine Prise Safran oder Curry, etwas Kerbel, Estragon oder Basilikum untergerührt, ein paar Pfefferkörner oder Fenchelsamen mitgekocht – schon hat man eine ganz neue Geschmacksrichtung.

1. Schalotten schälen und in feine Würfel schneiden. Butter in einem Topf erhitzen und die Schalotten darin 1 bis 2 Minuten andünsten. Mit Wein ablöschen und auf die Hälfte einkochen lassen.

2. Den Fond angießen und bei schwacher Hitze 10 Minuten köcheln lassen. Die Speisestärke mit 2 EL kaltem Wasser glatt rühren und die Sauce damit binden.

3 DIPS

Mit etwas Brot sind sie die ideale Vorspeise, und sie dürfen bei keinem Grillabend fehlen. Schön pikant und blitzschnell gemacht ist der südamerikanische Avocadodip Guacamole. Je reifer die Avocados dafür sind, desto besser. Damit ihr Fuchtfleisch nicht braun wird, wird es mit Limetten- oder Zitronensaft beträufelt. Wer keine Chilischote zur Hand hat, würzt mit Tabasco, statt Koriander schmecken auch Petersilie oder Basilikum.

1. Die Avocados halbieren und den Kern entfernen. Das Fruchtfleisch aus den Schalen lösen (mit einem Avocadoschneider oder Löffel), grob zerkleinern und in einen hohen Rührbecher geben.

2. Die Limette halbieren und auspressen. Limettensaft und Puderzucker zum Avocadofruchtfleisch geben und mit dem Stabmixer grob pürieren.

3. Für Remoulade die Sardellenfilets abtropfen lassen und mit den Cornichons und Kapern in feine Stücke schneiden. Die Kräuter waschen und trocken schütteln, die Blätter abzupfen und fein hacken.

4. Sardellenfilets, Cornichons, Kapern und Kräuter unter die Mayonnaise rühren. Die Remoulade nochmals abschmecken. Passt gut zu frittiertem oder gebratenem Fisch, z. B. Zander (siehe S. 156).

1 MAYONNAISE/REMOULADE

Für die Mayonnaise:
3 frische Eigelb (Größe L)
1 TL scharfer Senf · 1 EL Weißweinessig
Salz · 1/2 l Öl (z. B. Sonnenblumen- oder anderes neutrales Öl) · Saft von 1/2 Zitrone
Worcestershiresauce · Cayennepfeffer
Für die Remoulade zusätzlich:
3 Sardellenfilets (in Öl)
5 Cornichons · 2 EL Kapern
1 Bund gemischte Kräuter (z. B. Petersilie, Kerbel, Estragon)

zum Online-Video
www.kochen-digital.de/mayonnaise

3. Die Sauce mit dem Stabmixer fein pürieren und durch ein feines Sieb passieren. Mit Salz und Cayennepfeffer würzen.

4. Die Sahne halbsteif schlagen und unterheben. Zuletzt die Butterwürfel unter die Sauce mixen – sie sollte dabei schön schaumig werden. Die Sauce passt gut zu gebratenem Zander (siehe S. 156).

2 WEISSWEIN-BUTTER-SAUCE

4 Schalotten
2 EL Butter
1/4 l trockener Weißwein
1 l Gemüse- oder Geflügelfond
1 TL Speisestärke
Salz · Cayennepfeffer
100 g Sahne
150 g kalte Butter (in Würfeln)

zum Online-Video
www.kochen-digital.de/buttersauce

3. Die Chilischote längs halbieren, entkernen, waschen und in feine Würfel schneiden. Die Tomaten vierteln, entkernen und in feine Würfel schneiden. Den Koriander waschen und trocken schütteln, die Blätter abzupfen und grob hacken.

4. Chili, Tomaten und Koriander unter die Guacamole rühren. Mit Salz und Pfeffer würzen. Guacamole passt zu Minutensteaks (siehe S. 200), Rosmarinkartoffeln (siehe S. 120) und zu Weißbrot oder Tortillachips.

3 GUACAMOLE

3 kleine reife Avocados
1 Limette
1/2 TL Puderzucker
1 rote Chilischote
150 g Tomaten
1 kleines Bund Koriander
Salz · Pfeffer aus der Mühle

zum Online-Video
www.kochen-digital.de/guacamole

Safranrouille

Für 4–6 Personen

3 frische Eigelb (Größe L) · 1 TL scharfer Senf
1 EL Weißweinessig · 1½–2 Döschen Safranfäden (à 0,1 g)
Salz · 200 ml Öl (Sonnenblumen- oder anderes neutrales Öl)
200 ml mildes Olivenöl · 1–2 rote Peperoni · 2 Knoblauchzehen
1 gegarte mehligkochende Kartoffel (ca. 120 g; mit Schale)
Saft von ½ Zitrone · Cayennepfeffer

1 | Eigelbe, Senf, Essig, Safran und etwas Salz in einer Schüssel mit dem Schneebesen kräftig verquirlen. Die Ölsorten mischen und zunächst tropfenweise, dann in dünnem Strahl unterschlagen. Wenn die Mayonnaise zu dick wird, einige Tropfen Wasser unterrühren.

2 | Die Peperoni längs halbieren, entkernen, waschen und in feine Würfel schneiden. Den Knoblauch schälen und in Würfel schneiden. Beides im Mörser mit etwas Salz zu einer feinen Paste zerreiben. Die Kartoffel pellen, mit einer Gabel zerdrücken und mit der Paste unter die Mayonnaise rühren. Safranrouille mit Zitronensaft, Salz und Cayennepfeffer würzen.

Passt zu: Fischeintöpfen, Meeresfrüchten, gegrilltem oder gebratenem Fisch.

Basilikum-Mayonnaise

Für 4–6 Personen

50 g junger Spinat · Salz · 2 Bund Basilikum
1 Knoblauchzehe (geschält)
400 ml Öl (Sonnenblumen- oder anderes neutrales Öl)
3 frische Eigelb (Größe L) · 1 TL scharfer Senf
1 EL Weißweinessig · Saft von ½ Zitrone · Cayennepfeffer

1 | Den Spinat verlesen, waschen und in kochendem Salzwasser etwa 10 Sekunden blanchieren. In ein Sieb abgießen, kalt abschrecken und gut ausdrücken. Das Basilikum waschen und trocken schütteln, die Blätter abzupfen und in einen hohen Rührbecher geben. Mit dem Spinat, Knoblauch, etwas Salz und 2 bis 3 EL Öl fein pürieren.

2 | Eigelbe, Senf, Essig und etwas Salz in einer Schüssel mit dem Schneebesen kräftig verquirlen. Das restliche Öl zunächst tropfenweise, dann in dünnem Strahl unterschlagen. Wenn die Mayonnaise zu dick wird, einige Tropfen Wasser unterrühren. Basilikumpüree untermischen und die Mayonnaise mit Zitronensaft, Salz und Cayennepfeffer würzen. Nach Belieben 50 g geröstete, fein gehackte Pinienkerne unterrühren.

Passt zu: Antipasti und Sandwiches.

Asia-Mayonnaise

Für 4–6 Personen

3 frische Eigelb (Größe L) · 1 TL scharfer Senf
1 EL Weißweinessig · Salz · 400 ml Öl (Sonnenblumen- oder anderes neutrales Öl) · 100 g Crème fraîche
2 TL Wasabipaste · 1 TL geriebener Ingwer
1 unbehandelte Limette · Cayennepfeffer

1 | Eigelbe, Senf, Essig und etwas Salz in einer Schüssel mit dem Schneebesen kräftig verquirlen. Das Öl zunächst tropfenweise, dann in dünnem Strahl unterschlagen. Wenn die Mayonnaise zu dick wird, einige Tropfen Wasser unterrühren.

2 | Crème fraîche, Wasabipaste und Ingwer untermischen. Die Limette heiß waschen und trocken reiben, die Schale fein abreiben und den Saft auspressen. Beides unter die Mayonnaise rühren. Mit Salz und Cayennepfeffer würzen. Nach Belieben 1 bis 2 EL fein gehackten Koriander dazugeben.

Passt zu: Gebackenen Shrimpcakes (siehe S. 29), Riesengarnelen oder Kalbsschnitzel im Panko-Mantel (siehe S. 208).

Aioli

Für 4–6 Personen

3 frische Eigelb (Größe L) · 1 TL scharfer Senf
1 EL Weißweinessig · Salz
400 ml Öl (Sonnenblumen- oder anderes neutrales Öl)
2–3 kleine Knoblauchzehen · 100 g Crème fraîche
Saft von ½ Zitrone · Cayennepfeffer

1 | Eigelbe, Senf, Essig und etwas Salz in einer Schüssel mit dem Schneebesen kräftig verquirlen. Das Öl zunächst tropfenweise, dann in dünnem Strahl unterschlagen. Wenn die Mayonnaise zu dick wird, einige Tropfen Wasser unterrühren.

2 | Den Knoblauch schälen und in Würfel schneiden. Mit etwas Salz im Mörser zu einer feinen Paste zerreiben und mit der Crème fraîche unter die Mayonnaise rühren. Die Aioli mit Zitronensaft, Salz und Cayennepfeffer würzen.

Passt zu: Weißbrot, gegrilltem oder gebratenem Fisch und Fleisch.

Sauce hollandaise

Für 4–6 Personen

250 g Butter · 2 Schalotten · 100 ml Weißwein
1 EL Weißweinessig · 200 ml Gemüsebrühe
1 TL schwarze Pfefferkörner · 3 frische Eigelb (Größe M)
Saft von ½ Zitrone · Salz · Cayennepfeffer

1 | Die Butter in einem Topf bei schwacher Hitze zerlassen und lauwarm abkühlen lassen. Schalotten schälen und in feine Würfel schneiden. Mit Wein, Essig, Brühe und Pfefferkörnern in einem Topf aufkochen, auf 100 ml einkochen lassen.

2 | Den Sud durch ein Sieb in eine Metallschüssel gießen und mit den Eigelben verrühren. Im nicht zu heißen Wasserbad 4 bis 5 Minuten cremig aufschlagen. Vom Herd nehmen und die Butter zunächst tröpfchenweise, dann in dünnem Strahl unterschlagen – den weißen Bodensatz nicht mitverwenden. Hollandaise mit Zitronensaft, Salz und Cayennepfeffer würzen.

Passt zu: Spargel, Blumenkohl, Kalb, Schwein und Geflügel.

Sauce béarnaise

Für 4–6 Personen

250 g Butter · 2 Schalotten · 6 Stiele Estragon
4 Stiele Kerbel · 100 ml Weißwein · 1 EL Estragonessig
200 ml Gemüsebrühe · 1 TL schwarze Pfefferkörner
3 frische Eigelb (Größe M) · Saft von ½ Zitrone
Salz · Cayennepfeffer

1 | Die Butter in einem Topf bei schwacher Hitze zerlassen und lauwarm abkühlen lassen. Die Schalotten schälen und in feine Würfel schneiden. Die Kräuter waschen und trocken schütteln, die Blätter abzupfen und fein hacken. Die Kräuterstiele mit Schalotten, Wein, Essig, Brühe und Pfefferkörnern in einem Topf aufkochen und auf 100 ml einkochen lassen.

2 | Den Sud durch ein Sieb in eine Metallschüssel gießen und mit den Eigelben verrühren. Im nicht zu heißen Wasserbad 4 bis 5 Minuten cremig aufschlagen. Vom Herd nehmen und die Butter zunächst tröpfchenweise, dann in dünnem Strahl unterschlagen – den weißen Bodensatz nicht mitverwenden. Mit Zitronensaft, Salz und Cayennepfeffer würzen. Zum Schluss die gehackten Kräuter unterheben.

Passt zu: Meeresfrüchten, Fisch und Rindfleisch.

Zitronen-Dill-Hollandaise

Für 4–6 Personen

250 g Butter · 2 Schalotten · 100 ml Weißwein
1 EL Weißweinessig · 200 ml Gemüsebrühe
1 TL schwarze Pfefferkörner · 3 frische Eigelb (Größe M)
1 Bund Dill (fein gehackt) · 1–2 TL grobkörniger Senf
Saft und Schale von 1 unbehandelten Zitrone · Salz · Tabasco

1 | Die Butter in einem Topf bei schwacher Hitze zerlassen und lauwarm abkühlen lassen. Schalotten schälen und in feine Würfel schneiden. Mit Wein, Essig, Brühe und Pfefferkörnern in einem Topf aufkochen, auf 100 ml einkochen lassen.

2 | Sud durch ein Sieb in eine Metallschüssel gießen, mit Eigelben verrühren. Im nicht zu heißen Wasserbad 4 bis 5 Minuten cremig aufschlagen. Vom Herd nehmen, die Butter zunächst tröpfchenweise, dann in dünnem Strahl unterschlagen – den weißen Bodensatz nicht mitverwenden. Dill und Senf unterrühren, mit Zitronensaft, -schale, Salz und Tabasco würzen.

Passt zu: gebratenem, gegrilltem oder gedämpftem Fisch.

Zitronengras-Hollandaise

Für 4–6 Personen

250 g Butter · 2 Schalotten · 2 Stängel Zitronengras
100 ml Weißwein · 1 EL Weißweinessig · 200 ml Gemüsebrühe
1 TL schwarze Pfefferkörner · 3 frische Eigelb (Größe M)
Saft und Schale von 1 unbehandelten Limette
½ TL geriebener Ingwer · Salz · Cayennepfeffer

1 | Die Butter in einem Topf bei schwacher Hitze zerlassen und lauwarm abkühlen lassen. Die Schalotten schälen und in feine Würfel schneiden. Vom Zitronengras die welken Außenblätter und die obere, trockene Hälfte entfernen. Die untere Hälfte mit einem Topf flach klopfen und grob hacken. Mit Schalotten, Wein, Essig, Brühe und Pfefferkörnern in einem Topf aufkochen und auf 100 ml einkochen lassen.

2 | Den Sud durch ein Sieb in eine Metallschüssel gießen und mit den Eigelben verrühren. Im nicht zu heißen Wasserbad 4 bis 5 Minuten cremig aufschlagen. Vom Herd nehmen und die Butter zuächst tröpfchenweise, dann in dünnem Strahl unterschlagen – den weißen Bodensatz nicht mitverwenden. Die Zitronengras-Hollandaise mit Limettensaft, -schale, Ingwer, Salz und Cayennepfeffer würzen.

Passt zu: gegrilltem oder gebratenem Fisch, Kalb oder Geflügel.

Estragon-Senf-Sauce

Für 4–6 Personen

2 Schalotten · 3 EL Butter · 2 EL Mehl · 150 ml trockener Weißwein · 350 ml heiße Hühner- oder Gemüsebrühe 250 g Sahne · 1 TL scharfer Senf · 1 EL grobkörniger Senf 1 EL gehackter Estragon · 50 g kalte Butter (in Würfeln) Salz · Zucker · Cayennepfeffer · Saft von ½ Zitrone

1 | Die Schalotten schälen und in feine Würfel schneiden. Die Butter in einem Topf erhitzen und die Schalotten darin 2 bis 3 Minuten andünsten. Das Mehl dazugeben und kurz anschwitzen. Mit Wein und Brühe ablöschen, dabei mit dem Schneebesen gut durchrühren. Die Sauce zugedeckt bei schwacher Hitze 15 Minuten köcheln lassen. 200 g Sahne dazugeben und weitere 5 Minuten köcheln lassen.

2 | Die restliche Sahne halbsteif schlagen. Mit den beiden Senfsorten, dem Estragon und den Butterwürfeln unter die Sauce rühren und diese mit dem Stabmixer schaumig pürieren. Mit Salz, Zucker, Cayennepfeffer und Zitronensaft würzen.

Passt zu: Fisch und kurz gebratenem Fleisch.

Tipp: Für eine Kräutersauce auf Estragon und Senf verzichten. Stattdessen 1 Bund gemischte Kräuter waschen und trocken schütteln, die Blätter abzupfen, hacken und mit der Sauce fein pürieren.

Petersilienschaum

Für 4–6 Personen

1 Petersilienwurzel (ca. 120 g) · 1 Zwiebel · 3 EL Butter 100 ml Weißwein · 300 ml Gemüse- oder Hühnerbrühe 2 Bund Petersilie · Salz · 300 g Sahne · 50 g kalte Butter (in Würfeln) · ½ TL abgeriebene unbehandelte Zitronenschale Pfeffer aus der Mühle · frisch geriebene Muskatnuss

1 | Die Petersilienwurzel putzen und schälen, die Zwiebel schälen. Beides in feine Würfel schneiden. Die Butter in einem Topf erhitzen, die Petersilienwurzel und die Zwiebel darin 2 bis 3 Minuten andünsten. Mit dem Wein ablöschen und fast vollständig einkochen lassen. Die Brühe dazugeben und bei schwacher Hitze 10 bis 15 Minuten köcheln lassen.

2 | Petersilie waschen und trocken schütteln, Blätter abzupfen und in kochendem Salzwasser etwa 30 Sekunden blanchieren. In ein Sieb abgießen, kalt abschrecken und gut ausdrücken. Sahne zur Sauce geben und weitere 3 bis 4 Minuten köcheln lassen. Petersilie und Butter dazugeben. Sauce fein pürieren. Mit Zitronenschale, Salz, Pfeffer und Muskat würzen.

Passt zu: Fisch und zu einer Gemüsepfanne (siehe S. 138).

Tipp: Für einen Martini-Vanille-Schaum die Petersilie weglassen und anstelle des Weins trockenen Martini verwenden. Das Mark von 1 Vanilleschote mit der Gemüsebrühe in die Sauce geben.

Rotwein-Butter-Sauce

Für 4–6 Personen

1 EL Puderzucker · 200 ml trockener Rotwein
200 ml roter Portwein · 200 ml roter Traubensaft
2 Zweige Thymian · 1 Lorbeerblatt · 1 TL Speisestärke
150 g kalte Butter (in Würfeln) · Salz · Pfeffer aus der Mühle

1 | Den Puderzucker in einem Topf bei mittlerer Hitze hellbraun karamellisieren. Mit Rotwein, Portwein und Traubensaft ablöschen. Den Thymian waschen und trocken schütteln. Mit dem Lorbeerblatt zur Sauce geben und die Sauce auf ein Drittel einköcheln lassen.

2 | Die Stärke mit 2 EL kaltem Wasser glatt rühren und die Sauce damit binden. Lorbeerblatt und Thymianzweige entfernen. Den Topf vom Herd nehmen und die Butterwürfel mit dem Schneebesen unterschlagen. Mit Salz und Pfeffer würzen.

Passt zu: dunklem Fleisch.

Tipp: Für eine Zwiebelsauce mit Madeira 200 g Zwiebelwürfel in 1 EL Butter andünsten. Mit je 100 ml Rotwein und Madeira ablöschen und fast vollständig einkochen lassen. 2 Rosmarinzweige und ½ l Bratenfond dazugeben. Auf die Hälfte einkochen lassen und mit 1 TL Speisestärke binden. Die Sauce vom Herd nehmen, Rosmarin entfernen und 100 g kalte Butterwürfel unterrühren. Mit Salz und Pfeffer würzen.

Pilzrahmsauce

Für 4–6 Personen

300 g Pilze (nach Saison; z.B. Steinpilze, Pfifferlinge, Champignons oder gemischte Pilze) · 1–2 EL Öl · 2 Schalotten
1 Knoblauchzehe · 2 EL Butter · 150 ml Bratenfond
250 g Sahne · 1–2 TL Speisestärke · 50 g Crème fraîche · 1 Bund Schnittlauch · Salz · Pfeffer aus der Mühle · Saft von ½ Zitrone

1 | Die Pilze putzen, falls nötig, mit Küchenpapier trocken abreiben und in etwa 1 cm große Stücke schneiden. Das Öl in einer großen Pfanne erhitzen und die Pilze darin portionsweise bei mittlerer Hitze 2 bis 3 Minuten goldbraun anbraten. Aus der Pfanne nehmen und beiseitestellen.

2 | Die Schalotten und den Knoblauch schälen und in feine Würfel schneiden. Die Butter in einem Topf erhitzen, die Schalotten und den Knoblauch darin 1 bis 2 Minuten andünsten. Den Fond und die Sahne angießen und aufkochen. Ein Drittel der Pilze dazugeben und 5 Minuten köcheln lassen. Die Speisestärke mit 2 bis 4 EL kaltem Wasser glatt rühren und die Sauce damit binden. Mit dem Stabmixer fein pürieren.

3 | Crème fraîche und restliche Pilze unter die Sauce rühren und 2 Minuten köcheln lassen. Den Schnittlauch waschen, trocken schütteln und in feine Röllchen schneiden. Unter die Sauce rühren und mit Salz, Pfeffer und Zitronensaft würzen.

Passt zu: dunklem Fleisch, vor allem Wild, Knödeln und Nudeln.

Salsa verde

mit Minze und Sardellen

Für 4 Personen

- 1 EL Dijon-Senf
- 3 EL Rotweinessig
- 8 EL Olivenöl
- 2 Knoblauchzehen
- 4 Sardellenfilets (in Öl)
- 2 EL Kapern
- 2 Bund Petersilie
- 1 Bund Basilikum
- 4 Stiele Minze
- Salz · Pfeffer aus der Mühle

1 | Den Senf mit dem Essig in einer Schüssel verrühren. Das Olivenöl nach und nach mit dem Schneebesen unterschlagen. Den Knoblauch schälen und in feine Würfel schneiden. Die Sardellen abtropfen lassen und mit den Kapern fein hacken. Beides mit dem Knoblauch unter die Sauce rühren.

2 | Die Petersilie, das Basilikum und die Minze waschen und trocken schütteln, die Blätter abzupfen und fein hacken. Mit der Sauce gut verrühren und die Salsa verde mit Salz und Pfeffer abschmecken.

Passt zu: »Papas arrugadas« (kanarische »Schrumpelkartoffeln«): Dafür 2 kg kleine Kartoffeln waschen und in einem Topf mit Wasser bedecken. 500 g grobes Meersalz unterrühren und die Kartoffeln etwa 25 Minuten weich garen. Falls nötig, restliches Wasser abgießen, den Topf mit einem Küchentuch bedecken, den Deckel auflegen und die Kartoffeln bei schwacher Hitze dämpfen, bis sie trocken und runzelig sind.

Frankfurter Grüne Sauce

Für 4 Personen

2 Eier (Größe L) · 200 g Schmand
200 g Mayonnaise (siehe S. 242)
1 EL mittelscharfer Senf · 1 EL Weißweinessig
120 g gemischte Kräuter (mindestens 7 verschiedene Kräuter wie Petersilie, Schnittlauch, Kresse, Kerbel, Sauerampfer, Pimpinelle, Borretsch)
½ TL abgeriebene unbehandelte Zitronenschale
Salz · Pfeffer aus der Mühle

1 | Die Eier in kochendem Wasser 8 Minuten hart kochen. Kalt abschrecken, pellen und in feine Würfel schneiden. Den Schmand, die Mayonnaise, den Senf und den Essig in einer Schüssel verrühren und die Eier untermischen.

2 | Die Kräuter waschen und trocken schütteln, die Blätter abzupfen und fein hacken. Den Schnittlauch in Röllchen schneiden. Die Kräuter unter die Sauce rühren und mit Zitronenschale, Salz und Pfeffer würzen.

Passt zu: Pellkartoffeln und gekochten Eiern (dann keine Eier unter die Sauce mischen) oder Tafelspitz (siehe S. 220).

Tipp: Für eine einfache Kräutercreme 100 g Magerquark und 200 g Mayonnaise (oder Crème fraîche) mit dem Schneebesen glatt rühren. 1 Bund gemischte Kräuter (z.B. Petersilie, Kerbel, Basilikum, Schnittlauch) waschen und trocken schütteln. Die Blätter abzupfen und fein hacken, den Schnittlauch in Röllchen schneiden. Kräuter unter die Creme rühren und den Dip mit Salz und Pfeffer würzen.

BBQ-Sauce

Für 4 Gläser (à 200 ml)

1 Zwiebel · 3 Knoblauchzehen · 2 EL Öl · 200 ml Orangensaft
375 g Tomatenketchup · 2 EL Apfelessig · 4 EL Worcestershiresauce · 100 g Rübensirup · 2 EL Ahornsirup
Pfeffer aus der Mühle · Cayennepfeffer · Tabasco

1 | Die Zwiebel und den Knoblauch schälen und in feine Würfel schneiden. Das Öl in einem Topf erhitzen, Zwiebel und Knoblauch darin 2 bis 3 Minuten andünsten. Mit dem Orangensaft ablöschen. Ketchup, Essig, Worcestershiresauce und Rübensirup unterrühren und alles bei schwacher Hitze 10 bis 15 Minuten köcheln lassen.

2 | Ahornsirup unterrühren und die Sauce mit Pfeffer, Cayennepfeffer und Tabasco würzen. Noch heiß in sterilisierte Einmachgläser füllen, Gläser verschließen und abkühlen lassen.

Passt zu: Kalbsschnitzel im Panko-Mantel (siehe S. 208) und gegrilltem Fleisch.

Tipp: Für Thai-BBQ-Sauce 1 Zwiebel, 3 Knoblauchzehen und 40 g Ingwer schälen, fein würfeln. 2 EL Öl in einem Topf erhitzen, 1 TL rote Currypaste darin 2 bis 3 Minuten anrösten. Mit 200 ml Orangensaft ablöschen. 2 bis 3 Stängel Zitronengras putzen, mit einer Pfanne flach klopfen. Mit 200 g Ketchup, 40 ml Apfelessig, 240 ml Pflaumensauce, 120 ml Hoisinsauce, 50 ml Worcestershiresauce, 120 ml Sojasauce, 120 g braunem Zucker und 2 EL gehacktem Koriander zur Sauce geben und bei schwacher Hitze 15 bis 20 Minuten köcheln lassen. Zitronengras entfernen und die Sauce noch heiß in vier sterilisierte Einmachgläser (à 250 ml) füllen. Gut verschließen und abkühlen lassen.

Tomatensalsa

mit Jalapeños und roten Zwiebeln

Für 4 Personen

2 Fleischtomaten · 1 rote Zwiebel · 2 grüne Jalapeños (mexik. Chilischoten) · 2 EL Rotweinessig · 1–2 TL Puderzucker
½ TL gemahlener Kreuzkümmel · 2 EL Olivenöl
Salz · Pfeffer aus der Mühle · Saft von ½ Limette
1 EL gehackte Petersilie (oder gehackter Koriander)

1 | Die Tomaten kreuzweise einritzen, überbrühen, kalt abschrecken, häuten, vierteln und entkernen. Das Fruchtfleisch in etwa ½ cm große Würfel schneiden.

2 | Die Zwiebel schälen und in feine Würfel schneiden. Die Jalapeños längs halbieren, entkernen, waschen und in feine Würfel schneiden. Mit den Zwiebel- und den Tomatenwürfeln in eine Schüssel geben und mischen.

3 | Essig, Puderzucker, Kreuzkümmel und Olivenöl zu den Tomaten geben und gut verrühren. Mit Salz, Pfeffer und Limettensaft würzen. Die Salsa zugedeckt 1 Stunde durchziehen lassen. Kurz vor dem Servieren die Petersilie untermischen.

Passt zu: Schweinefilet im Nacho-Mantel (siehe S. 209) und gegrilltem Fisch.

Mangosalsa

mit Paprika, Chili und Koriander

Für 4 Personen

2 kleine rote Paprikaschoten · 1 große reife Mango (ca. 700 g)
2 Frühlingszwiebeln · 1 kleines Bund Koriander
1–2 rote Chilischoten · gemahlener Koriander
Zimtpulver · 1 EL Reisessig (oder Weißweinessig)
1 TL Sesamöl · 1 TL Puderzucker · Salz

1 | Den Backofengrill einschalten. Die Paprikaschoten längs halbieren, entkernen und waschen. Die Paprikahälften, wie auf S. 22 (Rezept »Gemüse-Antipasti«) beschrieben, grillen und häuten. Dann in kleine Würfel schneiden.

2 | Die Mango schälen, das Fruchtfleisch zuerst vom Stein und dann in etwa ½ cm große Würfel schneiden. Die Frühlingszwiebeln putzen, waschen und in feine Ringe schneiden. Den Koriander waschen und trocken schütteln, die Blätter abzupfen und fein hacken. Die Chilischoten längs halbieren, entkernen, waschen und in feine Würfel schneiden.

3 | Alles in einer Schüssel gut mischen. Mit je 1 Prise Koriander und Zimt, Essig, Öl, Puderzucker und etwas Salz würzen.

Passt zu: gebratener Entenbrust (siehe S. 178), gegrilltem Fisch, gebratenem Rindfleisch, Samosas (siehe S. 142) und Lammkoteletts in Couscous-Panade (siehe S. 208).

Zwiebelchutney

mit Mais und Aprikosenkonfitüre

Für 4 Gläser (à 250 ml)

500 g weiße Zwiebeln · 2 EL Öl · 1–2 rote Peperoni
250 g Mais (aus der Dose) · 2 EL Zucker · 1 Lorbeerblatt
1 Zimtstange · 5 EL Apfelessig · 2 EL Gelierzucker (2:1)
2 EL Aprikosenkonfitüre

1 | Die Zwiebeln schälen und in feine Streifen schneiden. Das Öl in einer Pfanne erhitzen und die Zwiebeln darin 5 bis 6 Minuten andünsten. Die Peperoni längs halbieren, entkernen, waschen und in feine Würfel schneiden. Den Mais auf einem Sieb abtropfen lassen.

2 | Den Zucker in einem Topf bei mittlerer Hitze goldbraun karamellisieren. Mit 100 ml Wasser ablöschen und rühren, bis sich der Karamell aufgelöst hat. Zwiebeln, Peperoni, Lorbeerblatt, Zimtstange, Essig, Gelierzucker, Aprikosenkonfitüre und Mais dazugeben. Alles bei schwacher Hitze 10 bis 12 Minuten köcheln lassen.

3 | Das Chutney in sterilisierte Einmachgläser füllen, die Gläser gut verschließen und abkühlen lassen.

Passt zu: Käse, gegrilltem Fleisch und Geflügel.

Zitronenchutney

mit Zimt und Vanille

Für 4 Gläser (à 250 ml)

6 unbehandelte Zitronen · 1 Zimtstange · 1 Vanilleschote
1 rote Peperoni · 400 ml Orangensaft · 100 ml Zitronensaft
150 g Gelierzucker (2:1) · 4 grüne Kardamomkapseln
4 Zacken Sternanis · 1 TL Currypulver
4 Kaffir-Limettenblätter · 1 TL Meersalz

1 | Die Zitronen heiß waschen, trocken reiben und die Enden abschneiden. Die Zitronen in etwa 1 cm dicke Spalten schneiden, falls nötig, die Kerne entfernen. Die Spalten in einen Topf geben.

2 | Die Zimtstange in 4 Teile brechen. Die Vanilleschote längs aufschneiden, das Mark herauskratzen und mit den Zimtstücken zu den Zitronen geben. Die Peperoni längs halbieren, entkernen, waschen und in feine Würfel schneiden. Mit den restlichen Zutaten in den Topf geben. Alles bei schwacher Hitze 10 bis 15 Minuten köcheln lassen.

3 | Das Chutney in sterilisierte Einmachgläser füllen, die Gläser gut verschließen und abkühlen lassen. Das Chutney im Kühlschrank mindestens 3 Tage ziehen lassen.

Passt zu: gebratener Entenbrust (siehe S. 178), Thunfischtatar oder gegrilltem Fisch.

Desserts & Süßes

Das Beste zum Schluss

Sie sind unwiderstehlich und zum Dahinschmelzen, zarte Versuchungen und kleine Sünden – und selbst im vollsten Bauch ist für die süßen Leckereien immer noch ein bisschen Platz.

Die süßen Seiten des Lebens Der Brauch, nach dem Abtragen des Hauptgerichts (frz.: desservir) etwas Süßes zu servieren, ist noch nicht sehr alt. Bis ins 18. Jahrhundert war es an der Tafel der Adligen und Wohlhabenden üblich, süße und pikante Speisen gleichzeitig aufzutischen. Erst im 19. Jahrhundert setzte sich das süße Finale durch und kam schließlich auch beim reicher werdenden Bürgertum in Mode. Meistens wurden dabei mehrere süße kalte Speisen wie Cremes, Gelees, Gebäck und Früchte gleichzeitig aufgetischt. Heute geben wir uns meistens mit einem Dessert zufrieden, das besteht aber oft aus mehreren Komponenten: aus warm und kalt, weich und knusprig, fruchtig und cremig. Genau dieses Zusammenspiel unterschiedlicher Geschmacksreize macht Desserts so unwiderstehlich.

Zucker – von der Kostbarkeit zur Massenware Widerstand zwecklos: Die Lust auf Süßes ist uns in die Wiege gelegt worden. Denn schon unsere erste Nahrung, die Muttermilch, schmeckt süß. Süße bedeutet Glück und Zufriedenheit. Für den Urmenschen bedeutete Süße gefahrlosen Genuss, während Bitteres die Alarmglocken schrillen ließ. Lange waren Honig und Früchte die einzigen süßen Nahrungsmittel, die der Mensch kannte. Das änderte sich erst mit der Entdeckung, dass man aus dem Saft des Zuckerrohrs Kristalle gewinnen konnte, mit denen sich alles versüßen ließ. Doch die Kunst der Zuckergewinnung war wie das Zuckerrohr in Asien zu Hause, und bis die Europäer Zucker kennenlernen sollten, dauerte es noch Jahrtausende. Noch Römer und Germanen süßten ihr Essen mit Honig. Erst um 700 n. Chr. kam der Zucker mit den nach Spanien und Süditalien drängenden Arabern auf unseren Kontinent, für den endgültigen Durchbruch sorgten dann die Kreuzritter des Mittelalters. Zucker wurde neben Salz und Gewürzen zu einem der begehrtesten und teuersten Handelsgüter und zum Luxus für die Mächtigen und Wohlhabenden. Für Otto Normalverbraucher war er lange unerschwinglich. Bis im 18. Jahrhundert ein deutscher Chemiker die Entdeckung machte, dass sich auch aus den heimischen Runkelrüben Zucker gewinnen lässt. Von da an wurde der kostbare Stoff zur immer billigeren Massenware. Und die kunstvollen Kreationen von Zuckerbäckern, Konditoren und Patissiers waren endlich für jedermann zu haben.

Nachspeisen der Natur Eine frisch gepflückte, reife Frucht war wahrscheinlich das erste Dessert der Menschheitsgeschichte. Auch heute noch ist es in den Mittelmeerländern üblich, frische Früchte zum Dessert zu servieren. Aus Früchten haben sich die vielfältigsten Süßspeisen entwickelt. Sie werden zu Obstsalaten vermischt, mit Zucker zu Kompott gekocht, zu Konfitüre gerührt und zu Gelee verarbeitet, auf Kuchen gelegt und in Torten gefüllt, sie werden getrocknet, zu Saucen püriert und zu Sorbets gefroren. Und wenn sie mal nicht die Hauptrolle spielen, sorgen sie als dekorative Nebendarsteller für schöne Effekte auf dem Teller. Doch die schönste Frucht ist kein Genuss, wenn sie nicht reif ist. Eine wässrige Melone, geschmacklose Erdbeeren oder eine steinharte Mango können ein ganzes Dessert verderben. Bei der Auswahl von Früchten ist deshalb gute Qualität das oberste Gebot.

Der Stoff, aus dem die Träume sind Basis zahlreicher Desserts sind Eier und/oder Sahne. Denn daraus entstehen feine Cremes wie die berühmte Mousse au Chocolat oder Crème brulée. Das Eigelb sorgt für die nötige Bindung und Geschmeidigkeit, das zu Schnee geschlagene Eiweiß oder die Schlagsahne bringt Luftigkeit und Lockerheit ins Spiel. Werden Eiercremes gefroren, erhält man Parfaits, werden sie in der Eismaschine gerührt, entsteht sahnige Eiscreme. Da Eigelb schnell verdirbt, sollten solche Desserts nur mit sehr frischen Eiern zubereitet werden, immer gut gekühlt und innerhalb von 1 bis 2 Tagen verbraucht werden (gefrorene Desserts sind länger haltbar). Auch für zahlreiche heißgeliebte Mehlspeisen und gebackenen Desserts – von Crêpes über Kaiser- bzw. Topfenschmarren bis hin zu Schokoküchlein – sind Eier eine unverzichtbare Zutat. Aus Milchprodukten wie Mascarpone, Joghurt, Quark oder Frischkäse lassen sich aber auch ohne Eier wunderbar cremige Desserts herstellen.

Keine Angst vor Gelatine Was verleiht Panna cotta die nötige Festigkeit, was macht aus Fruchtsaft ein schimmerndes Gelee? Die Antwort heißt Gelatine. Gelatine ist ein farb- und geruchloses Bindemittel, das aus tierischem Bindegewebe gewonnen wird und Flüssiges verfestigt. Man bekommt es in Pulverform oder zu transparenten »Blättern« gepresst. Wenn man einige Grundregeln beherzigt, ist die Verwendung von Gelatine ganz einfach: 1. Gelatine muss möglichst genau – wie im Rezept angegeben – dosiert werden, damit die Speisen weder zu dünn noch zu fest werden. 2. Gelatine muss sorgfältig aufgelöst werden, dabei sollte sie aber nicht zu heiß werden, sonst verliert sie ihre Wirkung. 3. Aufgelöste Gelatine darf nicht in zu kalte Massen gerührt werden, sonst klumpt sie. Um dies zu vermeiden, werden vor dem Vermischen zunächst ein paar Löffel der kalten Masse mit der flüssigen Gelatine verrührt, man nennt das »Temperaturausgleich«. Wer keine Gelatine einsetzen möchte, weil sie aus tierischen Grundstoffen gewonnen wird, kann Agar-Agar verwenden, ein Geliermittel auf pflanzlicher Basis, das ähnliche Eigenschaften besitzt.

Blattgelatine
Ananas
dunkle Kuvertüre
weiße Kuvertüre
Banane
Aprikosen
Mandeln
Pistazien
Butter
Walnüsse
Sahne
Pinienkerne
Zucker
Milch
Beeren
Puderzucker
Vanillestange
Zimtstangen
Eier
Nougat

Desserts & Süßes – krönendes Finale

1 CREMES & MOUSSES

Bei Cremes kommt es vor allem auf die richtige Konsistenz an, bei einer Mousse ist diese besonders luftig. Wichtig dafür ist, dass die Mousse fest genug, aber nicht zu fest gerät. Dafür sorgt die richtige Menge Gelatine. Da dieses Bindemittel den Geschmack etwas abmildert, sollte man Cremes und Mousses nach dem Unterrühren von Gelatine nochmals mit Zucker und eventuell Säure (Limetten- oder Zitronensaft) abschmecken.

1. Die Gelatine nach Packungsanweisung in kaltem Wasser einweichen. Die Limetten heiß waschen und trocken reiben, die Schale fein abreiben und den Saft auspressen.

2. Beides mit dem Joghurt und dem Puderzucker in einer Schüssel verrühren. Die Gelatine gut ausdrücken und mit 1 EL Limettenjoghurt in einem kleinen Topf erwärmen.

2 EIS & PARFAITS

Eis ist ideal für Gäste, denn man kann es bis zu 2 Tage vorher zubereiten. Damit es schön cremig wird, benötigt man normalerweise eine Eismaschine, die die Masse während des Gefrierens rührt. Das Parfait gelingt aber auch ohne Maschine – Eier und Sahne verleihen dem gefrorenen Dessert ganz ohne ständiges Rühren den nötigen Schmelz. Mit Gewürzen, Spirituosen und Fruchtpürees lässt es sich ausgezeichnet variieren.

1. Vanilleschote längs aufschneiden und das Mark herauskratzen. Schote und Mark mit der Milch aufkochen. Eigelbe mit dem Zucker in einer Metallschüssel verrühren. Die heiße Milch mit dem Schneebesen nach und nach unterschlagen.

2. Die Eier-Milch-Masse im heißen, nicht kochenden Wasserbad mit dem Schneebesen oder den Quirlen des Handrührgeräts cremig aufschlagen. Die Schüssel in eine zweite Schüssel mit Eiswasser stellen und die Masse kalt rühren.

3 MEHLSPEISEN

Mehlspeisen schmecken nicht nur als Nachtisch, sie können auch als süße Hauptspeise eine gute Figur machen, wie z.B. Pfannkuchen. Hauchdünn ausgebackene Crêpes dagegen sind ein klassisches Dessert. Damit sie gut gelingen, sollte man am besten eine Antihaftpfanne mit flachem Rand verwenden. Zum Ausbacken eignen sich Öl, Butterschmalz oder Butter, bei Butter darf die Pfanne allerdings nicht zu heiß werden.

1. Das Mehl in einer Schüssel mit der Milch glatt rühren. Mit den Eiern, 1 EL Zucker, 1 Prise Salz und der flüssigen Butter verrühren. Den Teig 20 Minuten quellen lassen.

2. Etwas Öl in einer Pfanne erhitzen, 1 Schöpflöffel Teig hineingeben und durch Schwenken der Pfanne verteilen. Auf beiden Seiten goldbraun backen. Zum Dreieck zusammenklappen und warm stellen. Auf diese Weise 8 Crêpes backen.

3. Sobald sich die Gelatine aufgelöst hat, den Topf vom Herd nehmen, 1 bis 2 EL Joghurt unterrühren und alles unter den restlichen Limettenjoghurt mischen.

4. Sahne steif schlagen, unter den Joghurt heben. In Gläser füllen, 1 bis 2 Stunden kühl stellen. Nach Belieben mit Früchten und Minze servieren. Passt als Nachspeise zu Brathähnchen (siehe S. 178) oder pfannengerührtem Rindfleisch (siehe S. 200).

1 JOGHURT-LIMETTEN-MOUSSE

3 ½ Blatt Gelatine
2 unbehandelte Limetten
300 g Naturjoghurt
80 g Puderzucker
300 g Sahne

zum Online-Video
www.kochen-digital.de/mousse

3. Die Sahne halbsteif schlagen und unter die Eismasse heben. Die Kastenform mit Öl einfetten und mit Frischhaltefolie auslegen. Die Eismasse einfüllen.

4. Beeren mit Puderzucker pürieren, durch ein Sieb streichen. Schokocrossies hacken, mit dem Püree auf die Eismasse geben. Mit der Gabel unterziehen. Im Tiefkühlfach 6 bis 8 Stunden gefrieren. Passt als Nachspeise zu Spaghetti bolognese (siehe S. 82).

2 HIMBEERPARFAIT (Kastenform 1 l Inhalt):

1 Vanilleschote · ¼ l Milch
6 Eigelb (Größe M)
160 g Zucker
400 g Sahne
Öl für die Form
200 g Himbeeren (tiefgekühlt; aufgetaut)
2 EL Puderzucker
80 g Schokocrossies (Fertigprodukt)

zum Online-Video
www.kochen-digital.de/parfait

3. Saft mit restlichem Zucker in einer Pfanne aufkochen. Die Stärke mit 2 bis 4 EL kaltem Wasser glatt rühren und die Sauce damit binden. Die Pfanne vom Herd nehmen und die Butterwürfel unterrühren. Crêpes in der Sauce wenden.

4. Den Likör in eine hitzebeständige Suppenkelle geben, anzünden und über die Crêpes gießen. Crêpes mit Sauce und Orangenfilets anrichten. Passt als Nachspeise zu Dorade in Pergament (siehe S. 156) oder gebratener Entenbrust (siehe S. 178).

3 CRÊPE SUZETTE

100 g Mehl
230 ml Milch
3 Eier (Größe L)
4 EL Zucker
Salz
40 g flüssige Butter
2–3 EL Öl
200 ml Orangensaft
1–2 TL Speisestärke
60 g kalte Butterwürfel
4 EL Orangenlikör
Filets von 2 Orangen

zum Online-Video
www.kochen-digital.de/crepe

Schokoladenmousse
mit Bananen-Frühlingsrolle

Für 4–6 Personen

200 g Zartbitterkuvertüre · 50 g Vollmilchkuvertüre
2 Eier (Größe L) · 2 cl Orangenlikör (oder Rum) · 600 g Sahne
40 g kandierter Ingwer · 2 Bananen (in ½ cm großen Würfeln)
Chiliflocken · 4 große Blätter Frühlingsrollenteig (20 x 20 cm)
200 ml Öl · Puderzucker zum Bestäuben

1 | Beide Kuvertüresorten hacken und im heißen Wasserbad schmelzen. Ein Ei trennen und das Eigelb mit dem übrigen Ei und dem Likör in eine Metallschüssel geben. Die Ei-Likör-Masse im heißen Wasserbad mit dem Schneebesen schaumig schlagen, bis die Masse weißcremig ist. Die Schüssel vom Herd nehmen und die geschmolzene Kuvertüre unterrühren. Die Schokomasse auf Zimmertemperatur abkühlen lassen.

2 | Sahne nicht zu steif schlagen, 2 bis 3 EL davon mit dem Schneebesen unter die Schokomasse rühren. Restliche Sahne vorsichtig mit dem Teigschaber unterheben. Mousse in eine Schüssel füllen und zugedeckt 2 bis 3 Stunden kühl stellen.

3 | Den Ingwer in feine Würfel schneiden. Mit den Bananenwürfeln und 1 bis 2 Prisen Chiliflocken mischen. Die Teigblätter halbieren. Am unteren Blattrand jeweils einen 1 cm breiten Streifen Bananenwürfel verteilen. Die Teigränder mit dem Eiweiß bestreichen, die seitlichen Ränder einklappen und die Teigblätter zu dünnen Stangen aufrollen. Das Öl in einem großen Topf auf 180 °C erhitzen und die Stangen darin 2 bis 3 Minuten goldbraun ausbacken. Auf Küchenpapier abtropfen lassen und mit Puderzucker bestäuben. Von der Mousse Nocken abstechen und mit den Frühlingsrollen anrichten.

Weiße Kaffeemousse
mit Gewürzorangen

Für 4–6 Personen

3 EL Kaffeebohnen · 150 ml Milch · 200 g weiße Schokolade
4 Eier (Größe M) · 2 Eiweiß (Größe M) · Salz · 130 g Zucker
4 Blatt weiße Gelatine · 150 g Sahne · 4 kernlose Orangen
200 ml Aprikosensaft · 1 Vanilleschote · 1 Zimtstange
3 Sternanis · 2 grüne Kardamomkapseln · 1–2 TL Speisestärke

1 | Am Vortag die Kaffeebohnen grob hacken und mit der Milch aufkochen. Vom Herd nehmen und über Nacht ziehen lassen. Am nächsten Tag die Schokolade fein hacken und im heißen Wasserbad schmelzen. Die Eier trennen und die Eiweiße mit 1 Prise Salz zu steifem Schnee schlagen. 50 g Zucker einrieseln lassen und 3 bis 4 Minuten weiterschlagen.

2 | Die Gelatine in kaltem Wasser einweichen. Kaffeemilch durch ein Sieb in eine Metallschüssel gießen und mit den Eigelben im heißen Wasserbad cremig schlagen. Die Gelatine ausdrücken und in der Eiercreme auflösen. Vom Herd nehmen und die Schokolade unterrühren. Auf Zimmertemperatur abkühlen lassen. Die Sahne fast steif schlagen. Mit dem Eischnee unter die Creme heben und zugedeckt 4 Stunden kühl stellen.

3 | Die Orangen schälen und die Filets zwischen den Trennhäuten herausschneiden, den austretenden Saft auffangen. Orangen- und Aprikosensaft, restlichen Zucker, ausgekratzte Vanilleschote und das Mark, Zimt, Sternanis und Kardamom aufkochen. Die Speisestärke mit wenig kaltem Wasser glatt rühren, die Sauce damit binden. Über die Orangenfilets gießen und 1 bis 2 Stunden ziehen lassen. Gewürze entfernen. Von der Mousse Nocken abstechen, mit den Orangenfilets anrichten.

Kokos-Panna-cotta
mit Mangopüree

Für 4 Personen

4 Blatt weiße Gelatine
1 Vanilleschote
400 ml Kokosmilch
50 g Zucker
200 g Sahne
1 reife Mango
1 Spritzer Limettensaft
Rum (nach Belieben)
Himbeeren (nach Belieben)
Kokos-Chips (nach Belieben)

1 | Die Gelatine nach Packungsanweisung in kaltem Wasser einweichen. Die Vanilleschote längs aufschneiden und das Mark herauskratzen. In einem Topf mit der Kokosmilch und dem Zucker aufkochen. Die Gelatine gut ausdrücken und unter Rühren darin auflösen.

2 | Die Vanilleschote entfernen. Die Masse vom Herd nehmen und im Kühlschrank abkühlen lassen, bis sie zu gelieren beginnt. Die Sahne halbsteif schlagen und mit einem Teigschaber vorsichtig unterheben. Die Kokoscreme in Portionsförmchen (etwa 120 ml Inhalt) füllen und 2 bis 3 Stunden in den Kühlschrank stellen.

3 | Die Mango schälen, das Fruchtfleisch zuerst vom Stein und dann in Stücke schneiden. Mit dem Limettensaft und nach Belieben etwas weißem Rum in einen hohen Rührbecher geben und mit dem Stabmixer fein pürieren. Die Förmchen in heißes Wasser tauchen und die Panna cotta auf Dessertteller stürzen. Mit dem Mangopüree und nach Belieben Himbeeren und Kokos-Chips anrichten.

Tipp: Für eine klassische Panna cotta 3 Blatt Gelatine nach Packungsanweisung in kaltem Wasser einweichen. 500 g Sahne mit 40 g Zucker, Vanilleschote und -mark aufkochen. Die Gelatine gut ausdrücken und darin auflösen. Die Vanilleschote entfernen. Die Panna cotta in Portionsförmchen füllen und kühl stellen. Dazu schmeckt Himbeerpüree: 200 g Himbeeren (frisch oder tiefgekühlt und aufgetaut) mit 2 bis 3 EL Zucker und 1 Spritzer Limettensaft pürieren. Zur Panna cotta servieren.

Crème brulée

auf klassische Art

Für 4–6 Personen

- 1 Vanilleschote
- 150 ml Milch
- 350 g Sahne
- 60 g Zucker
- 7 Eigelb (Größe M)
- 4 EL brauner Zucker

1 | Die Vanilleschote längs halbieren und das Mark herauskratzen. Mit der Milch, der Sahne und dem Zucker in einem Topf aufkochen. Die heiße, nicht mehr kochende Vanillesahne mit den Eigelben in einer Schüssel verrühren und durch ein Sieb passieren.

2 | Den Backofen auf 120 °C vorheizen. Ein tiefes Backblech mit Backpapier auslegen. Vier ofenfeste Förmchen (etwa 12 cm breit, 2½ cm hoch) daraufstellen und die Creme gleichmäßig einfüllen. Kochendes Wasser angießen, bis die Förmchen zu zwei Dritteln im Wasser stehen. Die Crème brulée im Ofen auf der untersten Schiene 1 Stunde stocken lassen. Herausnehmen, etwas abkühlen lassen und 3 bis 4 Stunden kühl stellen. Die Creme mit dem braunen Zucker bestreuen und mit dem Bunsenbrenner karamellisieren. Die Crème brulée nach Belieben mit frischen Beeren servieren.

Tipp: Für eine Himbeer-Chili-Crème-brulée die Eiermasse ohne Zucker herstellen. In einem Topf 150 g pürierte Himbeeren mit 75 g Gelierzucker (3:1) und ½ fein gehackten Chilischote mischen, 4 Minuten köcheln und abkühlen lassen. Nach dem Passieren der Vanillesahne das Fruchtpüree unterrühren und in die Förmchen füllen. Wie im Grundrezept fortfahren. Für eine Kaffee-, Zimt- oder Tonkabohnen-Crème-brulée die Eiermasse wie beschrieben herstellen, dabei entweder 3 EL gehackte Kaffeebohnen, 2 zerdrückte Zimtstangen oder 1 fein geriebene Tonkabohne in der Vanillesahne aufkochen, 15 Minuten ziehen lassen und durch ein Sieb passieren. Wie im Grundrezept fortfahren.

Himbeer-Tiramisu
mit Schokolade

Für 4 Personen

30 Löffelbiskuits · 300 ml kalter Espresso · 1 unbehandelte Limette · 500 g Mascarpone · 3 EL Zucker · 300 g frische Himbeeren (ersatzweise tiefgekühlt) · 50 g Zartbitterschokolade 2 EL gehackte Pistazien

1 | Den Boden einer großen Auflaufform (20 x 30 cm) mit der Hälfte der Löffelbiskuits belegen. Die Hälfte des Espressos gleichmäßig darüberträufeln.

2 | Die Limette heiß waschen und trocken reiben, die Schale fein abreiben und den Saft auspressen. Den Mascarpone mit der Limettenschale und dem -saft sowie dem Zucker glatt rühren. Die Hälfte der Creme vorsichtig auf den Löffelbiskuits verteilen und glatt streichen.

3 | Die Himbeeren verlesen, waschen und trocken tupfen. Die Hälfte der Beeren auf der Creme verteilen und etwas hineindrücken. Die Schokolade darüberraspeln. Die restlichen Löffelbiskuits daraufsetzen und erneut mit Espresso tränken. Die übrige Mascarponecreme daraufstreichen und mit den restlichen Himbeeren garnieren. Die Pistazien darüberstreuen. Nach Belieben das Tiramisu noch mit 50 g geraspelter Zartbitterschokolade bestreuen.

Tipp: Wenn Kinder mitessen, können Sie die Löffelbiskuits mit Orangensaft statt mit Espresso tränken.

Holunderblütencreme
mit Erdbeeren und Mandelkrokant

Für 4–6 Personen

100 g Butterkekse · 40 g brauner Zucker · 50 g flüssige Butter Öl für die Form · 5½ Blatt Gelatine · 300 g Naturjoghurt ca. 170 ml Holunderblütensirup · 1 TL abgeriebene unbehandelte Zitronenschale · 400 g Sahne · 400 g Erdbeeren (gewaschen und geviertelt) · 3 EL Puderzucker · 100 g Mandelblättchen

1 | Die Kekse im Blitzhacker fein hacken. Mit braunem Zucker und Butter gut mischen. Eine rechteckige Form (22 x 22 cm) mit Öl einfetten und mit Frischhaltefolie auslegen. Die Keksbrösel gleichmäßig darin verteilen und etwas andrücken.

2 | Die Gelatine nach Packungsanweisung in kaltem Wasser einweichen. Joghurt, 140 ml Sirup und Zitronenschale verrühren. Die Sahne fast steif schlagen. Die Gelatine gut ausdrücken und bei schwacher Hitze in einem kleinen Topf auflösen. Von der Joghurtcreme 2 bis 3 EL abnehmen und mit der Gelatine verrühren. Dann unter die restliche Joghurtmasse rühren. Sobald die Masse zu gelieren beginnt, Sahne mit einem Teigschaber unterheben und die Creme auf dem Keksboden verteilen. Zugedeckt im Kühlschrank 2 bis 3 Stunden kühl stellen.

3 | Backofen auf 200 °C vorheizen. Erdbeeren mit dem restlichen Sirup und 1 EL Puderzucker mischen, 30 Minuten marinieren. Mandeln, übrigen Puderzucker und 1 bis 2 EL Wasser mischen. Auf einem mit Backpapier belegten Backblech flach verteilen und im Ofen auf der mittleren Schiene goldbraun karamellisieren. Herausnehmen, abkühlen lassen und in kleine Stücke brechen. Creme mit der Folie aus der Form heben, in Stücke schneiden. Mit Erdbeeren und Krokant anrichten.

Geeiste Schoko-Brownies
mit Haselnüssen und Heidelbeeren

Für eine rechteckige Form (15 x 22 cm)

50 g Haselnüsse · 100 g Zartbitterkuvertüre · 200 g Nussnougat
200 ml Milch · 4 Eigelb (Größe M) · 120 g Zucker
350 g Sahne · Öl für die Form · 125 g Heidelbeeren
80 g Vollmilchkuvertüre · 15 g Kokosfett
80 g grob gehackte Erdnusscookies (Fertigprodukt)
Puderzucker zum Bestäuben

1 | Die Haselnüsse in einer Pfanne ohne Fett rösten, bis sie duften. Herausnehmen und grob hacken. Die Zartbitterkuvertüre und den Nougat klein hacken. Die Milch in einem Topf aufkochen, die Kuvertüre und den Nougat darin schmelzen.

2 | Die Eigelbe und den Zucker in einer Metallschüssel im heißen, aber nicht kochenden Wasserbad cremig rühren. Die Nougat-Schoko-Masse hinzufügen und im kalten Wasserbad so lange rühren, bis sie abgekühlt ist.

3 | Die Sahne halbsteif schlagen und mit einem Teigschaber vorsichtig unterheben. Dann die Nüsse untermischen. Die Form (15 x 22 cm) mit Öl einfetten und mit Frischhaltefolie auslegen. Die Parfaitmasse darin verteilen und im Tiefkühlfach 6 bis 8 Stunden gefrieren lassen.

4 | Die Heidelbeeren verlesen, waschen und trocken tupfen. Die Vollmilchkuvertüre und das Kokosfett fein hacken. In einer Metallschüssel im heißen Wasserbad schmelzen und mit einem Pinsel auf das Parfait streichen. Sofort mit den gehackten Erdnusscookies bestreuen.

5 | Die Form kurz in heißes Wasser tauchen und das Parfait mit der Folie herausheben. Mit einem Messer in 3 x 3 cm große Würfel schneiden. Die »Schoko-Brownies« mit den Heidelbeeren auf Desserttellern anrichten und mit Puderzucker bestäubt servieren.

»Vanillecupcakes«
mit Preiselbeeren

Für 6–8 Silikon-Cupcake- oder Silikon-Muffinfformen

2 Vanilleschoten · 3 Eier (Größe L) · 2 Eigelb (Größe L)
140 g Puderzucker · 400 g Sahne
400 g Preiselbeeren (tiefgekühlt; ersatzweise aus dem Glas)
Saft von ½ Orange · 150 ml Zuckersirup (siehe Tipp)
50 g Zartbitterschokolade

1 | Die Vanilleschoten längs aufschneiden und das Mark herauskratzen. Die Eier, die Eigelbe, das Vanillemark und den Puderzucker in einer Metallschüssel im heißen, nicht kochenden Wasserbad 6 bis 8 Minuten mit dem Schneebesen schaumig aufschlagen. Dann die Masse im kalten Wasserbad mit den Quirlen des Handrührgeräts 5 bis 6 Minuten kalt schlagen.

2 | 250 g Sahne steif schlagen und mit einem Teigschaber unter die Eiercreme heben. Die Parfaitmasse gleichmäßig auf die Formen verteilen. Die Masse im Tiefkühlfach 4 bis 5 Stunden gefrieren lassen.

3 | Die Preiselbeeren antauen lassen und mit dem Orangensaft und dem Zuckersirup fein pürieren. Die restliche Sahne unterrühren und die Preiselbeermasse in der Eismaschine zu einem Sorbet gefrieren lassen.

4 | Die Schokolade in Späne hobeln. Die »Vanillecupcakes« aus dem Tiefkühlfach nehmen, die Förmchen kurz in heißes Wasser tauchen und das Parfait stürzen. Das Preiselbeersorbet in einen Spritzbeutel mit Sterntülle füllen und auf die »Cupcakes« spritzen. Die »Vanillecupcakes« mit den Schokospänen und nach Belieben Minze garnieren und sofort servieren.

Tipp: Zuckersirup wird häufig für Sorbets gebraucht und kann auf Vorrat hergestellt werden. Dafür 500 g Zucker, das Mark von 1 Vanilleschote und ½ TL abgeriebene unbehandelte Zitronenschale mit 1 l Wasser 5 bis 6 Minuten sprudelnd kochen und dann abkühlen lassen.

Rhabarberparfait
mit Mascarpone und Nougatknusper

Für eine Kasten- oder Rehrückenform (ca. 1,5 l)

300 g Rhabarber · 160 g Zucker · 4 Eigelb (Größe M)
1 Vanilleschote · 100 ml Milch · 200 g Mascarpone
400 g Sahne · Öl für die Form · 120 g Nussnougat
60 g Vollmilchkuvertüre · 40 g Butter · 80 g Vollkorn-Haferfleks

1 | Rhabarber putzen, schälen und in kleine Würfel schneiden. In einem Topf mit 60 g Zucker und 2 bis 3 EL Wasser weich dünsten und dann mit dem Stabmixer fein pürieren.

2 | Die Eigelbe mit dem restlichen Zucker in einer Metallschüssel verrühren. Die Vanilleschote längs halbieren und das Mark herauskratzen. Beides mit der Milch aufkochen. Die Vanillemilch langsam mit dem Schneebesen unter die Eiermasse schlagen. Im heißen, nicht kochenden Wasserbad cremig rühren. Die Vanilleschote entfernen. Dann die Masse im kalten Wasserbad so lange schlagen, bis sie abgekühlt ist.

3 | Mascarpone und Rhabarberpüree unterrühren. Sahne halbsteif schlagen und unter die Masse heben. Die Kastenform mit Öl einfetten und mit Frischhaltefolie auslegen. Parfaitmasse einfüllen und 6 bis 8 Stunden gefrieren lassen.

4 | Nougat und Kuvertüre grob hacken. Beides mit der Butter im heißen Wasserbad schmelzen. Etwas abkühlen lassen und die Haferfleks unterrühren. So viel von der Masse auf dem Parfait verteilen, dass es 1 cm damit bedeckt ist. Den Nougatknusper im Tiefkühlfach gefrieren lassen. Den Rest auf einen Teller mit Backpapier bröseln und kühl stellen. Das Rhabarberparfait aus der Form stürzen und in Scheiben schneiden. Mit den restlichen Nougatbröseln bestreut servieren.

Kokosparfait
mit Ananas und Minzezucker

Für 6 Personen

2 Blatt Gelatine · 4 cl Kokoslikör · 300 ml Kokosmilch
4 Eigelb (Größe L) · 150 g Zucker · 350 g Sahne
1 mittelgroße Ananas · 1 EL Honig (nach Belieben)
einige Stiele Minze · etwas Kakaopulver

1 | Die Gelatine in kaltem Wasser einweichen. Likör mit 200 ml Kokosmilch aufkochen. Die Eigelbe und 100 g Zucker in eine Metallschüssel geben und die heiße Kokosmilch unterrühren. Im heißen, aber nicht kochenden Wasserbad cremig rühren.

2 | Die Gelatine gut ausdrücken und in der Kokoscreme auflösen. Die Creme im kalten Wasserbad so lange rühren, bis sie abgekühlt ist. Die Sahne halbsteif schlagen und mit einem Teigschaber unterheben. Die Masse in sechs halbkugelförmige kleine Schüsseln oder Schalen (à etwa 15 cm Durchmesser) füllen und im Tiefkühlfach 5 bis 6 Stunden gefrieren lassen.

3 | Die Schalen nach Belieben etwas aushöhlen, kurz in heißes Wasser tauchen und das Kokosparfait aus der Form stürzen. Mit der Wölbung nach oben wieder in das Tiefkühlfach stellen.

4 | Die Ananas schälen, vierteln und den harten Strunk entfernen. Das Fruchtfleisch in 3 cm große Stücke schneiden und nach Belieben mit dem Honig marinieren. Die Minze waschen und trocken schütteln, die Blätter abzupfen, fein hacken und mit dem restlichen Zucker mischen.

5 | Die Eisschalen mit Kakaopulver bestäuben und in Spalten oder Stücke teilen. Mit den Ananasstücken auf Desserttellern anrichten und mit dem Minzezucker bestreuen.

Ricottaparfait
mit Aprikosen und Karamell

Für 6–8 Personen

3 unbehandelte Zitronen
260 g Zucker
3 Eier (Größe L)
2 Eigelb (Größe L)
150 g Sahne
150 g Ricotta
Öl für die Form und das Backblech
300 g Aprikosen
1 Päckchen Vanillezucker
100 ml Aprikosensaft (oder Apfelsaft)

1 | Für das Parfait die Zitronen heiß waschen und trocken reiben. Die Schale fein abreiben und den Saft auspressen. Mit 120 g Zucker 5 bis 6 Minuten sirupartig einkochen lassen. Etwas abkühlen lassen und mit den Eiern und den Eigelben in einer Metallschüssel im heißen, aber nicht kochenden Wasserbad cremig schlagen. Vom Herd nehmen und im kalten Wasserbad so lange rühren, bis die Masse abgekühlt ist.

2 | Die Sahne halbsteif schlagen. Erst den Ricotta unter die Parfaitmasse rühren, dann die Sahne mit einem Teigschaber unterheben. Eine Tarteform mit Wellenrand (24 cm Durchmesser) mit Öl einfetten und mit Frischhaltefolie auslegen. Die Masse in der Form verteilen und im Tiefkühlfach 4 bis 5 Stunden gefrieren lassen.

3 | Inzwischen 80 g Zucker in einem Topf goldbraun karamellisieren. Auf ein geöltes Backblech geben und abkühlen lassen. Den Karamell in feine Stücke hacken. Die Aprikosen waschen, halbieren und entsteinen. In 1 cm breite Spalten schneiden und mit dem restlichen Zucker, dem Vanillezucker und dem Aprikosensaft 5 bis 6 Minuten weich dünsten.

4 | Die Tarteform mit dem Ricottaparfait kurz in heißes Wasser tauchen und das Parfait mit der Folie aus der Form heben. Das Ricottaparfait in Stücke schneiden und mit den Aprikosen auf Desserttellern anrichten. Mit dem Karamell bestreuen und sofort servieren.

Walnusseis
mit Sahnetoffees

Für 500 ml Eiscreme

80 g Zucker · 300 g Sahne · 200 ml Milch · 4 Eigelb (Größe M)
50 g Sahnetoffees · 50 g Walnusskerne (oder andere Nüsse)

1 | Zucker in einem Topf hellbraun karamellisieren. 200 g Sahne dazugießen und köcheln lassen, bis der Karamell sich aufgelöst hat. Restliche Sahne und Milch dazugeben und aufkochen.

2 | Die Eigelbe in eine Metallschüssel geben, die heiße Karamellsahne unterrühren und im heißen, aber nicht kochenden Wasserbad cremig aufschlagen. Dann im kalten Wasserbad so lange rühren, bis die Creme abgekühlt ist, und in der Eismaschine gefrieren lassen.

3 | Die Sahnetoffees und die Walnüsse grob hacken. Sobald das Eis gefroren ist, mit in die Eismaschine geben. Das fertige Eis aus der Maschine in einen gefrierfesten Behälter umfüllen und bis zur Verwendung in das Tiefkühlfach stellen.

Passt zu: Doughnuts (siehe S. 270).

Mangosorbet
mit Sekt

Für 600 g Sorbet

100 g Zucker · 2 reife Mangos (ca. 450–500 g Fruchtfleisch)
100 ml Sekt (z.B. Asti Spumante) · Saft von 1 Limette

1 | Zucker mit 200 ml Wasser 3 bis 4 Minuten sprudelnd kochen und dann abkühlen lassen (siehe auch Tipp S. 265). Die Mangos schälen, das Fruchtfleisch zuerst vom Stein und dann in grobe Würfel schneiden.

2 | Zuckersirup, Mangofruchtfleisch, Sekt und Limettensaft mit dem Stabmixer fein pürieren. Die Fruchtmasse in der Eismaschine gefrieren lassen oder in einer gefrierfesten Schüssel ins Tiefkühlfach stellen und jede Stunde mit dem Schneebesen durchrühren, bis das Sorbet gefroren ist.

3 | Das Sorbet in vorgekühlten Gläsern anrichten. Nach Belieben mit etwas Sekt aufgießen und mit einigen Minzeblättern garnieren. Oder das Sorbet in einem gefrierfesten Behälter bis zum Servieren in das Tiefkühlfach stellen.

Passt zu: warmen Schokoküchlein (siehe S. 274)

Tipp: Statt Mangos können Sie auch 500 g Himbeer-, Erdbeer-, Aprikosen- oder Brombeerpüree verwenden. Für eine alkoholfreie Variante den Sekt durch Fruchtsaft ersetzen.

Vanilleeis
mit Cranberrys

Für 500 ml Eiscreme

1 Vanilleschote · 200 ml Milch · 300 g Sahne · 4 Eigelb (Größe M) · 90 ml Ahornsirup · 50 g getrocknete Cranberrys

1 | Die Vanilleschote längs aufschneiden, das Mark herauskratzen. Beides in einem Topf mit Milch und Sahne aufkochen. Die Vanilleschote entfernen.

2 | Eigelbe und Ahornsirup in eine Metallschüssel geben. Vanillesahne unterrühren und im nicht zu heißen Wasserbad cremig aufschlagen. Dann im kalten Wasserbad so lange rühren, bis die Creme abgekühlt ist. In der Eismaschine gefrieren lassen.

3 | Cranberrys in feine Würfel schneiden. Sobald das Eis gefroren ist, die Cranberrys mit in die Eismaschine geben. Das fertige Eis aus der Maschine in einen gefrierfesten Behälter umfüllen und bis zur Verwendung in das Tiefkühlfach stellen.

Tipp: Ein besonders raffiniertes Eis ist Popcorneis. Dafür 200 ml Milch, 300 g Sahne und 100 g Karamellpopcorn (oder normales Popcorn) aufkochen. Eine Stunde ziehen lassen. Nochmals aufkochen, durch ein Sieb in eine Metallschüssel gießen. Mit 4 Eigelben und 60 g Golden Syrup (aus dem Supermarkt) im nicht zu heißen Wasserbad cremig aufschlagen. Im kalten Wasserbad so lange rühren, bis die Creme abgekühlt ist. In der Eismaschine gefrieren lassen.

Grünes Apfelsorbet
mit Basilikum

Für 600 g Sorbet

100 g Zucker · 600 g Granny-Smith-Äpfel
1 kleines Bund Basilikum · 100 ml Apfelsaft · 1 EL Zitronensaft

1 | Den Zucker in einem Topf mit 200 ml Wasser 3 bis 4 Minuten sprudelnd kochen und etwas abkühlen lassen (siehe auch Tipp S. 265). Die Äpfel vierteln, schälen, entkernen und im Zuckersirup bei mittlerer Hitze etwa 10 Minuten weich dünsten.

2 | Das Basilikum waschen und trocken schütteln, die Blätter abzupfen. Die gedünsteten Äpfel mit dem Basilikum, dem Apfel- und Zitronensaft mit dem Stabmixer fein pürieren.

3 | Die Fruchtmasse in der Eismaschine gefrieren lassen oder in einer gefrierfesten Schüssel ins Tiefkühlfach stellen und jede Stunde mit dem Schneebesen durchrühren, bis das Sorbet gefroren ist. Das Sorbet in vorgekühlten Gläsern anrichten und nach Belieben mit Basilikumblättern garnieren.

Doughnuts
mit Schokoladen-Honig-Glasur

Für 18 Stück

½ Würfel Hefe · 30 g Zucker · 275 g Mehl · 150 ml Milch
25 g weiche Butter · 1 Eigelb · Salz · Mehl für die Arbeitsfläche
1 l Öl zum Ausbacken · 30 g Butter · 80 g Honig · 100 g fein gehackte Zartbitterschokolade · Fleur de Sel (nach Belieben)

1 | Für den Teig Hefe, Zucker, 3 EL Mehl und Milch in einer Schüssel verrühren und 10 Minuten ruhen lassen. Teigansatz mit restlichem Mehl, Butter, Eigelb und 1 Prise Salz zu einem glatten Teig verkneten. Mit einem feuchten Küchentuch zugedeckt an einem warmen Ort 45 Minuten gehen lassen.

2 | Den Teig kurz durchkneten und auf der bemehlten Arbeitsfläche etwa 1 cm dick ausrollen. Mit einer Ausstechform (5 cm Durchmesser) 18 Kreise ausstechen. Aus jeder Kreismitte ein 2 cm großes Loch ausstechen. Die Doughnuts weitere 10 Minuten gehen lassen.

3 | Das Öl auf 180 °C erhitzen. Die Doughnuts darin auf beiden Seiten je 2 bis 3 Minuten backen. Herausnehmen und auf Küchenpapier abtropfen lassen. Für die Glasur Butter und Honig in einem Topf erwärmen und die Schokolade darin schmelzen. Die Oberseiten der Doughnuts in die Glasur tauchen. Auf Backpapier trocknen lassen. Nach Belieben mit Fleur de Sel bestreuen und mit Walnusseis (siehe S. 268) servieren.

Crêpes
mit Erdbeercreme und Pfirsich

Für 4 Personen

100 g Mehl · 230 ml Milch · 3 Eier (Größe L) · 140 g Zucker
Salz · 40 g zerlassene Butter · 3–4 EL Öl · 5 Blatt Gelatine
200 g Erdbeeren (gewaschen) · 200 g Crème fraîche · Saft und Schale von 1 unbehandelten Limette · 3 Eiweiß (Größe M)
2–3 reife Pfirsiche · 1 EL Honig · 1 TL gehackter Rosmarin

1 | Aus Mehl, Milch, Eiern, 4 EL Zucker, Salz, Butter und 2 bis 3 EL Öl, wie auf S. 258/259 beschrieben, Crêpes zubereiten.

2 | Gelatine in kaltem Wasser einweichen. Erdbeeren pürieren und mit Crème fraîche, Limettensaft und -schale verrühren. Ausgedrückte Gelatine bei schwacher Hitze auflösen. Von der Creme 2 EL abnehmen und mit der Gelatine verrühren. Dann unter die restliche Erdbeercreme rühren. Eiweiße mit 1 Prise Salz und restlichem Zucker zu steifem Schnee schlagen. Sobald die Creme zu gelieren beginnt, Eischnee unterheben. Die Crêpes einzeln auf Frischhaltfolie legen und mit Creme bestreichen. Mit der Folie einrollen und 2 Stunden kühl stellen.

3 | Die Pfirsiche waschen, halbieren, entsteinen und in 1 cm breite Spalten schneiden. In einer Pfanne in 1 EL Öl auf beiden Seiten 1 bis 2 Minuten andünsten. Honig und Rosmarin dazugeben und die Pfirsiche darin wenden. Crêpes aus der Folie nehmen, schräg halbieren und mit den Pfirsichen servieren.

Topfenschmarren
mit karamellisierten Mandeln

Für 4 Personen

120 g Mehl · 1/4 l Milch · Mark von 1 Vanilleschote
1/2 TL abgeriebene unbehandelte Zitronenschale · 4 Eier (Größe M)
100 g Magerquark · Salz · 180 g Zucker
3 EL Butter · 50 g gehackte Mandeln

1 | Den Backofen auf 200 °C vorheizen. Für den Teig das Mehl in eine große Schüssel geben. Mit der Milch, dem Vanillemark und der Zitronenschale glatt rühren. Die Eier trennen und die Eigelbe mit dem Quark unterrühren. Die Eiweiße mit 1 Prise Salz und 40 g Zucker zu steifem Schnee schlagen. Den Eischnee mit einem Teigschaber unter den Teig heben.

2 | In einer großen ofenfesten Pfanne 1 EL Butter erhitzen, den Teig hineingießen und 2 Minuten anbacken. Im Ofen auf dem Ofengitter auf der untersten Schiene 15 bis 18 Minuten weiterbacken. Der Schmarren ist fertig, wenn man mit einem Holzspieß hineinsticht und kein Teig daran kleben bleibt.

3 | Den Schmarren aus dem Ofen nehmen, auf ein Küchenbrett stürzen und in grobe Stücke schneiden. Die restliche Butter in der Pfanne erhitzen, übrigen Zucker und Mandeln darin karamellisieren. Den Schmarren dazugeben und vorsichtig wenden. Nach Belieben mit Puderzucker bestäubt servieren. Dazu passt Zwetschgen- oder Rhabarberkompott.

Gebackene Churros
mit kreolischem Dip

Für 4 Personen

100 g Butter · Salz · 1 TL abgeriebene unbehandelte Orangenschale · 50 g Mehl · 50 g gemahlene Mandeln · 3 Eier (Größe L)
200 ml Kokosmilch · 100 g weiße Kuvertüre · 2 cl weißer Rum
1/2 TL milde Chiliflocken · 1 1/2 l Öl · brauner Zucker

1 | Für den Teig die Butter, 1 Prise Salz, die Orangenschale und 150 ml Wasser in einem Topf aufkochen. Das Mehl und die Mandeln dazugeben und alles zu einem glatten Teig verrühren. In eine Schüssel füllen und die Eier nach und nach mit den Knethaken des Handrührgeräts unterrühren.

2 | Für den Dip die Kokosmilch in einem zweiten Topf aufkochen. Die Kuvertüre fein hacken und darin schmelzen. Den Rum und die Chiliflocken unterrühren und abkühlen lassen.

3 | Den Backofen auf 80 °C vorheizen. Das Öl in einem hohen Topf auf 180 °C erhitzen. Den Teig in einen Spritzbeutel mit Sterntülle füllen und portionsweise 10 bis 12 cm lange Streifen in das heiße Fett spritzen. Die Churros unter Wenden 4 bis 5 Minuten goldbraun ausbacken. Herausnehmen, auf Küchenpapier abtropfen lassen und im Ofen warm halten.

4 | Sobald alle Churros fertig gebacken sind, im braunen Zucker wenden und mit dem Dip servieren.

Marillenknödel
mit Nougat und Butterbröseln

Für 4 Personen

500 g mehligkochende Kartoffeln · Salz
je 50 g Speisestärke, Mehl und Hartweizengrieß
1 Ei (Größe L) · 2 EL flüssige Butter
½ TL abgeriebene unbehandelte Zitronenschale
1 Päckchen Vanillezucker · 12 kleine Aprikosen
80 g Nussnougat · 100 g Zucker · 80 g Butter
80 g Weißbrotbrösel · 1 TL Zimtpulver
200 g Schmand (nach Belieben)

1 | Am Vortag die Kartoffeln mit der Schale waschen und in Salzwasser weich garen, abgießen, ausdampfen lassen und möglichst heiß pellen. Durch die Kartoffelpresse drücken und flach in einer Auflaufform verstreichen. Zugedeckt über Nacht kühl stellen.

2 | Am nächsten Tag die Kartoffelmasse mit Speisestärke, Mehl, Grieß, Ei, flüssiger Butter, Zitronenschale und Vanillezucker zu einem glatten Teig verkneten.

3 | Die Aprikosen waschen, halb aufschneiden und entsteinen. Den Nougat in 1 cm große Würfel schneiden und je 1 Würfel in 1 Aprikose füllen. Den Kartoffelteig in 12 gleich große Portionen teilen. In jede Teigportion 1 Aprikose drücken und zu 1 Knödel formen.

4 | In einem großen Topf 3 l Wasser mit Salz und 80 g Zucker aufkochen. Die Knödel hineinlegen und bei schwacher Hitze 15 bis 18 Minuten ziehen lassen.

5 | Die Butter in einer Pfanne erhitzen und die Weißbrotbrösel darin goldbraun rösten. In eine Schüssel geben und mit dem Zimt und dem restlichen Zucker mischen.

6 | Die Marillenknödel mit dem Schaumlöffel aus dem Kochsud nehmen und auf Küchenpapier abtropfen lassen. In den Butterbröseln wenden und noch warm servieren. Den Schmand nach Belieben dazureichen.

Vanilleküchlein
mit Zimtzucker

Für 6–8 kleine Tarteförmchen oder Muffinvertiefungen

250 g Mehl · Salz · Mehl zum Verarbeiten
150 g weiche Butter · 1 Packung Vanillepuddingpulver
60 g Zucker · ½ l Milch · 5 Eigelb (Größe L)
Mark von 1 Vanilleschote · 1 TL abgeriebene unbehandelte Zitronenschale · 1 Zimtstange · Butter für die Förmchen
Puderzucker und Zimtpulver zum Bestäuben

1 | Für den Teig das Mehl, 1 Prise Salz und 150 ml kaltes Wasser zu einem glatten Teig verkneten. In Frischhaltefolie wickeln und 30 Minuten ruhen lassen.

2 | Den Teig mit etwas Mehl bestäuben und zu einem großen, etwa 3 mm dicken Rechteck ausrollen. Mit 50 g Butter gleichmäßig bestreichen. Die linke Seite des Teiges zu einem Drittel einschlagen, dann die rechte Seite darüberschlagen, sodass drei Lagen entstehen. Den Teig 15 Minuten kühl stellen. Wieder ausrollen und den Vorgang wiederholen. Weitere 15 Minuten kühl stellen. Den Teig erneut zu einem Rechteck ausrollen, mit der restlichen Butter bestreichen und von unten nach oben aufrollen. Den Teig bis zur Weiterverarbeitung kühl stellen.

3 | Das Vanillepuddingpulver mit dem Zucker, 100 ml Milch und den Eigelben glatt rühren. Die restliche Milch mit Vanillemark, Zitronenschale und Zimtstange aufkochen. Das angerührte Puddingpulver einrühren und etwa 1 Minute köcheln lassen. Die Zimtstange entfernen und den Vanillepudding in eine Schüssel füllen.

4 | Den Backofen auf 200 °C vorheizen. Die Förmchen mit Butter einfetten. Die Teigrolle in 2½ cm dicke Scheiben schneiden und die Förmchen damit auskleiden. Den Pudding gleichmäßig auf die Förmchen verteilen und die Vanilleküchlein im Ofen auf der mittleren Schiene 15 bis 17 Minuten goldbraun backen. Etwas abkühlen lassen und aus der Form nehmen. Mit Puderzucker und Zimt bestäubt servieren.

Tipp: Die Vanilleküchlein kommen ursprünglich aus Portugal und heißen dort »Pastéis de nata«. Wenn es schnell gehen soll, können Sie auch fertigen Blätterteig verwenden.

Warme Schokoküchlein

mit flüssigem Kern und exotischem Fruchtsalat

Für 4 Personen

Für den Fruchtsalat:
1 reife kleine Mango
½ kleine Ananas
100 g Lychees (aus der Dose)
30 g kandierter Ingwer
2–3 EL Zuckersirup
(siehe Tipp S. 265)

Für die Schokoküchlein:
Butter und Zucker für die Formen
100 g Zartbitterschokolade
60 g weiche Butter
2 Eier (Größe M)
50 g Puderzucker
40 g gesiebtes Mehl
1 EL Kakaopulver
Puderzucker zum Bestäuben

1 | Für den Fruchtsalat die Mango schälen und das Fruchtfleisch vom Stein schneiden. Die Ananas schälen, vierteln und den harten Strunk entfernen. Mango- und Ananasfruchtfleisch in kleine Würfel schneiden. Die Lychees in ein Sieb abgießen, abtropfen lassen und vierteln. Den Ingwer in feine Würfel schneiden. Alles mit dem Zuckersirup marinieren.

2 | Für die Schokoküchlein den Backofen auf 180 °C vorheizen. Vier ofenfeste Förmchen (à etwa 8 cm Durchmesser) mit Butter einfetten und mit Zucker ausstreuen. Die Schokolade grob hacken und in einer Metallschüssel im heißen Wasserbad schmelzen.

3 | Die weiche Butter in einer Schüssel mit den Quirlen des Handrührgeräts schaumig schlagen. Die Eier rasch unterrühren. Zuerst den Puderzucker, das Mehl und das Kakaopulver, dann die etwas abgekühlte Schokolade unterrühren. Den Teig auf die Förmchen verteilen und die Küchlein im Ofen auf der mittleren Schiene 10 bis 12 Minuten backen.

4 | Die Küchlein aus dem Ofen nehmen, 1 bis 2 Minuten ruhen lassen, stürzen und auf Dessertteller setzen. Mit dem Fruchtsalat und nach Belieben mit Mangosorbet (siehe S. 268) oder Kokos-Bananen-Eis (siehe Tipp) anrichten. Mit Puderzucker bestäubt und nach Belieben mit Minze garniert servieren.

Tipp: Für Kokos-Bananen-Eis 200 ml Zuckersirup (siehe Tipp S. 265) mit 400 ml Kokoscreme, dem Saft von 1 Limette, 1 gewürfelten Banane und 2 cl Rum mit dem Stabmixer fein pürieren und in der Eismaschine gefrieren lassen.

ONLINE-HD-VIDEO-REGISTER

Der Rezeptautor:

Michael Koch

Nach seiner Ausbildung zum Koch und langjährigen Erfahrungen in der gehobenen Gastronomie, unter anderem im Hotel Mandarin Oriental München, arbeitet Michael Koch seit dem Jahr 2000 als freier Foodstylist und Kochbuchautor für namenhafte Verlage und Werbepartner. Mit seiner Lebensgefährtin Sandra und seiner achtjährigen Tochter Lilli lebt er frei nach dem Motto »Du bist, was du isst. Sei offen für andere Kulturen und probiere alles.«

Das Fototeam:

Westermann+Buroh Studios GbR

www.westermann-buroh.de

Fotografie: Jan-Peter Westermann

Fotografische Mitarbeit: Chiara Cigliutti

Foodstyling: PIO, Roland Geiselmann, Volker Hobl, Alexandra Böhme

Styling: Juliane Bennien

Assistenten: Malte Plutat, Michaela Kompala, Jana Tolle, Yvonne Gastler

Weitere Fotos:

S. 6: Andreas Wemheuer

S. 13: Food-Photography Eising